М. ВОРОНОВА, Н. МИРОНИНА, О. ЖДАНОВ, УЛЬЯ НОВА,
О. ЛУНИНА, Е. ПОМАЗАН, Е. УСАЧЁВА, Г. МАВЛЮТОВА,
С. ПРЮДОН, Ю. КЛИМОВА, О. ЛИСКОВАЯ, А. ФЁДОРОВА
И ДРУГИЕ

СВАДЬБУ ДЕЛАТЬ БУДЕМ?

РАССКАЗЫ СОВРЕМЕННЫХ ПИСАТЕЛЕЙ

МОСКВА
2017

УДК 821.161.1-32
ББК 84(2Рос=Рус)6-44
С24

Оформление серии *Г. Булгаковой*

С24 **Свадьбу** делать будем? : сборник. — Москва : Издательство «Э», 2017. — 448 с. — (Радость сердца. Рассказы современных писателей).

ISBN 978-5-699-99236-2

Свадьбу делать будем? Или просто распишемся? И вообще, к чему нам эта регистрация? Мы ведь друг друга любим и без печати в паспорте!.. Сколько парочек задавалось подобными вопросами, сколько слез и споров они вызывали! Мир входит в эру сексуальной терпимости и ослабления гендерных связей, а российским барышням вынь да положь свадьбу! С белым платьем, фатой, лимузином, толпой родственников и фотоотчетом в Instagram. Или не всем барышням это нужно? Или не только барышням, наши мужчины тоже все-таки не против жениться по всем правилам? На вопрос, что же такое для нас свадьба, отвечают современные российские писатели — своими рассказами, которые и вошли в этот сборник.

УДК 821.161.1-32
ББК 84(2Рос=Рус)6-44

ISBN 978-5-699-99236-2

ЛИЛИТ МАЗИКИНА

Индийское кино

К свадьбе готовились со вкусом, азартно, не жалея времени, денег, сил и фантазии. По замыслу будущего свекра, свадьбой предполагалось отметить восемнадцатилетие наследника, юноши, наделенного всеми достоинствами, как то: изрядный рост, модная худоба, кудри до лопаток и умение выбивать венгерочку двадцать минут подряд, не сбиваясь с ритма и притом в негнущихся лаковых туфлях. Кроме того, наследника умудрились всеми правдами и неправдами пристроить в институт, так что армия до рождения парочки собственных наследников ему не грозила, а после — тем более.

Институт юноше даже понравился, и он впервые в жизни учился с интересом, обнаружив к отличным от танца искусствам и их истории прежде никогда за ним не наблюдавшийся интерес. Первые две сессии сдал почти без помощи родителей.

Видеорезюме сняли сразу после поступления. Ролик длился двадцать минут ровно — столько, сколько достаточно и необходимо было для демонстрации главного таланта. Кудри, худоба и свежий ремонт в доме также ненавязчиво присутствовали в кадре.

Невесту выбрали, просмотрев роликов сорок. На год младше, фигурка сочная, на лицо — вылитая Айшвария Рай (будущего свекра кинематографический кумир), даже глаза светлые. Жила не далеко и не близко — и в гости к свойственникам поездить можно, и назойливым общение не будет. В общем, идеальная цыганская невеста. Нежным голосом перечислила, что умеет готовить — слюнки потекли...

Невесту звали Анжела. Примерили имена: Граф и Анжела, Анжела и Граф. И решились. Написали, позвонили, съездили, сосватали — семья на месте тоже очень понравилась. У мамы — институт культуры, у папы — шиномонтаж, дом — два этажа, три «плазмы». Анжела чай подавать гостям выплыла — как голубка комнату облетела. И вблизи на Айшварию еще больше похожа.

Ударили по рукам. Обговорили — когда, как. А мы молодым, а вы молодым. Устроили помолвку пышно, с гостями, в микрофон объявляли, как в кино. И дальше стали готовиться к главному.

Наследник у будущего свекра был один, как в глазу зрачок, как в груди сердце: экономить ли тут? Хотелось так сыграть, чтобы долго потом вспоминали цыгане: а на какую длину столы заставили, да как поросенка зажарили и как на блюде лежал, а водки какие сорта стояли, а как на бутылочках слеза выступала, а как молодые перед иконой кланялись да как танцевали потом, а вот такого-то и такого-то ни у кого на свадьбах еще не было… Хорошая была свадьба, легенда, а не свадьба!

Будущий свекр ужался в семейном бюджете и ел на ужин что жена подала: макароны так макароны, с котлетой так с котлетой, без смены блюд так… Что и говорить. Залез в кубышку, которую на случай свадьбы наполнял уже давно. Побегал, взял два кредита.

Свадьба как раз приходилась на Графов день рождения, выпадала на лето. Решили гулять во дворе, хотя ресторан или турбазу хорошую снять было бы пышнее. Значит — тенты, значит — столы и скамьи, и двор украсить — последнее главное, потому что — чем, как, чтобы все ахнули, чтоб удивились и повынимали из карманов телефоны — фотографировать срочно?

И цветами украшали-переукрашали все, и воздушными шариками, и светомузыкой всякой. Думали-думали, мудрили-мудрили, решили — перевить все широкими лентами, из плотной красивой ткани, алыми, сиреневыми, белыми, везде бантов и цветов из этих лент понавязать, а вечером, как стемнеет, включить спрятанные за лентами гирлянды светодиодов. Будет как в индийском кино!

Попробовали заранее — красиво выходит, пышно. Будущий свекр ходил, довольный собой, усы наглаживал, и так было жалко, что сейчас, заранее не похвастаться — украдут идею, как есть украдут, это ж не деньги, это интеллектуальная собственность, а она цыганским законом охраняется как? А вот как: никак.

В отдельную коробку, большую, от корейского душа, легли мотки лент и гирлянд. Хватит ли? Не набить ли другую коробку, от стиральной машинки? Да ведь деньги не только на украшения нужны. Певцов-музыкантов звать надо? Вот. Аппаратуру для музыки ставить надо? Ага. А чтоб было где спать, а чтоб было что есть, а костюмы! Костюмы-то!

Индийское кино так индийское кино, заказали Графу костюм — вроде как свадебный, белый, но с индийским акцентом, с жилетом расшитым, с рубашкой красной, с золотой тесьмой тут и там. Костюм влетел в копеечку, но сидел в конце концов знатно. Подумывали, не добавить ли свадебную чалму, как в «Зите и Гите», но как ни пытались, никому не удалось соорудить Графу на голове ничего похожего — отступились.

Дальше — больше. Все родственницы и свойственницы понеслись покупать себе в Москве сари или набор из широкой юбки, блузки и расшитого жилета — кто какой наряд смог на себя найти. Нашли в Интернете, как себе на заколку сделать гигантские тропические цветы из ткани. Семью будущей невесты предупредили тоже. Будущий свекр ликовал и обзванивал ансамбли в городе и области, спрашивал, какие могут сыграть «Джимми джимми аджя аджя» и «Дола ре дола ре дола ре дола». Нашел отличную еврейскую группу — знала и умела все: и венгерочку урезать, и хиты Марцинкевича (как без Марцинкевича?), и джимми джимми, и Шуфутинского с Лепсом, и еще какую-то хаванагилу заодно (обещали, что тоже очень для венгерочки хороша). Судили, рядили, торговались, базарили, да по рукам наконец ударили. Не успел будущий свекр пот с лица утереть, как тут же меню составляй. Да что приготовить, да сколько, да что закупить, да где лучше.

Тут, конечно, семейным советом, а где семейный совет, там ссоры да раздоры, потому что всякий лучше другого разбирается и в голубцах, и в поросятах, и в бараньем шашлыке. Разве что на водке было полное семейное согласие: какие три марки на стол ставить — тут всякий цыган и всякая цыганка имели понимание. С грехом пополам составили и меню, сошлись и на продуктах — где какие покупать, а где не брать ни в коем случае. Для верности записали, чтоб потом не говорил один, что сошлись на баранине с такого-то рынка, а другой — что на таком-то брать собирались. Потратили на список тетрадь ученическую в клетку, 12 листов — полностью. А как иначе, дело-то серьезное, как бы в грязь лицом да не ударить. Настоящего цыгана хлебом не корми — дай вспомнить, в какой подливе ему телятину на прошлогодней свадьбе подали да каких туда приправ положили. А если подлива была грязь, а не подлива, да розмарина пересыпали или перца не доложили, а мясо только в школьной столовой подавать, как с пищекомбината привезённое, то и этого не забудут: так вспоминать будут, что уши гореть не перестанут за пять километров от разговора.

С навесами и столами оказалось проще всего — их арендовали. Хотя как сказать проще — уж не в финансовом отношении, конечно. «Свадебные» деньги таяли на глазах, а потрясти гостей хотелось все больше и больше. Как бы так сделать, чтоб и как у людей, и чтобы только у нас так? — не переставал мучить будущего свекра вопрос. И ленты, и сари, и орхидеи из искусственного шелка, и расшитый Графов жилет — всего ему стало казаться мало. Среди ночи он садился в постели, чтобы толкнуть жену в бок и спросить:

— А верблюдов-то, верблюдов-то вроде как можно жарить… А?

— Тебя черти на своей свадьбе будут над угольями жарить, — неприветливо сообщала во сне жена. — Ты знаешь, почем сюда верблюда из Узбекистана привезти?

Будущий свекр не знал, но вздыхал печально: соображал, фантазия у него была мощная. Битые сединой усы его печально обвисали, и сам он проваливался обратно в неверный и тревожный сон.

А то застывал над тарелкой картофельного пюре с двумя сиротливыми сардельками и говорил, уставясь на глянцевые сарделькины бока:

— А фотографа попросить обезьянку с собой взять, пусть все с обезьянкой фотографируются?

— Из московского зоопарка выпишешь или из Сочи? — ровным, без тени иронии голосом интересовалась супруга, и усы обвисали снова.

А лето все надвигалось и надвинулось совсем. Выдалось оно ровным, без дыма, без зноя и без бесконечных дождей, и прогноз погоды на день свадьбы (и рождения) Графа был самый чудесный. Сам жених успешно прикончил вторую сессию и дни проводил беспечно — бегая с удочками на озерцо в пригородном лесу. Там водились только бычки, но Граф уверял, что его лучший друг совсем недавно, в позатом году, выловил из озерца четырех карасей. Граф хотел поймать пять.

Объездили все рынки. На некоторых словно диверсию кто устроил — то нужного мясника нет, то у нужного мясника нет ничего толкового. Бегали, волновались, ругались, торговались, щупали и нюхали, чтобы лучшего все качества, сверялись со списком, вычеркивали и обнаруживали, что забыли вычеркнуть. Перед глазами все плыло от перебранных вручную, лично, с пристрастием, сладких перцев, багровых помидоров, крепких луковиц, скромниц-картофелин. Купили и мяса, и овощей, и фруктов, и приправ, и птицы, и сладостей, и попить, и выпить, и цветов живых — по всему дому по ведрам расставили. Кладовка, холодильник, кухонные шкафчики — ничто не осталось пустым хоть бы на уголок. Копченьями пахло умопомрачительно.

Съехались гости. Пристроили, как могли, по всей улице машины; пристроили, как могли, гостей по всему дому. Вышло вроде не стыдно, всем хватило надувных матрасов, подушек и пледов.

Утром прежде всех встал Граф, схватил удочки — но наступил неосторожно среди гостей на чью-то ногу, поднялся шум — удочки отобрали.

— Я успею, успею, — твердил жених, но его уже расчесывали, вертели, обряжали, опрыскивали одеколоном. Процессия с невестой должна была приехать в течение дня, а сама свадьба состояться ночью, когда включат гирлянды за лентами и электросвечи на столах.

Цыганки развели во дворе костры, поставили мангалы и прочее; кто-то уже занял кухню и во главе с будущей свекровью усердно месил тесто для пирогов и пирожков. Мужчины с важным видом смотрели, как будущий свекр, взяв в помощь родного младшего брата, маринует в вине отборные куски бараньего мяса, и, чтоб сдержаться и под руку советов не давать, сладострастно вспоминали шашлыки на недавних майских праздниках: кто какое мясо взял, да в чем вымачивал, да приправки, да как на вкус было и как на зуб ложилось. Чтобы не захлебнуться слюной, подъедали нарочно поставленные закуски и запивали водкой.

— Ночью-то все же странно, ночью что за свадьба, вообще все не по-людски идет, — не выдерживал кто-нибудь, томясь по накрытым столам и всеобщим танцам, но будущий свекр осаживал:

— Не нравится, так и не держат тебя.

Это было, конечно, грубо, но он знал: интрига, секрет, который чуяли за ночной свадьбой цыгане, заставит пропустить мимо ушей грубость и ждать сюрприза. Чтобы или обрадоваться и качать хозяина, или обидеться и проклясть всячески.

Подвезли столы и тенты, мужчины принялись расставлять их, подключать аппаратуру. Прибыли музыканты, стали аппаратуру сразу тестировать: зазвенела магомаевская «Свадьба-свадьба», хиты Антонова. Аппаратурой музыканты остались довольны, сели за уже накрытый для них столик, стали есть, одуревая от запаха шашлыка на тарелках, наливая по пятьдесят — «для горла», хватая и вкусно жуя огурцы и сладкие перцы, нарезанные дольками, заедая хлебом черным и белым, утирая лица поставленными салфеточками в цветочек.

— Культурно тут у вас, — заметил с удовольствием гитарист, грузный мужчина чуть за сорок с наполовину уже облетевшими кудряшками. Молоденький барабанщик с выразительным носом моргал сонно, не привык еще выпивать на жаре. Будущая свекровь предложила положить его на часик на диван, и товарищи повели парня вслед за хозяйкой. Пока он спал, достали яркие, как в телевизоре, цыганские народные костюмы, попросили утюг и разглаживали их привычно.

— Часто у цыган поете? — полюбопытствовал хозяин.

— И у цыган… и вместо цыган…

— Как вместо цыган?

— Так, приходим в ресторан и выступаем, цыганский ансамбль «Ай да ну да най». Людям нравится.

Будущий свекр удивился.

— И никто не замечает подмены?

— Цыгане замечают.

— И что, сердятся?

— Нет. Смеются.

Хозяин засмеялся тоже.

Брат его съездил за фотографом, нескладным длинным мужчиной с лицом и голосом Василия из кинофильма «Любовь и голуби». Фотограф на цыганской свадьбе был впервые, озирался с любопытством.

— Снимай скорее, — волнуясь, говорил хозяин и вытирал усы от натекающего на них пота.

— Что снимать, невесты нет еще? — недоумевал фотограф.

— Столы, столы снимай, пока свет. Предвечерний свет — самый красивый…

Фотограф принялся расчехлять свою фотографическую аппаратуру. А столы были хороши.

По центру стояли вазы с одуряюще пахнущими цветами — розами, лилиями. С цветами в мисочках со льдом стояли разномастные бутылки — с вином, водкой, газировкой, минералкой. Лежал на блюде румяный поросенок, длинный, словно жертва мутации или столкновения с асфальтоукладочным катком — это он посередине был ловко составлен из трех поросят. Из ушей поросенка торчали розы, во рту глянцевым боком блестело яблоко, глаза были из маслин, хитро блестели. Лежала фаршированая щука во всю свою длину. Граф тихо сказал фотографу, что щуку поймал он, и показал на прислоненные к стене дома снасти — впопыхах их забыли убрать. Фотограф впечатлился и отдельно сделал портрет жениха с щукой. Потом пошел вокруг столов, стараясь ничего не упустить: ни горки груш, яблок и мандаринов, ни нарезанных кружками и составленных обратно ананасов, ни кокосов с девственно целой скорлупой — хозяева не знали, как их есть и подавать, — ни выложенных красивыми пирамидками ровных, разрезанных пополам огурчиков, ни шести видов салатов, разложенных по гигантским хрустальным салатницам, ни сырных-колбасных нарезок. Попали в кадр огромные миски маслин и оливок, жестяные старые блюда с шашлычными горками, розетки с подливами и магазинными соусами, гигантские голубцы, пироги с пирожками открытые и закрытые, принесенный под объектив и тут же унесенный прозрачный холодец и всякая всяческая снедь, о которой фотограф знать никогда не знал и увидел впервые. Следом шел с видеокамерой хозяйский племянник, двоюродный брат жениха, и фиксировал стол для ютуба.

Когда фотограф было начал захлебываться слюной, столы закончились, и хозяйка усадила его поесть шашлыка и прочего и налила водочки стограммовый стаканчик — «чтобы линзы не потели». Фотограф начал себя чувствовать вольготно.

Музыканты разбудили своего юного товарища, напоили его холодной минералкой, и он стал, бодр и весел, со всеми вместе переодеваться в цыганский наряд.

Цыгане тоже уже все переоделись, мужчины ходили в костюмах с отливом, в белых двойках, женщины почти все в индийском или других блескучих платьях, над черными волосами, убранными в пучки и замысловатые модные косы, покачивались тропические тряпичные цветы. В предзакатном солнце нестерпимо сияли массивные, сложные серьги женщин и потные лбы мужчин. Все выглядело очень культурно и кинематографично.

Приехали будущие свойственники. Кортеж был длинный, весь из белых машин, пышно украшенных и цветами, и лентами; фотографа оторвали от стола и бросили на групповые портреты. Портрет за портретом, то мужчины, то женщины, то толпа одетых в белое девочек с корзинками в руках — в корзинках были лепестки, чтобы кидать их, когда молодых будут благословлять.

— А невеста-то какая из них? — спросил маму Граф, разглядывая толпу девушек в разноцветных сари. Будущая свекровь пригляделась.

— А вон та, в золотом… фигурой похожа, и видишь, с букетом стоит и стесняется.

— Почему же не в белом?

— Ты что, в белых сари в кино только старухи ходят…

У той, что в золотом, и правда был пышный букет из белых цветов в руках. А еще целая корона из цветов на голове. А вот в лицо ее Граф было не узнал, лицо было так густо покрыто сверкающим цветным макияжем, что не узнала бы невесту и родная мать. Стесняться невеста, впрочем, хоть и стеснялась, но Графа оглаживала веселыми и жадными глазами с ног до головы. Жених приосанился и как бы между прочим выбил чечетку. Девушка в золотом сари подняла букет и уткнулась в него лицом, сияя глазами поверх нежных лепестков. Граф почувствовал, что свадьба начинает ему нравится.

Хозяйка поправила прическу и пошла фотографироваться с невестой. Ее бордовое платье замечательно сочеталось с золотым сари, и она решила, что это к добру.

Музыканты ненавязчиво заиграли Шуфутинского. Солнце принялось закатываться совсем, заметно стемнело.

— Прожектора-то, прожектора забыли поставить, — взволновался хозяин. Прожектора должны были высвечивать его, стоящего с иконой в руках, пока к нему идут на поклон молодые. Вот тут кусок сценария был взят из американского кино. Граф с Анжелой должны были, взявшись за руки, под свадебный марш пройтись по дорожке, настеленной вдоль столов, как к алтарю, к будущему свекру и по пути их осыпали бы лепесточками девочки. А потом бы вспыхнули гирлянды за лентами, освещая весь двор. Икона с белым кружевным рушником уже лежала наготове, девочки время от времени принимались в шутку драться, так что количество лепесточков в корзинках немного уменьшилось.

Хозяин с братом побежали доставать прожектора из подвала и разматывать провода. Граф, пользуясь тем, что не включили еще никакого света, подобрался к девушке в золотом.

— Щуку-то видела? — спросил он нежно. — На столе щука лежит. С мою руку. Это я с утра поймал. Вон удочки…

Девушка захихикала из-за букета.

— Это же на карасей удочки, щука бы сломала.

«Умная, — с удовольствием отметил Граф и нежно погладил голый, неразличимый в тени девушкин локоть. Девушка локоть убрала, но не сразу. — Нравлюсь», — с еще большим удовольствием отметил жених.

— Я щуку потом поймаю, для тебя, — пообещал он.

Девушка снова захихикала и немного отошла. Граф подвинулся на шажок следом за нею.

— У меня зачётка с собой, хочешь посмотреть? Я в институте учусь... Рубенса знаю. Картины его. Там таких красавиц рисовал...

Граф чуть не добавил — «голых», но вовремя прикусил язык.

Девушка поддержала культурный разговор, чуть высунувшись из-за букета.

— А в Москве сейчас выставка Ай...вазовского. По телевизору показывают, очереди до Кремля. Вот от Кремля до музея.

— Это хорошо. Искусство надо любить. Когда народ культурный, его никто не победит.

Прожектора установили и подключили. Расстелили дорожку, поставили немного помятых и взлохмаченных девочек вдоль нее. Цыгане нетерпеливо толкались в сумерках, заглядывались на поросенка. Готово было все, и дальше тянуть было некуда.

— Ну все, ну все, жених, невеста, на ковер, скорее! — заторопились будущие свекровь и теща.

Граф вытянулся в струнку у дорожки и нетерпеливо поглядывал налево, где должна была встать невеста. Его отец торжественно сиял иконой под скрещенными лучами прожекторов и тоже ждал. Отец невесты на нервах беспрестанно жевал маринованные опята.

Тем временем никак не могли найти невесту. Заглядывали и в те помещения, которые при приличных цыганах не называют, и в погребы, и в машины — невесты не находилось нигда. Наконец хозяйка усмотрела девушку в золотом сари и подтащила ее за руку к дорожке. Но только Граф потянулся к ней, как девушка отскочила.

— Ты чего, доча? Ты не дури, все уже обговорено, вставай да иди, — увещевала будущая свекровь. — Ты не стыдись, стыдиться потом будешь.

— Да это ж не та, — подбежала будущая теща. — Не та, не Анжела!

— А кто?!

— Да это же племянница моя, это Кристинка.

— А что она с букетом?

— Так подать должна была Анжеле букет. Подружка невесты.

— А та, та-то где?!

— А Анжела сбежала. С Митькой из Тулы сбежала, пока все садились и ехали, — звонко сообщила Кристинка. — Я видела.

— А что ты, дура, молчала-то? — схватилась за сердце будущая свекровь.

— А что ты, дура, так громко сказала сейчас? — схватилась за голову будущая теща.

Будущий свекр чуть не выронил икону, но сумел передать ее брату все же целой и с угрожающим видом двинулся к будущему тестю.

— Невесту-то… Невесту не привез, а? Свадьба-то… свадьба во сколько встала, а? — бормотал он на ходу и грозно шевелил усами.

Гости стали быстро передвигаться по двору, разбиваясь на две не очень равные группы. В воздухе пахло скандалом, цыганским судом и гигантской неустойкой.

И поросенком, который томился весь вечер зря.

— Ну что ж, давайте эту тогда, — сказал Граф.

— Кого, меня? — звонко уточнила Кристинка и застеснялась.

— Как же эту, если ту сватали, — остановился несостоявшийся свекр. — Айшварию-то… Анжелу.

— Ну а что ж, мне мама на эту показала, что невеста, я уже привык к ней. Давайте на этой женюсь тогда.

— А Анжела, сватали ж Анжелу, — гнул свое хозяин.

— А родители ее где, родители кто, — всполошилась хозяйка. — А вдруг она засватанная, Кристинка ваша?

— Незасватанная, мы ее с пяти лет растим как родители, — сказал Анжелин отец. — Мы ей папа и мама, и дядя и тетя, и никто у нас ее не сватал, сиротинушку.

В глазу у него блеснула слеза.

— Конечно, не сватали, она же страшила, — наивно и громко сказала кто-то из девочек. Кристинка заплакала и пошла, пряча лицо в букет, прочь. Девочка вытащила телефон и стала показывать:

— Вот же фотография ее, вот они с Анжелой, тут Кристинка ненакрашенная.

Хозяин схватил телефон и стал рассматривать:

— Не Айшвария… Нет, не Айшвария… Та — да, а эта…

Граф сунулся посмотреть тоже. С фотографии знакомо, как над букетом, блестели большие глаза. Все остальное было так себе, не взглянешь. А глаза были знакомые и веселые.

— Ну тут что поделаешь, коли привык уже к такой, — рассудительно сказал жених. — Давайте уже меня женить-то, что время тянем.

— Вон, салаты заветриваются, гости устали в темноте стоять, музыканты тоже одетые все, давайте с Кристинкой женить, — сунулась и хозяйка.

— Да ведь обман! Да сватали мы ведь другую, красавицу! Единственному сыну моему! Единственному! А эта ваша…

— Ленты с гирляндами, — шепнула хозяйка. — Уж такую красоту приготовили, индийское кино! Давай так женить, а эти пусть за свою Анжелу потом перед людьми стыд едят.

Хозяин подумал и сказал:

— Ведите Кристинку.

И пошел стоять под прожекторами с иконой.

Граф встал в начале дорожки, девочки запустили руки в корзиночки.

Цыганки привели Кристину — у нее под глазами совсем немного расплылась тушь. Глаза от этого казались еще больше. Граф осторожно взял в свою руку мягкую и теплую Кристинкину ладонь и повел. Музыканты играли марш. Девочки азартно засыпали жениха с невестой лепестками.

«Нужна мне ваша Анжела, которая с кем попало убегает, — думал Граф. — Из-за этакой дуры с утра на рыбалку не пустили. А Кристинка рыбалку понимает. И привык я к ней, опять же».

Молодые опустились на колени, поклонились образу. Свекр благословил, отдал икону снова брату, поднял детей и соединил их руки опять. В этот момент, как и было запланировано, вспыхнули светодиодные гирлянды по всему двору, засверкали сквозь яркие ленты, и стало все невыразимо прекрасным — и молодые, и пустивший слезу свекр, и поросенок с розами в ушах.

— Горько! — пьяным голосом крикнул счастливый фотограф.

— Кому горько, тому нальют касторки, — крикнул в ответ свекр.

Граф увел Кристинку в темноту, в подготовленную в доме комнату.

— Не боишься? — спросил, вынимая букет из рук. — У меня шампанское тут спрятано, сначала можем поесть-попить.

— Успеем? Простыню ждут…

— А что на голодный-то желудок. Они водку пьют, а праздник-то наш.

Граф нашарил бутылку и штопор, вытянул пробку.

— Стаканов нет…

Молодые сели на край постели, стали пить из горлышка. Граф с руки кормил невесту тарталетками с икрой, стянутыми заранее. Икра была еще хороша.

— Не боишься? — спросил снова.

— А ты? — спросила Кристинка и засмеялась.

— А я потихоньку, — сказал Граф и стал ее целовать.

А на улице музыканты в цыганских костюмах играли и пели «Джимми джимми аджя аджя», фотограф упал на щуку, а свекр и тесть учили всех танцевать, как в индийском кино.

ОЛЕГ ЖДАНОВ

Случай с Бобруйской

Серафима Федоровна участвовала в ста пятнадцати тысячах двухстах свадебных церемониях и никогда не была замужем. Больше всего на свете она ненавидела романтический трепет рук и блеск глаз при оглашении отрывка из Семейного кодекса Российской Федерации. Эта и другие свадебные ми-ми-ми вызывали у нее рвотный рефлекс, и единственной подругой, с которой она могла всем этим поделиться, была Борислава Тихоновна из комнаты номер 14, которая была расположена чуть дальше по коридору. Серафима Федоровна работала в отделе по регистрации брака, а Борислава Тихоновна занималась расторжением семейных уз. Вот уже тридцать лет они вместе пили чай в обеденный перерыв и делились впечатлениями от потоков человеческих судеб, которые ежедневно и будничнo проносились у них перед глазами.

— Ты видела, как женихи плачут? У меня вчера один при обмене кольцами разрыдался…

— У меня, конечно, чаще бабы ревут, но в среду у парня лет тридцати слезы выступили, когда я им штампы о расторжении шлепала…

— Слабаки… раньше невесты в обморок падали, а теперь… Вчера Ленка из Кутузовского звонила, там невеста жениху нос сломала за то, что он опоздал на десять минут.

Унизанная рубинами рука поставила на блюдце цветастую чашку. Серафима Федоровна посмотрела в окно. К загсу походкой, которую вряд ли можно было назвать бодрой, приближалась пара.

— Эх, точно к началу приема и не подпрыгивают от счастья. Мой диагноз: по залету…

— Нее… просто они сами от себя в шоке…

— Сейчас посмотрим…

* * *

Эмоции вошедшего мужчины скрывали запотевшие очки и клочковатая борода с сединой. Он был спокоен и хотел казаться благожелательно-равнодушным. Она была его ниже и моложе, но надрыва в движениях и в голосе не было. Ее губы изгибались в приятной улыбке, создающей очаровательные ямочки на обеих щеках.

«Значит, не по залету. Просто она его студентка или сотрудница».

Молодые, вернее, не очень молодой и молодая, присели на стулья и тревожно выложили на стол документы. Серафима Федоровна выдержала паузу для охлаждения страждущих пожениться, но из кабинета никто не выбежал. Тогда она взялась за бумаги.

«Упорные. Ипотека, наверное. Или заграничная командировка может сорваться».

Серафима Федоровна взяла в руки многочисленные справки и, привычно наслаждаясь не их содержанием, а властью над состоянием брачующихся, стала их изучать. Молодые же вдруг переглянулись с теплой счастливой улыбкой от нее ему и с уверенным счастьем от него ей.

«Идиоты. Ну она ладно, молодая. Но он-то чего? Романтик, что ли?»

Невеста оказалась из Беларуси. Это все объясняло. Сценарий № 47. Через пять лет будут в кабинете № 14 объяснять Бориславе, что не сошлись характерами, а на самом деле просто столичный хрен произвел впечатление на девушку из провинции, и они оба сочли желание жить по-другому за вечную любовь. Посмотрим, что у жениха в достижениях.

Серафима Федоровна раскрыла паспорт жениха и сверила его с фотографией. Обычно это всех пугает, но седеющий романтик взгляд выдержал и очень спокойно улыбнулся. В этой улыбке была какая-то сила. Прописан он был на Бобруйской улице, а элитных домов на ней не значилось. Бетонный комбинат, школа полиции, кулинария, магазин и ларек с мороженым. Только два дома приличных, но опять же для семей инженеров с комбината строили, а этот скорее гуманитарий. Как он в здешних пятиэтажках оказался?

Виртуально прогуливаясь по Бобруйской улице в попытках представить сегодняшнего жениха с авоськой или с собакой на прогулке, Серафима Федоровна вдруг поняла, что название этой улицы совсем недавно где-то видела. Чтя профессиональную память выше времени визитеров, она отложила паспорт жениха и зачем-то снова взялась за нотариальные заверенные документы заграничной невесты из Беларуси.

— Бобруйск? Вы что, родом из Бобруйска? — удивление Серафимы Федоровны было вполне настоящим, ибо среднестатистический рабочий день загса ничего интересного не приносил.

— Да, это такой город в Могилевской области, — приятно улыбнулась ей невеста, — у вас есть там знакомые?

— У меня нет, но вы из города Бобруйск выходите замуж в другую страну на улицу Бобруйская. Специально подбирали, что ли?

— Нет. Так получилось. Мы в Интернете познакомились.

— Ааа, на интернет-настройках решили брак построить.

— Нет-нет. Не брак. У нас союз. И по любви. Других настроек нет. Правда.

Брачующиеся одновременно посмотрели на Серафиму Федоровну, и она впервые в этом кабинете почувствовала себя дурой, не знакомой с иными силами, кроме реальной логики заключения браков. Спасаясь от какой-то неведомой энергии, исходящей от этих странных посетителей, которые, похоже, вообще не волновались, а это было почти оскорбительно, Серафима перешла к официальном тону:

— До января дат нет. Наш загс без торжественной залы, просто придете в назначенный день и заберете свидетельство. Можете у меня в кабинете кольцами поменяться, конечно.

— Отлично. Кольцами мы уже обменялись, а торжество с читкой закона нам и ни к чему. Какое ближайшее число свободно? — жених был какой-то уж очень уверенный.

— Двадцать первое января свободно. И что, даже платья не будет?

— Зачем платье? Счастье будет, — невеста без малейших признаков паники и «ми-ми-ми» одновременно с женихом встала и потянулась за документами.

— У нас счастливый случай. Вы же сами видели: из Бобруйска на Бобруйскую. Небеса нас уже поженили. Остались формальности, — жених улыбался абсолютно искренне, и это раздражало.

Серафима Федоровна кивнула и ощутила, что ее образ предостерегающей молодых от поспешных решений стал частью никому не нужной формальности.

«Ну ладно. Случай так случай. Время покажет».

Выйдя в коридор и равнодушно минуя привычно трепетную очередь с заявлениями, она, думая о профессиональном выгорании и судьбоносных адресах, отправилась пить чай в кабинет № 14. Там обычно подтверждались все ее гипотезы, а это всегда приятно.

* * *

Серафима Федоровна жила на Кременчугской улице в пятиэтажке, которую не снесут никогда. Стабильность квартиры и дома в ее системе мироздания были так основательны, что Серафима Федоровна даже не помнила, когда заселилась в эту маленькую двушку. Ей однажды эту квартиру дали, и теперь только смерть разлучит их. В тот вечер размышления о роли адреса прописки в судьбе человеческой не покидали уставшую вершительницу судеб, и, поднимаясь на свой третий этаж, она замечталась о кружке чая с абрикосовым вареньем и тарелке гречневой каши с молоком.

Едва ключ раздвинул тайные рычаги замка входной двери, как приветливое мурчание Марлона и Делона вывели Федоровну из одинокого, не свойственного ей смятения.

«Ироды лживые», — поприветствовала она своих котов и уже хотела было зажечь свет в прихожей, как вдруг раздался хлопок и свет исчез, так и не появившись.

«С напряжением играются. Хотят заставить дорогие лампочки покупать. Сволочи», — привычно и почти беззлобно пробормотала Серафима Федоровна и сделала шаг внутрь своей квартиры.

Света не было нигде. Аккуратно скинув туфли в прихожей, ориентируясь только на урчание котов, хозяйка направилась к еще одному символу стабильности своей обители — холодильнику. Поток света не залил коридор на дороге к кухне, и стало ясно, что перегорание случилось не у одной лампы, а значит, сволочей значительно больше. Хлопок закрывающейся дверцы холодильника прозвучал безнадежнее прощального гудка парохода.

Конечно, это случалось и раньше. Алгоритм был известен и понятен. Нужно было зажечь свечи и вызвать мастера, но сегодняшняя парочка с Бобруйской улицы внесла сумятицу во все аспекты жизни Серафимы Федоровны. За следующие девять с половиной минут она зажгла с десяток свечей по всей квартире и в изнеможении села на диван в комнате, которую называла залой.

«Свеча горела на столе, свеча горела», — непонятно откуда в памяти всплыла строчка из песни

Аллы Пугачевой. Держа в руках телефон, Серафима сидела среди игры теней от свечей и чувствовала, как по тональнику на ее лице что-то течет. Вдруг очертания теней на стенах стали еще более страстными, и раздался стук в дверь.

«Сквозняки. Опять коты форточку открывали», — она утерла слезы и со свечой в руке решительно отправилась в прихожую.

Когда Серафима Федоровна уже открыла два замка и цепочку на входной двери, то вдруг осознала, что в первый раз в жизни с тех пор, как она в далеком детстве смогла дотянуться до замков на двери, она не задала ритуального для этого случая вопроса: «Кто?»

— Это Борис, электрик. Позвольте, я вам свет в порядок приведу, — почему-то без вопроса ответил приятный мужской голос за дверью.

В следующее мгновение в маленькую прихожую проник свет профессиональной налобной лампы, аромат одеколона «Консул» и голос Муслима Магомаева.

— Это займет не более пяти минут, — его негромкие слова звучали как-то по-особенному. Серафима Федоровна с трепетной свечой в руке посторонилась и почему-то молча впустила электрика.

Он вошел, что-то делал, что-то говорил голосом Магомаева, источал приятный аромат из какого-то неизвестного Серафиме счастливого прошлого, а она стояла в прихожей со свечой и слушала, слушала, слушала. И вот синяя вечность отступила, и в квартиру на Кременчугской одновременно вернулись свет и звуки. Заурчал холодильник, и загорелся свет в прихожей. Серафима увидела Бориса в тот момент, когда он что-то говорил, что если возникнут вопросы по электрике или бытовым приборам, то она может ему позвонить. На этих словах он полез во внутренний карман элегантной рабочей куртки, и оттуда на пол прихожей ринулись визитки, паспорт и еще какие-то бумажки.

— Простите, — бархатистый звон его голоса как будто сотню раз отразился от всех поверхностей скромной прихожей.

Серафима присела и быстро подняла несколько документов, не выпуская все еще горящую свечу из руки. Паспорт Бориса в ее руке открылся, и она подавала ему его примерно так, как это делают на таможне. Борис смущенно улыбнулся, и тогда ее взгляд скользнул по строчкам паспорта: «Борис Владимирович Вернов. 6 мая 1964 года, город Кременчуг».

Серафима задула свечу и вдруг каким-то очень тонким голосом пролепетала:

— У меня еще микроволновка барахлит, не посмотрите?

* * *

В закрытом от посторонних тайном сообществе сотрудников загсов свадьба Серафимы и Бориса обсуждалась почти год. С тех самых пор адреса проживания женихов и невест при подаче заявлений принято читать особенно внимательно. Теперь это примета. Если регистрироваться приходит пара, у которой адрес одного из партнеров совпадает с городом рождения другого, — это к свадьбе. Причем не только их, но и кого-нибудь из сотрудников загса. Не сомневайтесь, уже не раз проверено.

СТЕЛЛА ПРЮДОН

Тёть Хачой

1

Ох, как я намучилась с этим товаром, только Всевышний, дай бог ему здоровья, знает. При этом и покупатель, и продавец с запросами были, о-го-го, а проблем и у тех, и у других — вагон и маленькая тележка, как говорится. Думала, никогда с рук не сбуду, и вот, сбыла же. Только тёть Хачой так может. Сейчас приедем — увидишь, что я правду говорю, ни одного слова неправды в моих словах нет. Парень, ты нас правильно везешь? Я же тебе сказала, Дом торжеств «Роял Палас», Воробьевы горы же есть, нам туда надо. А то молодежь сейчас такая, в одно ухо влетает, в другое вылетает. Ты сам откуда? Из Баку? А я сама из Дербента, думала, что ты наш, дербентский парень, очень уж похож на наших. Ты не наш, не еврей горский, нет? Жаль. Что — тёть Хачой? Этот нам все равно не подойдет, он муслим. Засмущалась, ишь ты. А нечего смущаться, не шестнадцать лет тебе, ох, далеко не шестнадцать. Просто иной раз смотришь, парень простой, баранку крутит, а присмотришься, у него и образование есть, и бизнес есть. Людей жалко стало, подобрал, довез. Был у меня один такой... Приехали? Сколько мы тебе должны? Это у вас цены такие? Грабят и не краснеют!

Ишь, смотри, все знакомые лица, как будто из Дербента не выезжала, сейчас начнется, тёть Хачой это, тёть Хачой то, как мы рады вас видеть, как ваше здоровье, как ваши дела... Ну, что я тебе говорила? Улыбайся, не смотри так, будто у тебя корову украли, скорбное лицо не делай. Шалом, мои дорогие, *чуй хабери? Хубе, хубе.* Иди, я тебя поцелую, такой большой стал, мужчина, когда женить будем? Какой рано, не рано уже. Мужчина! А я вот племянницу привезла, чтобы дома не скучала. Что? Почему только одну взяла? Здоровье уже не то, сейчас у меня только штучный товар, эксклюзивный, как говорится. Ты посмотри на нее, покраснела. Это хорошо, что покраснела, кожа белая, *сип-сипи*, вот и краснеет. Ну что ты стесняешься, здесь все свои, чужих нет. Правда же, Русланчик? Он мне как сын, вы все мне дети. А *хупа* когда начнется? Через час? Ну мы пойдем, а то все места разберут, мы ничего не увидим.

А ну-ка не засматривайся на него! Видела, круги какие у него под глазами? При чем тут почки? Говорят, он в плохую компанию попал, наркотиками балуется. Мы тебя с ним даже знакомить не будем, потом отец скажет, что я тебя с наркоманом свела. Мне ведь не просто галочку поставить. Вай, сколько народу, яблоку негде упасть. Пропустите, пропустите. Здрастье, здрасьте, *хубе-хубе*, поздравляю вас, *худо кумек*, да, дай бог, дай бог. В добрый час. Наконец прорвались. Пока со всеми не поговоришь, не отпустят ведь. Надо же, главный раввин России сам *хупу* делать будет, а ну-ка доставай телефон, сфотографируй нас.

2

Ненавижу эту старуху. Она обращается со мной как с вещью. Будь моя воля, никогда бы с ней за стол не села, не то что на свадьбу идти. Но отец кричит, мать кричит, замуж, говорят, выдать надо, уже двадцать. А если я не хочу замуж? Я им этого, конечно, не сказала, но они сами унюхали, вот и подняли кипиш, эту старую сплетницу наняли. Просят, умоляют, выручите нас, тётъ Хачой, мы в долгу не останемся. А она носом крутит, цену себе набивает. «Мне деньги не нужны», такая. Пришлось пообещать ее родственника в самый престижный московский институт устроить. Услуга за услугу. Ходила со мной по бутикам, ни на шаг не отступала, отец ей двадцать тысяч евро на одежду отстегнул. Эта надпись Dolce&Gabanna на платье меня просто убивает. На сумке написано Chanel, а были же без надписей, но она говорит, что надписи — это самое главное. И даже ободок — и тот с логотипом! Говорит, ребята запах денег почуют, ей легче будет, а моя «личность-шмичность» никого не интересует. Хочу провалиться сквозь землю. Ну зачем она представила меня этому Руслану как племянницу, а потом назвала товаром? Тошно-то как! И тычет мной в лицо каждому, посмотрите, посмотрите, как будто я не человек, а лошадь. Я думала, она сейчас зубы мои начнет показывать. Сейчас, говорит, золотые коронки уже нельзя, если что-то не так, то только дорогую металлокерамику делать, и чтобы незаметно было, что не твои зубы. Вот зачем мне было об этом рассказывать? Мне и так тошно, я себя последней идиоткой в этом наряде чувствую. Как корова на льду на этих высоченных каблуках. Изо всех сил пытаюсь сохранить равновесие, а она мне острым ногтем в бок тычет и командует: «Выпрямись! Улыбайся! Покажи свои белые зубы! Покажи свою тонкую талию!» И это еще даже *хупа* не началась, а что будет дальше? Мне даже подумать страшно! С ней все здороваются, как будто она селебрити какая-то, все про здоровье спрашивают, на меня так хитро косятся. Видимо, им даже не надо врать, что я племянница, все все понимают, а мне от этого так муторно на душе!

3

Видишь парня в синем костюме? Вон в том, который ему в спине тесен. Жених! То, что не красавец, это полбеды, но он еще и сирота. Еще год назад был гол как сокол. Приходит, значит, ага, и требует: «Жените меня, тёть Хачой, на хорошей девушке, с хорошей спиной, я в долгу не останусь». А я ему: Игнат, дорогой мой, ну куда тебе жениться, тебе бы сначала на ноги встать. А он: я отблагодарю, я отблагодарю. Пожалела его, говорю — бог даст, разбогатеешь, отблагодаришь. А потом началось: одна девушка слишком высокая, вторая — слишком глупая, третья не так посмотрела, четвертая не то сказала... Полгода с ним провозилась. Думала, что не смогу ему помочь, но человек предполагает, как говорится, а бог располагает. Пойдем, говорю, к одной девушке, к последней, говорю, а если и она тебе не подойдет, то тогда я больше, дорогой мой, работать с тобой не смогу. Ага. Так и сказала. Только, говорю, сначала к Боре зайдем, я его сыновей женю, фотографии показать надо. А Борис, к слову сказать, человек не бедный. Журнал «Форс» же есть, он его в какой-то список богатеев включил. Заводы, фабрики у него, а машин столько — шейху не снилось. Сидим мы, значит, фотографии смотрим, я ему девушек расписываю. Вдруг грохот такой — думала, землетрясение. Врывается нечто невообразимое. Вся в черном, волосы красные, круги под глазами в пол-лица, серьги где только можно, в носу, в губе, в брови... во сне если такое приснится, навсегда сна лишишься, а тут наяву. «*Аи чуни?*» — спрашиваю. Боря бордовым стал. Девчонку за локоть схватил, за дверь выставляет. Иди в свою комнату, кричит. А она ему: «Я не в тюрьме, хочу уйти — и уйду. Ты мне никто, чтобы командовать!» А он ей, я чуть в обморок не упала: «Я твой отец!» Что? Я даже очки взяла, чтобы лучше ее рассмотреть. О-ё, похожа на него — как две капли воды. А потом ему еще столько грубых слов было сказано с ее стороны. «Ты, — говорит, — убийца. Если бы ты вовремя помог, мама жила бы». А он ей: «Я не знал, что она болела, что ей помощь нужна». Она разрыдалась и выбежала, а Игнат, который до этого сидел в телефоне, за ней кинулся. Тут Боря его и заметил. Я ему все рассказала, и он мне все рассказал: что по глупости с русской бабой на стороне погулял, а у нее, оказывается, дочь от него родилась. Просил никому не рассказывать. Ни один сын на него так не похож, как эта девчонка. И характер его — взрывной. По душам поговорили. Поплакался он мне. Ну, думаю, пора нам с Игнатом уходить, а его все нет и нет. О чем они там так долго кумекают, пойду, говорю, потороплю. Идем мы с Борей к ней в комнату, а они сидят спокойно, как ни в чем не бывало, и в какую-то компьютерную игру стреляют. Игнат, говорю, мы опаздываем. Никуда мы не пойдем, говорит. Остались, значит, у них обедать. Что потом было, я не знаю, только Игнат как в воду канул. Слухи шли, что он сильно поднялся. А через год приходит ко мне, просит, чтобы я для него Бориса дочь засватала. Я ушам своим не поверила. Где Борух Пинхасов — а где он? Звоню Боре, говорю, хочет один парень посвататься к твоей дочке. А он даже не удивился! Приходите, говорит, с Игнатом на шаббат, Анечка сама халу испечет. Тут, как говорится, у Всевышнего свое на уме. *Чижой одоми дорд доге, жун одоми унжо де*, что у человека болит — там его и душа. У них душа в одном месте. Это все судьба. Кажется, начинается. Стань прямо и улыбайся, тебя потом на видео рассматривать будут!

4

Я ей говорю, тёть Хачой, не надо со мной как с вещью. Я человек! Я хочу институт закончить, профессионалом стать, а она ухмыляется и такая, как будто по-доброму, но я-то знаю, что она только притворяется: «Вай, доченька, — говорит, — ты человек, но тебя Всевышний создал женщиной. А для женщины что главное? Не институты-шминституты кончать, а быть женой своему мужу». Я так и знала, что она это скажет! С Семочкой почему, спрашивает, все пошло наперекосяк? А потому, говорит, что жена стала перетягивать одеяло на себя. Я спрашиваю, с каким таким Семочкой, а она только глаза закатила. Неужели тот самый, о котором все газеты писали после того, что он сделал с Ясмин? Я ее обожаю!

— Это вы его с Ясмин познакомили?

— А кто же? Когда Сема ее засватал, ей и семнадцати не было. Откормил, отполировал, известную певицу из нее сделал. Из грязи в князи, как говорится. Дурак! Жена должна на мужа как на солнце глядеть, глаза зажмуривать, взгляд отводить, не перечить, не болтать. А она на одно его слово три своих вставляла. Слухи ходят, что она с танцором шуры-муры крутит. Вот он и побил ее немного, чтобы мозги вправить.

Я хотела возмутиться, но тут какой-то дядька, которого она назвала Боренькой, повел нас к *хупе*, на места для близких родственников. И тут я увидела их. Он-то ладно, но она! Какие-то перья и клочья вместо платья (Хачойка шепнула, что оно — от известного дизайнера и тридцать тысяч евро стоит), а на голове — ёжик! Странная какая-то.

Долго раввин читал какие-то молитвы на иврите, так долго, что у меня разболелась спина, а жених и невеста повторяли за ним, но я ничего не понимала, потому что не знаю иврита. У мужика в клетчатом пиджаке сбилась кипа и так смешно обнажила лысину, что из меня вырвался смешок. Хачойка подумала, что я чихнула, и протянула мне носовой платок. Видишь, шепнула она мне, правду говорит. Только теперь я заметила, что молитвенная часть закончилась и раввин уже мажет лоб жениха пеплом.

— Это значит, — сказал он, — что мы носим траур по разрушению храма. Машиах еще не пришел, но мы знаем совершенно точно, что скоро он придет.

Потом раввин пустил по кругу бокал с вином, все отпили, и жених разбил бокал. Когда пришло время выдавать молодоженам свидетельство о браке, *ктубу*, вышла заминка. Вообще-то ее должна брать мать жениха, в крайнем случае — мать невесты, поэтому раввин замешкался, стал спрашивать, кто вместо матери, и тут жених показал на Хачойку, и она взяла *ктубу*. Судя по всему, она этого не ожидала, поэтому даже прослезилась и попросила меня вернуть носовой платок. Церемония закончилась, все бросились под *хупу* обниматься, а я была рада, что скоро можно будет сесть.

5

Что-то я расклеилась. Надо взять себя в руки. Ничего, сейчас веселье начнется, слезы высохнут. Парень, подскажи, кому *омбороку* давать? В конвертик и в ящик? Как все стало... не по-человечески. Раньше куда лучше было. Кто-то из родственников с тетрадкой сидел и деньги принимал, столько-то Арона дом, столько-то дом Бени дал. Бывало, богач богачом, а жалкие копейки принесет, о нем потом молва дурная шла; а бывало — бедняк, но не жадный, его хвалили и возвышали. Эту тетрадку потом всю жизнь хранили. А теперь что? Подпиши для меня, дочка, Хачой-*шидханим*, тысяча евро, твой отец дал мне на *омбороку*, дай бог ему здоровья, фамилию не нужно. Вай, кого я вижу, это же мой… *сал саат зиёшь,* сто лет жить будешь, только о тебе вспоминала, она не даст соврать.

Как хорошо, что мы его встретили, видела, каков? Убедилась? Заново жениться хочет, ну и правильно. Ну и где нам сесть? Ничего не понятно, столы пронумерованы. Вот придумали! Раньше присел куда бог пошлет и ешь-пей-веселись, а теперь так нельзя. Теперь у каждого места свой номер. Сынок, у тебя списки? Вот молодец, узнал старую тёть Хачой… Меня все знают, тёть Хачой же тебе не халва по рубль двадцать. Как громко музыка играет, у меня скоро голова как тыква будет. Люди когда на свадьбу приходят, охают-ахают, красивая пара, говорят, идеальная пара. Как познакомились, спрашивают. Случайно? Случайностей не бывает! Мне одной известно, сколько труда это стоило, иной раз мозоли на языке появляются. Но я никому ничего не скажу, я не сплетница. Я — всего лишь руки Всевышнего, это он сам там наверху решает. А благодарность… Скажут «спасибо», и то хорошо. А некоторые ведь, бывает, и «спасибо» не скажут. Бывает, приходят люди — эти хуже всего — и спрашивают, сколько, мол, стоят ваши услуги. Мои «услуги», как они выражаются, бесценны! Я ради денег разве это делаю? А эти приходят, все у них по-деловому… не по-человечески. Может, им еще и договор — со сроками? А у нас какие сроки? Бывает, после первой встречи кольцо надеваем, а бывает, год-два ждать приходится, пока подходящая пара не подберется. Мы не на базаре, здесь судьбы решаются! Даже Всевышнему семь дней понадобилось, чтобы Адама с Евой свести... Ребята знают, что их мало, поэтому наглеют. И девушки — туда же. Вон идет одна. Я ей такого мальчика предлагала, пальчики оближешь: в Германии живет, компьютеры же есть, он про них все знает, а она заладила — хочу жить в Москве, у меня здесь работа, родители. Дура дурой, и смотреть не на что. Парень тот у меня живо ушел, как горячий пирожок ушел... Зиночка, мое солнышко, только о тебе вспоминала, сто лет будешь жить, красавица моя. Фигурка точеная, глазки умные. Ты ж мое сокровище. Скоро я тебе еще одного покажу, не пропадать же добру. Да, москвич, сорок лет, ну тебе же тоже не семнадцать уже. Двадцать пять — это не шуточки. Зато дети красивые от него какие рождаются, у него их трое — и все как на подбор! Загляденье, а не дети! Почему с детьми не хочешь? Они же не с ним живут, ты ему новых народишь, пора бы и тебе уже о детках подумать. Ну, как знаешь. Музыка так громко играет, уши закладывает. Поесть, что ли? Что у нас тут? Черная икра, шашлык из осетрины. Парень, иди-ка сюда, принеси мне с того стола, где раввины сидят, кошерного шашлычка, я не кошерное не ем... Вот молодец, спасибо. Надо было Боре сказать, чтобы все столы кошерными делал, а то не пойми что. Ну ладно, хорошо хоть подсуетились, девочка *гиюр* прошла, наши танцы выучила. Видела, какая лезгинка у нее хорошая? Талантливая девочка, отцовские гены.

Ох, размять бы кости. Ты видела, там деньги бросают? Если бросают, я не пойду. Не бросают? Тогда что же мы сидим, пойдем, сейчас тёть Хачой покажет класс, ты не думай, я хоть и старая, но молодежи фору дам. Моя любимая песня, *би-*

рекет, бирекет, бирекет... И ты сюда иди, моя хорошая, и ты, и ты... Вот так, вот. *Бирекет, бирекет, бирекет.* Стань ровней, спину выпрями, голову подними, что ты стоишь как старуха, у тебя шея лебединая, а ты сгорбилась, надо товар лицом выставлять. Диана, ты — принцесса, запомни это. Фуф, жарко. Видишь парня, нет, не пузатого, а худого. Высокого. Он на тебя смотрит. Ну и что — лысый, ты бы занималась ценными бумагами... Не фукай мне, такие ребята на дороге не валяются. Если приглашать будет, ты не отказывайся... иди давай. Он рукой тебя позвал. А как он тебя должен приглашать на танец, на коленях? Ишь ты, принцесса. Куда пошла? В туалет? Одна не ходи, я с тобой одну девочку отправлю.

6

Когда мы стояли у ящика для *омбороку*, к нам подошел тот самый Семен Ильясов. Он — ровесник моего отца, но выглядит моложаво, потому что красит волосы. Они с Хачойкой отошли в сторонку и долго о чем-то шептались, а потом она сообщила, что Сёмочка снова хочет жениться — на молоденькой девственнице. На последнем слове она так выразительно посмотрела мне в глаза, аж искры летели. А я не собираюсь оправдываться! Если хочет верить слухам — будто меня видели с каким-то русским парнем — пусть верит. Как же тошно! Как это возможно, что даже для человека, который старше меня на целых тридцать лет, я недостаточно хороша?

Когда мы вошли в зал, я увидела, что такое — настоящая роскошь. Хачойка сказала, что в зале две половины: левая — для миллионеров, министров и раввинов, а правая — для остальной родни. Мы думали, что нас посадят справа, но нас повели налево и посадили за один стол с известным голливудским актером. Хачойка сначала подумала, что он наш, и начала с ним базарить на *джуури*, но он замотал головой, поэтому ей пришлось перейти на русский, а переводчику переводить. Ее интересовали два вопроса: степень его еврейства и женат ли он. Когда выяснилось, что он не еврей и женат, она потеряла к нему интерес. Так наш стол разделился надвое: мы с Хачойкой и актер со свитой. Когда подходили к Хачойке, актер напрягался, думая, что это к нему за автографом, а потом облегченно вздыхал, с интересом наблюдая за нами. Но скоро и о нем прознали, и к столу стали подходить с двух сторон: к актеру за автографом, к Хачойке просто так.

Тамадой назначили Ульганта. Он так смешно шутил, что я на время забыла, для чего я здесь, и смеялась, пока Хачойка не сказала мне, чтобы я постаралась не смеяться открытым ртом, потому что это нескромно, и мне следует только улыбаться — она изобразила губами дугу, — но я не могла себя контролировать и смеялась как смеется. Вряд ли я когда-нибудь еще увижу всех этих звезд, российских и зарубежных, имена которых мне даже лень перечислять. Поэтому я даже обрадовалась, когда Хачойка потащила меня танцевать, во мне было столько энергии, захотелось подвигаться, а не сидеть весь вечер на одном месте. Но на танцплощадке она меня так достала со своими «улыбнись тому, посмотри туда, сделай спину ровной, потанцуй с тем-то», что я хотела кричать, но вместо этого всего лишь отпросилась в туалет, как двоечница, чтобы сбежать с урока. Старуха отправила со мной какую-то знакомую, потому что даже в туалет приличные девушки в одиночку не ходят. Это уже просто невыносимо! Я хотела закричать во весь голос: «Оставьте меня все в покое» — и бежать. Но тут я вспомнила про отца, про мать, которые никаких денег не жалеют ради того, чтобы устроить мою судьбу, и я покорилась. Какой-то мудрец сказал: если не можешь изменить обстоятельства, растворись в них, как кофе растворяется в кипятке. И я решила, что пришел момент, мне тоже пора раствориться. Я зашла в кабинку и стала глубоко дышать. Я растворяюсь, растворяюсь, растворяюсь. Я уже не выпирающий из гладкой поверхности кусок железа, я уже часть этой гладкой поверхности. Я больше не борюсь; с этой махиной невозможно бороться, невозможно ее победить, невозможно переубедить людей, что они не правы. Можно только поддаться или сделать вид, что поддалась, и плыть по течению. Течение такое мощное, меня уносит, уносит, уносит. Так есть шанс, что я останусь цела. Выхожу из кабинки, улыбаюсь тонкой ниточкой сопровождающей меня девушке. Держу спину ровной. Девушка тоже улыбается мне. Мы выходим в фойе, она держит меня за руку, как если бы мы были подружками, хотя я даже не знаю ее имени. Но мне все равно, мне хорошо и спокойно. Она ведет меня, как слепую, но не наверх, где танцуют, а на улицу.

— Пойдем, подышим, — говорит она, — а то на тебе лица нет, бледная такая.

Я очень хочу подышать. На улице холодно и хорошо. Мы идём к парковке. Стоящие муравьиными ульями мужчины смотрят нам вслед. Прячемся за огромным черным «Бентли», и она машет кому-то, кого я не вижу, рукой. «Наш водитель, — говорит, — он не выдаст». Копошится в сумке, достает со дна сигареты, зажигалку, предлагает мне. Я отказываюсь. Мне нравится просто стоять рядом и смотреть на дым и черное небо в белый горошек. Она докуривает, пихает окурок под машину, машет водителю, и мы идем обратно к входу.

— Марк, а салют когда будут пускать? — слышу я ее капризный голос. — Мы с Дианой хотим посмотреть.

Она знает, как меня зовут?

— Не знаю... — протягивает Марк и пристально смотрит на меня. — Минут десять еще.

— Тёть Хачой там, наверное, нервничать будет, что я ушла и не возвращаюсь, — лепечу я.

— Тёть Хачой нервничать не будет, — спокойно отвечает девушка-без-имени. — Она знает, что ты со мной. И с моим братом.

Мы стоим втроем, молчим и неловко улыбаемся. Марк нарушает молчание:

— Как погода в Дербенте?

— Очень жарко, — говорю.

— И в Нью-Йорке жарко, — говорит он.

— А вы в Нью-Йорке были? — спрашиваю. Мне становится жарко от его взгляда. Что за глупый вопрос — конечно, он там был, если рассказывает о тамошней погоде.

— У него там бизнес, — говорит девушка за него. — Приехал на три дня, на свадьбу.

— А я никогда не была в Америке, — говорю я.

— Ну теперь-то уж точно побываешь, — уверенно говорит Марк.

Мне стало жарко и холодно одновременно, а он был спокоен, как бог, и улыбался. Я не успела ничего ответить, потому что вдруг стали громыхать салюты и все взметнули взгляды в полыхающее алым небо.

Когда салют закончился, Марк пошел со мной к нашему столу, на чистом американском поговорил с актером, как будто они — давние друзья, а потом долго обнимался с тёть Хачой. Вдруг она вспомнила, что ей срочно надо с кем-то переговорить, и ушла, так что Марк сел на ее место. Даже не помню, о чем мы говорили, все вылетело из головы, но о чем-то мы точно говорили, ведь не могли же мы все пятнадцать минут молчать. Наверное, он спросил что-то про мою будущую специальность, а я как дура все забыла, говорят же, ветер в голове, вот так у меня было. Туда-сюда дует. По-моему, я сказала ему, что главное предназначение женщины — быть опорой своему мужу. Неужели я могла это сказать? Кажется, я это и вправду сказала, потому что тёть Хачоюшка потом похвалила меня за эти слова. И откуда она только узнала? Какая же она хорошая и умная, и мудрая! Как же я ее недооценивала. Боже, хоть бы он позвонил, он обещал позвонить. Не помню, как мы дошли до машины, но когда мы сели, я положила тёть Хачой голову на плечо. «Тёть Хачой, — сказала я, — он же сам первый позвонит? Или мне ему позвонить?» А она только погладила меня по голове, как самая заботливая мать, и сказала: «Утро вечера мудренее».

МАРИЯ ВОРОНОВА

Неотложное состояние

Романов приехал в приемный покой, когда товарища уже увезли в операционную. Он понимал, что ничем не может помочь, но возвращаться домой и спокойно лечь спать казалось ему стыдно и неправильно. Дежурная сестра разрешила ему посидеть в пустом коридоре, в полумраке которого, казалось, притаились смерть и отчаяние.

Поежившись от внезапно нахлынувшей тоски, он нахмурился и сжал кулаки, думая, как бы уговорить судьбу оставить Лешку в живых.

Вдруг сестра, разговаривавшая по телефону, положила трубку и подошла к нему.

— Вы на машине?

— Да…

— А можете привезти нашего доктора из дома? Ее срочно требуют в операционную, а все «Скорые» на вызовах.

— Да, конечно! — он вскочил, не дослушав.

Романов родился и вырос в этом городке, поэтому адрес нашел без труда. Остановившись у подъезда, он стал ждать, не глуша мотора.

Белая ночь была на исходе, и вдалеке за крышами уже показывался бледный краешек солнца. Возле подъезда на клумбе бестолково росли какие-то цветы, но разглядеть их Романову не удалось. Хлопнула дверь, и появилась невысокая женщина в спортивных брюках и футболке, с щеткой в спутанных волосах.

Не здороваясь, она села в машину и продолжила расчесываться.

Не тратя время на церемонии, Романов тронулся.

— Кто он вам? — спросила женщина хмуро.

— Друг детства.

— А! Что ж у вас такие друзья, ночью пьяные за руль садятся?

— Он трезвый был.

— Да? Ну все равно, спать надо по ночам, а не приключения искать. Тошнит уже от вашей удали!

— Послушайте, — не выдержал Романов, — зачем вы так? Я понимаю, три часа ночи, но все же...

Женщина презрительно фыркнула:

— Молодой человек, в радиусе ста километров я сейчас единственный специалист, который может спасти вашего друга. Поверьте, мне это обстоятельство нравится еще меньше, чем вам, но такова реальность. Поэтому просто закройте рот и быстрее везите меня в больницу.

Что ж, его, палубного летчика, не надо было два раза просить ехать быстрее.

Через несколько минут он затормозил у приемного, но не дождался похвалы своему водительскому мастерству. Пассажирка молча вышла из машины и быстро скрылась в дверях больницы.

Романов немножко полюбовался на восход, а потом вошел в знакомый коридор и занял свое место на скамеечке.

Дежурная сестра, миловидная женщина средних лет, проходя мимо, улыбнулась ему и сказала, мол, теперь, когда приехала Тамара Викторовна, точно все будет хорошо.

— Что-то Тамара Викторовна больно суровая у вас, — вздохнул Романов.

— Ну а как ты хотел, парень? Чтобы она вас, обормотов, каждую ночь почти с того света вытаскивала и еще в десны за это целовала? Спасибо, ребята, что не даете отдыхать?

Романов ничего не ответил, не в силах разобраться в собственных чувствах. Он так и не разглядел лица женщины, но решил, что она должна быть очень противной, но на душе стало гораздо спокойнее, когда он узнал, что Лехина жизнь теперь в руках этой мрачной бабы.

Чтобы немного отвлечься, Романов попытался читать книгу в телефоне, но буквы никак не складывались в слова. В полете он умел взять волнение под контроль, но сейчас была совсем другая ситуация. Романову казалось, если он станет психовать, переживать и тревожиться, то все обойдется, а если сразу начнет надеяться на лучшее, то лучшее как раз и не случится.

Они не виделись с Лешей двенадцать лет, с тех пор, как закончили школу. Романов поступил в военное училище, а Леша остался работать на градообразующем предприятии и заочно выучился на инженера. Когда Романов приехал в отпуск, они с другом детства созвонились, договорились встретиться, и, видимо, его номер остался последним в Лешином телефоне, поэтому фельдшер «Скорой» набрал именно его.

Романов взял у отца машину и помчался в больницу. Сидя в приемном, он думал, что надо сообщить родным, но не знал, кому звонить. Его мама, болезненная женщина, ради которой Леша остался в городке, умерла несколько лет назад, с женой друг развелся, а кто у него сейчас, Романов не знал. «Ладно, — решил он, — будем надеяться, Леша скоро придет в себя и сам всех известит».

Время тянулось мучительно медленно, но все же прошел час, а потом и полтора. Устав сидеть, Романов прошелся по коридору, подошел к дежурной сестре и спросил, не надо ли съездить за лекарствами или куда-нибудь еще. Та покачала головой.

Наступало утро, и больница потихоньку оживлялась. Лампы дневного света включили во всю силу, мимо Романова стали ходить люди в медицинской одежде, и ему сделалось неловко за свое бестолковое сидение. Он вдруг сообразил, что операция длится уже почти три часа, и разволновался.

Тут появилась девушка, так экстравагантно одетая, что Романов невольно отвлекся от своих тревог.

Он неважно разбирался в моде, но тут, завороженно глядя на грубые черные «готские» ботинки, короткую юбку странного переливчатого цвета, открывающую длинные стройные ноги, сложную прическу с розовыми прядями и яркий макияж, вынужден был признать, что это все по отдельности, может быть, вульгарно и ужасно, но вместе создает цельный и, что там, весьма притягательный образ.

— На какой еще операции? — воскликнула девушка громко. — Она что, забыла, что выходит сегодня замуж?

Романов навострил уши.

— Нет, это ж ни фига себе поворот! — продолжала девушка. — Прихожу утром ее причесать, так дома никого! Я бегом на работу, и пожалуйста, подтверждаются мои худшие опасения! Что, нельзя было хоть в ночь накануне свадьбы не дергать человека?

— Мы честно всем звонили, но только Тамара Викторовна взяла трубку, — сказала сестра.

— Ну и что теперь делать? Регистрация в одиннадцать!

— Так еще времени полно...

— В Питере!

— Я отвезу, — вмешался Романов, — сейчас половина восьмого, должны успеть.

Смерив его острым взглядом, девушка накинула халат и побежала успокоить Тамару, что все продумано и решено, чтобы невеста спокойно заканчивала операцию.

— Это наш лучший терапевт, — улыбнулась медсестра в ответ на его вопросительный взгляд.

Прошло еще не меньше сорока минут, прежде чем девушка появилась в коридоре вместе с Тамарой Викторовной. За это время Романов успел испереживаться не только за друга, но и за хирурга, как это она опоздает на собственную свадьбу. Он не мог уже сидеть спокойно, мерил шагами коридор, прокладывал в голове наиболее удобный маршрут и мысленно проводил ревизию своего транспортного средства. Слава богу, вчера съездил на заправку, как знал, прямо.

Молодые женщины неслись почти бегом, но, увидав Романова, Тамара Викторовна притормозила.

— За мной, — крикнул он и побежал на улицу, — все расскажете по дороге, время дорого.

— Домой сначала, — экстравагантная девушка прыгнула на переднее сиденье, — не в трениках же ей замуж выходить.

— Все нормально с вашим другом, тьфу-тьфу, — сказала Тамара совсем другим, теплым голосом, — денек побудет в реанимации, а завтра сможете уже навестить его.

— Спасибо.

Не успел он затормозить, как девушки выскочили из машины и скрылись в подъезде. Немножко зная женскую натуру, Романов решил, что успеет вздремнуть, но то ли бессонная ночь дала о себе знать и он уснул мгновенно, то ли девушки оказались собранными и стремительными, только не успел он закрыть глаза, как сразу очнулся от стука входной двери.

Тамара Викторовна бежала, высоко подобрав подол свадебного платья, в туфлях на немыслимо высоком каблуке, а следом за ней, топая своими «гриндерсами» и высоко вскидывая тощие коленки, неслась лучший терапевт города.

Как только они залезли в машину, Романов тронулся.

— Паспорт не забыли? — строго спросил он и вырулил на трассу.

На часы он не смотрел принципиально. Все делается максимально быстро и так, и незачем себя изводить мыслью, что время уходит.

Девчонки завозились сзади, терапевт наводила на невесту красоту, и Романов не удержался, кинул взгляд в зеркало заднего вида так, чтобы увидеть лицо Тамары. Во всей ночной суматохе он так и не успел ее разглядеть.

Спасительница Лехи оказалась совсем молодой женщиной, наверное, его ровесницей или даже моложе, с лучистыми, почти прозрачными серыми глазами в обрамлении густых черных ресниц. «Ого!» — подумал Романов с завистью к жениху.

— Должны успеть, — сказал он как мог убедительно и пошел на обгон.

— Ну вы все же это… Помните, что мы торопимся в загс, а не на кладбище, — фыркнула терапевт немного неразборчиво, потому что держала зубами шпильки.

— Спокойно!

Вскоре стало ясно, что они все же опоздают.

Романов вздохнул, почему-то чувствуя себя кругом виноватым. Он сам еще никогда не женился, но надеялся, что в этом деле тоже царит непунктуальность, и задержка в полчаса не станет критической, а может быть, еще и ждать придется.

— Много народу вы пригласили? — спросил он.

— Нет, церемония скромная, слава богу. Родители жениха, пара его друзей и Наташа, вот и все. Вас тоже приглашаю.

— Спасибо. А почему скромная?

— Ну не знаю… — вздохнула Тамара, а Наташа довольно резко прикрикнула, чтобы Романов следил за дорогой, не отвлекаясь на всякие подробности, и тут же сама и выболтала ему, что подруга встречалась со своим женихом целых три года, прежде чем он созрел для предложения, и что семейка там в принципе хорошая, но слишком уж практичная, а Тамарка просто молодой врач, поэтому денег хватило только на кольца да на платье, а пьянки и свадебные путешествия нормальным людям ни к чему.

— Так и надо, — сказал Романов, не потому, что действительно так думал, а просто поддержать Тамару.

Пока они проталкивались через небольшой заторчик, Наташа успела причесать и накрасить подругу.

Пользуясь короткой остановкой, Романов обернулся на секунду: Тамара выглядела такой обворожительной, что у него захватило дух, и он не сразу вспомнил, куда торопится.

Улыбнувшись ему, Тамара взяла телефон, предупредить жениха об опоздании.

— Да, дорогой, я еду… — говорила она спокойно, но хмурилась, — попробуй уговорить регистратора перенести на час… послушай, ну что мне было делать?.. можно подумать, я хотела прямо идти на эту операцию… да, специально столкнула две машины, чтобы опоздать в загс… ну форс-мажор, что ты хочешь… да, ты прав, не нужно было вообще брать трубку, но лучше опоздать на полчаса, чем весь день себя грызть, что не взяла и человек помер… ладно, не злись…

Кажется, в ответ Тамара не услышала ничего ободряющего, потому что отложила телефон с тяжелым вздохом.

— Ничего, я договорюсь, — пообещал Романов, — тетки меня обычно любят.

Наконец он затормозил у дверей загса, несколько более резко, чем требовалось, чтобы показать, как они торопились.

От стоящей возле дверей небольшой группки людей веяло холодом, и Романову захотелось заслонить Тамару от их высокомерных взглядов, пронизывающих, как лучи смерти.

— Тамара, что ты себе позволяешь? — спросила, выступив вперед, мощная дама с бетонной от лака прической. Легкий шелковый костюм сидел на ней, как броня.

— Это я виноват! — вскричал Романов. — И сейчас же все исправлю! Буквально две минуты, и все будет!

Он бросился внутрь и довольно быстро нашел сотрудницу, которая должна была проводить бракосочетание, и сбивчиво объяснил причину опоздания.

Сотрудница, маленькая черноволосая женщина, поджала губы:

— Хорошо, но что я могу сделать? Вы пропустили назначенное время.

— Так я ж и объясняю, — стал горячиться Романов, — что пропустили не просто так, а по уважительной причине!

— Да? А может, вы все придумали?

— Слушайте, давайте позвоним в больницу, и там подтвердят мои слова! Невеста же доктор, давайте сделаем для нее исключение!

— Она доктор, а я ведущий специалист загса, и я свою работу выполняю! Не мешайте, молодой человек, у меня сейчас регистрация пары, которая соизволила прийти в назначенное время.

— Но послушайте!!! — взревел Романов. — Она тоже могла сегодня ночью сказать «нет», и что? Приехала бы вовремя, но человек бы умер!

— Кто вам что по ночам говорит, это ваше личное дело. Все, идите, не заставляйте меня охрану вызывать.

В отчаянии он выбежал на улицу, лихорадочно думая, что можно предпринять. Позвонить отцу, чтобы быстренько договорился в местном загсе, и рвануть туда? Четверых он возьмет на борт, а остальным закажет такси…

На улице не оказалось никого, кроме Тамары и Наташи. Девушки сидели на низкой скамейке.

— А все, уже не надо, — сказала Тамара скучным голосом, — спасибо вам за все.

— Жених свалил, — ответила Наташа на его изумленный взгляд, — сказал, что так даже лучше. Что женщина, опоздавшая на собственную свадьбу ради какой-то вонючей операции, никогда не сможет стать хорошей женой. Раз так любит работать, пусть Гиппократу дает!

— Господи, простите, ради бога!

— Наоборот, — усмехнулась Тамара, — так действительно лучше.

— И что будем делать?

— Домой поедем, что еще?

Романов огляделся. Нельзя просто взять и отвезти домой брошенную по твоей вине невесту. Надо что-то сделать. Тут он заметил, что на крыльцо вышла статная дама в костюме и машет ему рукой.

— Молодой человек, — сказала дама царственным тоном, когда он подошел, — я слышала ваш разговор.

Он хотел сказать, что вопрос разрешился самым прискорбным образом, но дама жестом заставила его замолчать.

— Врач — святая профессия, — неторопливо продолжала она, — и мы должны делать для этих подвижников все, что возможно. Так что я вас зарегистрирую.

И тут Романов понял, что ему необходимо сейчас сделать.

Он бесцеремонно взял женщину за локоть:

— Слушайте, тут вообще такая ситуация...

Через час молодожены и Наташа сели в машину.

— Здорово, что так получилось, — сказал Романов, — сейчас позвоню родителям, они будут в восторге.

— А они не обидятся, что так внезапно? — спросила Тамара.

— Слушай, ты хирург, я — летчик, папа — спасатель, а мама — следователь. Если бы мы заранее назначили дату, кого-нибудь из нас обязательно вызвали бы на службу в этот день.

— Логично.

Романов вел машину не спеша, наслаждаясь новым статусом женатого человека и поглядывая на новенькое обручальное кольцо. К счастью, ювелирный магазин располагался в соседнем доме, и они успели туда сбегать, пока в загсе готовили бумаги.

Тамара с Наташей притихли на заднем сиденье, разглядывая фотографии скромнейшей из всех церемоний, которые подружка невесты сделала на свой айфон.

Романов был счастлив и спокоен. Только что Тамара позвонила в больницу, и ей сказали, что Леша в полном сознании и прекрасно себя чувствует. За родителей он тоже не волновался, они познакомились в трамвае и, выйдя из него, сразу понесли заявление в загс. «Говорят, надо узнать человека, прежде чем жениться, — ворчал отец, — господи, какая чушь! Если ты влюблен, то объективно судить о человеке невозможно, а если нет, то не нужно. А вот когда ты ничего не знаешь, но абсолютно уверен, это как раз то самое состояние!»

— Ты же совсем меня не знаешь, вдруг я окажусь жуткой стервой? — спросила Тамара, и Романов почему-то не удивился, что она так попала в его мысли.

— Что ж, легкой жизни я никогда не искал и от трудностей не бегал, — улыбнулся он.

ЕЛЕНА ПОМАЗАН

На седьмом

На горячее подавали сочные хинкали с зеленью и запеченную форель в сливочном соусе. Национальное грузинское блюдо почти все ели руками: откусываешь — и мясной бульон обжигает язык и нёбо. Официанты ловко подливали в бокалы вино и меняли грязные тарелки на чистые.

Пока гости угощались, их развлекали акробаты. Жених с невестой уже выглядели уставшими и несвежими, как розы, что стояли здесь же на праздничном столе. Только в рекламных проспектах и школьных грезах свадьба — это красивый праздник, в действительности — адская работа по организации и первый серьезный «краш-тест» для новой семьи.

Вика Веселова доедала свой салат на кухне ресторана. Ее давний друг, хозяин хинкальной, с которым они уже сделали не одну свадьбу в Москве, грузный и татуированный казах дядя Азамат, заботливо спросил:

— Кофэ хочэшь?

Вика заглянула в сценарий свадьбы. Да, на кофе еще было время. После акробатов будет песенный номер, а только потом ее выход — вести дальше свадьбу. Впереди — очередные конкурсы и свадебный торт. Важный кремовый красавец томился здесь же, на кухне хинкальной, смиренно ожидая своей участи — быть разрезанным и съеденным. За первый кусок торта обычно назначается цена гостям: такая народная традиция. На кавказских свадьбах платят особенно щедро — однажды первый кусок купили за тысячу евро, но такое случалось редко. Вика работала в свадебном сегменте так называемом «эконом+»: делала свадьбы для простых людей, которым главное — чтобы было весело.

Вика добавила в кофе ложку сахара, набрала номер мужа, который значился в записной книжке телефона как «Любимый», и после пяти длинных гудков услышала обрывок самой хитовой свадебной песни Москвы: «Мама Люба, давай-давай!», а потом уже родной голос Никиты.

— Драка была? — весело спросил муж.

— Еще нет... — отозвалась Вика.

— А у нас уже гости из Нижневартовска что-то не поделили с пацанами из Железнодорожного. Отец невесты оказался подполковником полиции, вызывали наряд. Но уже все мирно. Я еще два часа, до полуночи, и домой. А ты?

— Я до конца. До последнего гостя, — Вика тяжело вздохнула. — Ник, волнуюсь я... Насчет

Марка и этой почасовой няни… Ты думаешь, все будет хорошо?

— Все будет хорошо, Викусь… Ты о каждой новой няне волнуешься…

— Да, но как-то неспокойно… Жаль, что соседке Светке нельзя ребенка на ночь оставлять…

— Мы и так немного злоупотребляем ее гостеприимством, Вик…

— Ничего. Она не работает, дома сидит, как барыня. Ну ладно, милый, пока! Я буду поздно. Ложись, не жди. И поцелуй от меня Марка. Мама его любит. Очень сильно.

Слова мужа Вику немного успокоили, но на душе все равно было гадко.

Их сыну Марку недавно исполнилось два с половиной года. Когда у Вики с Никитой совпадали заказы на свадьбы (как сегодня), приходилось вызывать почасовую няню на вечернее время и даже на ночь. Понятно, что каждый раз новую. На постоянную няню у них просто не было денег — сезонность свадебного бизнеса, съемная квартира, маленький ребенок, никаких родственников в Москве…

— Эй, Вика! Тэбя ждут гости! — дядя Азамат осторожно тронул ее плечо.

И тут же свирепело рявкнул на официантов: «Не курить! Чтобы руки табаком не воняли! У нас — рэсторан, а не вокзальное кафэ».

Вика включила радиомикрофон, который все это время лежал рядом с ней на столе. Поправила волосы и хорошо поставленным голосом сказала, выходя в зал: «Дорогие гости, давайте поблагодарим чудесную Кристину Майерс за прекрасную песню… (раздались нестройные аплодисменты и пьяный смех) и немного разомнемся…»

* * *

«Черт, опять забыла номер домофона». Вика мерзла у входной двери подъезда. Начало марта: слякотно, темно, промозгло. А она в дубленочке, без шапки и в «концертных туфлях» — так Вика называла высоченные каблы на платформе и шпильке, в которых обычно вела свадьбы. Она так устала сегодня, что вызвала такси на автопилоте, забыв переобуться. На Вике было платье в блестящих пайетках, которое шуршало при любом движении. Это очень эффектно смотрелось на сцене и видео, но сейчас, ранним мутным утром на окраине Москвы, она была похожа на золотую рыбку, выброшенную из аквариума.

Звонить мужу не хотелось. Наверняка Никита уже спит, да и Вика боялась разбудить сына… Малая вероятность того, что в четыре утра кто-то из соседей будет проходить мимо. Разве что какой-нибудь собачник, страдающий бессонницей, выведет свою псину на прогулку… Черт, черт… Вика жала замершими пальцами на металлические кнопки домофона. Обычно Вика записывала номера домофонов их новых квартир, но тут забыла… И «таблетки», которая автоматически открывает дверь, тоже с собой нет. Она осталась на связке ключей у Никиты.

«Ну черт возьми…67кл89… 67км98…» — Вика силилась вспомнить код.

Это была не первая съемная квартира семьи Веселовых в Москве. Просторную, но загаженную «двушку» в Чертанове они нашли с огромным трудом. Никто не хотел брать семью без официального места работы, без регистрации, да еще и с ребенком. «А он у вас плачет? На стенах рисует?» — допрашивали риелторы. К счастью, нашлась Карина Вагановна, полноватая армянка, директор стоматологической клиники в подвале дома у метро, которая сжалилась над провинциалами Веселовыми и сдала им квартиру по «приемлемой цене» — двадцать пять тысяч в месяц плюс коммуналка.

Вика устала. Она отработала свадьбу с двенадцати дня до четырех утра: до последнего пьяного гостя, которого увез таксист «Убера». Ей очень хотелось домой, но эта чертова дверь...

— Вы к кому?

Вика так погрузилась в свои мысли, что не заметила, как возле нее появился мужчина. От него пахло коньяком и едва уловимыми женскими духами. А может, показалось, что «женскими»? Распахнутое пальто, идеальной белизны рубашка, дорогая обувь. Холеный, уверенный, наглый, в руках — айфон последней модели...

— Я здесь живу.

— Я тоже здесь живу. С рождения, — с нажимом сказал незнакомец.

— А я... А мы шесть месяцев и две недели как... — почему-то оправдываясь, ответила Вика.

Мужчина посмотрел на нее с недоверием, но оценивающе.

Пискнул домофон. Теплый, немного канализационный запах подъезда ударил в нос. Лифт заворчал, что его так некстати потревожили. Со скрипом открылись двери. Незнакомец и Вика молча вошли внутрь. Мужчина вышел на седьмом этаже.

Уже в дверях спросил у нее:

— Актриса?

Вика отрицательно покачала головой.

— А выглядишь как…

Вика нажала на кнопку двенадцатого этажа, и лифт, чуть похныкивая от старости, понес ее вверх.

Она тихонечко открыла ключом дверь квартиры, сразу, не снимая дубленку, вошла в спальню. Маркуша сопел в своей кроватке, обнимая плюшевого слона с рваным ухом. Никита, раскинув руки и ноги в разные стороны, занимал почти всю супружескую кровать… «Любимые…» — с нежностью подумала Вика. И на цыпочках отправилась в ванную комнату.

Старый паркет скрипел, сантехника сначала кашляла, как туберкулезник, а потом выплевывала воду. Побитая эмаль раковины, желтая от возраста советская ванна, жуткого цвета плитка… Вика каждый раз вздрагивала, когда видела все убожество очередной съемной квартиры. Но выбирать не приходилось.

Вика взяла пару ватных дисков и привычным движением стала стирать «боевой раскрас» — тушь, нарисованные брови, весь этот яркий и не любимый ею макияж. Но что поделаешь, работа… Всем гостям в зале должно быть хорошо видно мимику ведущей. На секунду Вика замерла, вспомнила слова незнакомца: «А выглядишь как…» — нет, незнакомец промахнулся. Никита был ее единственный мужчина, совсем. Первый и неповторимый. Почти десять лет счастливого брака, рука об руку, несмотря на все жизненные сложности. Сексуальный опыт равный единице. Без возможных многоточий…

Умылась. Нанесла питательный крем на лицо. У Вики была яркая внешность — рыженькая, с зелеными глазами, острым носиком, как у лисички из сказки. Отличная фигура, которая совсем не утратила своей прелести после рождения ребенка. В детстве Вика мечтала стать актрисой. Как говорили все, у нее «были данные». С десяти лет она посещала театральную студию в Вологде, планировала поступать в Щукинское училище, но не сложилось…

Весь романтический флер от театра улетучился в один вечер, когда тринадцатилетних актрис попросили подработать официантками на корпоративном банкете владельца городских заправок. Дядька был отвратительный — лоснящийся от пота, лысенький, ремень его брюк врезался в толстый живот, который выдавал любителя попить пивка. Хозяин бензина и солярки чувствовал себя королем мира и не видел проблем, чтобы лапать несовершеннолетних официанток. На девственную душу Вики это произвело такое ужасное впечатление, что она бросила ходить в театральную студию при провинциальном ДК.

Актерские данные пригодились Вике после школы, когда она стала подрабатывать ведущей корпоративов и свадеб в ресторанах Вологды.

Ей казалось, что это легкие деньги и почти каждые выходные будет праздник. И тарелка супа с куском мяса…

Вика погасила свет в ванной комнате, а вместе с ним и воспоминания о прошлом. Она заснула сразу же, как провалилась в глубокую нору…

— Мам, ам.

Ручонки сына обвили Викину шею. Мальчик громко говорил ей в ухо: «Ам, ам, ам!»

Никита сидел на диване в зимней куртке и шапке.

— Викуль, у нас нечего есть. Я в магазин. Присмотри за Марком. Я быстро!

Вика едва открыла глаза. Она спала часа три, не более… Ужасно болели ноги от высоченных каблуков и голова от недосыпа.

— Который час…

— Семь пятнадцать. Поспишь в обед, ок? Я погуляю с Марком. Ну, я пошел…

Вика схватила сына в охапку и накрыла его одеялом.

— Попался, попался!

Марк хохотал, но не пытался вырваться. Он был рад матери. Соскучился.

«Да… — сказала Вика пустому чреву холодильника. Просроченное молоко, скукоженная жопка лимона, соевый соус… Даже каши нет… — Какая же я фиговая хозяйка!»

Кухня в тусклом свете единственной лапочки в люстре была какого-то мертвенного оттенка. Каждый раз Вика отчаянно и самозабвенно пыталась обжить пространство очередной съемной квартиры. Это было похоже на попытку найти жизнь на Луне. Но находились только пустые пластиковые пакеты, оставленные предыдущими жильцами. Сколько, сколько за Викину жизнь было этих брошенных, нелюбимых, страшных, вонючих квартир? Хамоватых риелторш и наглых рож хозяев. Еще лежит телепрограмма на эту неделю на телевизоре и моток пряжи с недовязанным носком: бабушка-пенсионерка умерла пять дней назад, а ее сын уже показывает квартиру потенциальным жильцам.

Сейчас Вика сидела в комнате, где стоял кухонный гарнитур годов так восьмидесятых позапрошлого века, загаженная плита, которую было не отмыть никаким супердорогим средством, три стула с потертыми от времени сиденьями, под ножками обеденного стола сложенные в восемь раз бумажки, чтобы тот не шатался… И, главное, сервант с хозяйским барахлом (который Карина Вагановна не разрешила трогать), придвинутый намертво к окну, которое совсем рассохлось, но менять его хозяйка не хотела. Жалела денег.

Марк потянул Вику за пояс халата.

— Мам, мам, на ручки!

Сын смотрел на Вику глазами, полными абсолютной любви. Даже если она самая паршивая хозяйка на земле, для ее мальчика она — лучшая мама. Лучшая. Вика взяла Марка на ручки. Обняла всего, сладкого, нежного, теплого, чистого…

— Мой хороший, мой любимый, мой золотой…

Она обнимала сына и думала, как бы она хотела, чтобы у Марка была своя детская, с кроватью-чердаком, со спортивным уголком и картиной во всю стену, где прекрасный корабль бороздит просторы океана, а на мачте флаг, на котором большими буквами «Веселовы» и «Только вперед!».

Они с Никитой давно мечтали о своей квартире, но все их финансовые схемы рушились, если случались длительные простои в работе — элементарно не шли заказы. Вика носилась по Москве — от кафе к кафе, от пары к паре, продавая и предлагая свои услуги, но иногда с первого взгляда невесты на Вику («Слишком красивая!») было понятно, что два часа переговоров и отвратительного кислого кофе сетевых забегаловок — все зря, ее не купят. Иногда Вика сталкивалась с невестами не из своего «эконом-сегмента», холодными и неприступными, которые равнодушно листали ее портфолио, а потом бросали «деревенский стиль, нам это не подходит». Ей хотелось кричать — дайте мне шанс! Я могу, я сумею лучше! Вам понравится...

Пискнул домофон. Через пару минут появился Никита с пакетами еды.

— Пируем, Веселовы! Ставьте воду, будем варить кашу!

А потом завертелся день: понедельник — надо работать. Холодный душ, две чашки крепчайшего кофе, капли в глаза, чтобы скрыть красноту от недосыпа. Не время валяться на диване. Ранняя весна — не самое популярное время для свадеб. Среди организаторов свадеб ходит шутка, что в марте выходят замуж только по залету. Так что нельзя щелкать клювом, а надо ловить и ловить клиентов, трясти базы заказчиков, напоминать о себе, обещать делиться процентами, короче, сделать все возможное, чтобы понравиться и получить заказы на новые свадьбы... Вика полистала ежедневник в телефоне. Черт... Черт! Она забыла, что сегодня у нее встреча по очень «жирной» свадьбе на Кутузовском проспекте, а Никита уезжает на съемки корпоратива работников ломбарада, соответственно, ребенка оставить не с кем. За пару часов до встречи она вряд ли найдет няню. А это не просто заказ, это шанс! Сделать крутую, дорогую свадьбу, с нормальным бюджетом, положить ее в свое портфолио и выходить уже к другой, более состоятельной клиентуре.

Как быть с Марком? А делать было нечего, нужно было идти к соседке Свете Мамонтовой, на седьмой этаж, просить, чтобы она присмотрела за Марком. Вика вытащила чистую детскую футболку из кучи неглаженного белья, которое было свернуто в простыню и возвышалось гигантской «фигой» на кухне. Надела футболку на сына. Зачем-то набрызгалась духами и накрасила губы.

— Мы на седьмой! — крикнула Вика в спину мужа, который сидел в наушниках у компьютера и монтировал очередной клипчик. — Пойдем, Марк!

Мальчик закивал. Сбегал в спальню за любимым слоном и послушно взял маму за руку.

Двери очень долго открывали, а их было три. Замки, ключи, шорох тапок и сразу в нос — приятная щекотка от запаха домашней выпечки. И Светка — румяная от готовки, с неизменным «хвостиком», без косметики, в своих вечных спортивных штанах, растянутых на коленках. Ее сын, почти ровесник Марка — трехлетка Севастьян, не вышел встречать гостей. Он продолжил копаться в «Лего». Мужа Светы, как всегда, не было дома... По словам соседки, Петр Мамонтов много работал, еще тренировался — плавание, теннис...

Вика не в первый раз переступала порог этой уютной квартиры, но каждый раз ее сердце замирало от восхищения, потому что здесь было как в ее мечтах — светло, чисто и по-домашнему.

Со Светой они познакомились случайно — в первый же «выход» в песочницу возле дома после переезда. Марк подбежал к Севастьяну, заинтересовавшись его бульдозером. Света сказала Вике: «Здравствуйте! Вы у нас новенькие? Я тут всех знаю».

Сейчас Светка наливала подруге чай с чабрецом. Вика аккуратно взяла чашку, расписанную синей сеткой с золотым ободком на внутренней стороне.

— ЛФЗ, тысяча девятьсот пятидесятый год, моей бабушки сервис, по наследству достался… — прокомментировала Света.

— ЛФЗ?

— Ленинградский фарфоровый завод.

— Аааа…

На кухне фоном гудел телевизор, строгая экс-редакторша переодевала Золушек… В гостях у Светы Вика чувствовала себя так, как если с морозной улицы заходишь в теплый, натопленный автобус. И твое тело становится ватным, голова тяжелой и тупой, и ты держишься изо всех сил, чтобы не уснуть.

Светка, спокойная как танк, три года счастливо сидящая в декрете: ее вечные булки и пироги, «игрушечки-развивашечки» для сына, обволакивающий и убаюкивающий уют чистенькой квартирки, ровная стопочка ТВ-программ на окошке с белоснежным стеклопакетом…

А за окном — школа буквой «Г», типовые пятиэтажки, мусорные баки, когтистые, измученные долгой зимой деревья, злой ветер… И совсем Вике Веселовой неохота сегодня никуда идти, продавать свадьбу, выбивать бюджет, льстить и нравиться новому заказчику… Залечь бы с Марком дома, под пледом, со сказками, потом заказать пиццу, а вечером, когда ребенок уснет, отлепить Никиту от монтажей и просто быть вместе, соприкасаясь пятками под одеялом.

— Свет… Я давно хотела тебя спросить. А почему вы не переедете в другой район? Скажем прямо, ваше Чертаново — непрестижно, район — пролетарский, ну и домик наш давно нуждается в капремонте.. — спросила Вика у подруги. — Другое дело Кропоткинская, ну — на худой конец

Профсоюзная... У вас же есть деньги, поменяли бы квартиру...

— Престижно-непрестижно, ну так только временщики рассуждают! Ты что?! — Света аж поперхнулась чаем. — Здесь же семейное гнездо! Корневая система нашего древа. Силища! Бабке Петра дали эту квартиру за трудовые подвиги на заводе автотракторной электроаппаратуры, слышала о таком? Его еще до войны основали, на нем репродукторы выпускали. Потом в этой квартире родители Петра жили, потом она нам досталась... Родовое гнездо, домашнее королевство... Понимаешь?

Нет, Вика не понимала...

Лет с восьми Вика стояла в узком, выкрашенном в жуткий зеленый цвет коридоре и боялась войти в комнату к матери, потому что та была не совсем разборчива в выборе связей после двух стаканов водки. Если девочку не забирал кто-то из сердобольных тетушек-соседей, то она спала, положив голову себе на руки на подоконнике. Потом была общага педагогического вуза, а затем череда стремных квартир, которые они снимали уже с Никитой: сначала в Вологде, а потом в Москве.

Светкино «домашнее королевство» почему-то разозлило Вику. Она перевела тему.

— А мы с Никитой снова в Большой театр собираемся...

— А зачем?

— Что «зачем»?

— Зачем деньги тратить? Ну что там могут показать такого, чего нет по телевизору?

Вика не нашлась, что ответить.

Если честно, домоседство Светы провинциалку Вику сначала удивляло, а потом стало раздражать. Мамонтовы были коренными москвичами, но Свету ничего не интересовало, что лежало за пределами ее родного Чертанова, все упиралось в узкобытовые темы. Почему отменили автобус к рынку, где на районе лучше подбить сапоги, а в каком киоске стоит покупать овощи, и т.д. Как зовут дворничиху и кто поломал качели на детской площадке. Сколько издохло собак в парке после атаки догхантеров. Кстати, Света Мамонтова знала и хозяйку Викиной квартиры Карину Вагановну, называла ее «нашей, чертановской».

Однажды Света спросила у Вики, сколько стоит проезд в метро. Мол, она там не была года три… Вика давила нервный смешок, когда Светка в первые месяцы их знакомства рассказывала, что: «Я вот в Третьяковке была совсем недавно, в восьмом классе…», «Большой театр? Не… Очень дорого…», «Парк Горького? Далеко… Лучше дома посидеть».

Света Мамонтова жила «на районе», и все, что было вне его пределов, просто не существовало. Как Америка или война в Сирии… Это там, где-то далеко, не с нами. Закрытость Светы, отстраненность от любых внешних событий, которые прямо не касались мамонтовской семьи, создавали иллюзию рая, сытого счастья, от которого растет жопа и второй подбородок, но это все ерунда. Все и так хорошо…

— Вы бы, вместо того чтобы деньги на билеты трынкать, — заметила Света, — по копеечке, по копеечке и откладывали бы на квартиру… В съемной, думаешь, хорошо ребенку?

Вике хотелось сказать, что ребенку хорошо там, где есть его родители. Нормальные родители, между которыми мир, любовь и понимание, но она молча пила чай и прикидывала, глядя в окно, какие сапоги стоит надеть на встречу с «жирным» заказчиком? Теплые и немодные или модные, но холодные? Увы, у нее было только по паре обуви на каждый сезон…

— Я просто хочу… Я просто хочу, хочу еще раз оказаться среди этих людей, быть с ними, как своя. Ну или хотя бы как женщина, которая просто пришла в театр, просто послушать оперу или посмотреть балет…

Вике было стыдно признаться соседке Свете, что ее муж Никита копил почти год на билеты в партер Большого (мечта Вики еще с Вологды), а она рыдала, почти в унисон оркестру, когда впервые попала в этот легендарный театр. Они с мужем смотрели какую-то оперу, название которой потерялось в ее памяти давным-давно. Вика глотала соленые слезы, кляня себя, что у нее нет носового платка. Рядом сидящая соседка, сухая старушенция с брильянтовыми серьгами размером с грецкий орех, в какой-то момент взяла ее за руку, наклонилась и прошептала, обдавая Вику сладким запахом недавно выпитого шампанского: «Это сила искусства! Плачьте, не стесняйтесь, слезы очищают…» Богатая ведьма вложила ей в руку пачку бумажных салфеток. Вика зарыдала еще сильнее, ей хотелось сказать старухе, что не оперные страсти вызвали в ней рыдания, а это слезы победителя, который залез на Эверест, водрузил свой флаг и кричит от счастья, плачет и снова кричит холодным горам и колючему ветру, что он на вершине мира. Поход в Большой — это личный Эверест провинциалки Вики Веселовой в ее освоении Москвы. Я здесь был. Вася. Зачеркнуто. Вика.

— Еще чайку? — заботливо спросила Света.

— Ах, да...

Еще Вика вспомнила, как после Большого они купили с мужем бутылку шампанского, пошли на Манежку и там пили из горла, передавая бутылку друг другу, а потом целовались как школьники и шептали: «Это наш город, наша Москва...». Счастливые были до одури, полтора года как переехали в столицу...

— Ну давай, давай, расскажи мне про любовь... — Света удобно уселась на стуле, подперла рукой щеку. — Ну что там у тебя...

Вика знала, что вот он, сигнал, — пора-пора травить истории «про любовь». Это была ее негласная плата за помощь соседки с ребенком. Каждый раз Свете надо было рассказывать новую лав стори, очень подробно (часто Вика привирала для красоты и сюжета), но Света подвоха не чувствовала и все благодарно принимала.

— Они познакомились в самолете. Он летел в Чебоксары, а она была стюардессой...

— Он сбил ее на пешеходном переходе, а потом сам отвез в больницу...

— Она увидела его страничку в Фейсбуке и первая написала...

Вике очень хотелось рассказывать не сахарные истории про любовь, оставляя за скобками все неприглядные подробности, а по-бабьи пооткровенничать со Светкой. Какая жуткая пошлость эти бюджетные свадьбы! И как она устала от них! Караваи, битье бокалов и тарелок, хороводы, сборы денег на «мальчика или девочку», почти всегда драки, потрошения конвертов в туалете, кто сколько подарил, разборки между враждующими членами семьи, пьяные тосты... Персонал, который работает на свадьбе (ведущий, фотограф, артисты и пр.), почти всегда кормится за отдельным столом от гостей, буквально в коридоре ресторана или номере отеля, разложив еду на кровати. Нужно успеть съесть свой шашлык и побежать дальше улыбаться гостям. О флирте Вика вообще молчит, сжимая зубы, нужно уметь отбиться от навязчивого гостя, но так, чтобы не обидеть, умело отшутиться, ни в коем случае не провоцируя...

— Ох... — Света мечтательно закатила глаза, когда Вика бросила рассказывать очередную романтическую историю про любовь — Какая у тебя работа! Не работа, Вичка, а праздник!

— Свет, а ты про себя расскажи... — Вика вспомнила, что еще ни разу не спрашивала Свету о ее муже.

— Все хорошо, все хорошо, — поспешно ответила соседка. — Живем с Петенькой не хуже других. Уже одиннадцать лет как... Только работает Петя много, почти дома не бывает... Но я понимаю, все понимаю и его не тревожу расспросами. Меньше знаешь, лучше спишь.

Вике хотелось возразить, но спорить не было времени. Тем более что у нее было вполне прагматичное «дельце» — оставить Марка на три-четыре часа. Здесь, кстати, его точно хорошо покормят... Дома ничего приготовить она не успела. А Свете нет равных в искусстве домашней еды. Вика решила действовать дипломатично и снова перевела разговор на другую тему — на самую Светину любимую под кодовым названием «заниматься надо». О детях.

— Какие успехи у Севастьяна?

— Оооо! Он Агнию Барто наизусть уже знает, всю! Тридцать оттенков цветов выучил, считает по-русски и по-английски от одного до десяти. А вот этот Вова, который из соседнего дома с косенькой бабушкой, три года и два месяца, а он только «мама» и «папа» говорит. Я его бабушке так и сказала…

«…заниматься надо!» — добавила мысленно Вика.

— Заниматься с ребенком надо! Мама карьеру делает, а восьмидесятилетняя глухая старуха дома с мальчиком сидит. Чему она его научит?

Светка от гневных речей даже раскраснелась. Вика с удивлением отметила, как легко воспламеняется ее, казалось бы, стойкая и непоколебимая подруга. Есть же темы, которые задевают Светку Мамонтову за живое.

— Светуль, можно я тебе Марка оставлю? Никита целый день монтирует, потом у него съемка, я бегу на встречу, почасовую няню мы не успели заказать… Выручи, а?

Света не возражала.

Она закрыла за Викой двери. И отправилась в ванную комнату за детскими ножницами. Усадила соседского сына к себе на колени и стала аккуратно стричь грязные длинные ногти.

— Не занимается тобой мамка… Ой, не занимается, Маркуша… Все по кафе бегает… По ночам работает… А кормит тебя чем? Пицца, сосиски, заводские йогурты, где ложка сахара на стаканчик… А педиатр? А прививки? А прогулки? А развитие?

Когда ногти были сострижены, Света достала кубики с картинами. Она показывала мальчикам кубик и просила назвать слово. Севастьян уже давно говорил отлично, а вот Марк едва выговаривал «млако», «масина» и т.д.

После занятий она оставила мальчиков играть вдвоем, а сама отправилась на кухню готовить детский обед: суп (обязательно на втором бульоне), тефтели (только из домашнего фарша), на полдник — ряженка (с фермы, мамка лично каждую неделю привозит из деревни, которая рядом с дачей).

«Ах, да… Вареники?» Света высыпала в миску крупную мороженую вишню. Она мыла ее под струей холодной воды и осуждала, да, крепко осуждала Вику Веселову. В Светином рейтинге «недоматерей» у соседки Вики было первое место.

К себе на двенадцатый этаж Вика вернулась с неприятным чувством, как будто бы она презирает Свету Мамонтову, но при этом использует. Света ласково и сердечно относилась к ее сыну, где-то даже жалела… Раз подарочек сделает (практичный — теплую шапку по погоде), два — зубную щетку и пасту с клубничным вкусом. («Вот мама будет тебе зубки чистить! Уже пора… Уже большой»). Света кормит всегда Марка прекрасно, просто до отвала, заворачивает с собой булки, домашний йогурт, дачные яблоки…

Вика понимала, что слишком часто оставляет мальчика у соседей, но у нее правда была безвыходная ситуация!

Никита не заметил, как Вика появилась дома. Он был в наушниках, но крики «Горько!» Вика слышала даже без них. Муж монтировал очередную свадьбу. У компьютера была батарея немытых чашек, две бутылки из-под энерготоника. Вика смотрела на сутулую спину мужа, его немытые волосы (в душ, видимо, еще не ходил) и жалела его, а заодно и себя… Адова работа — восьмидесятичасовые смены монтажа за сущие копейки: дни рождения, утренники в детских садах, клипы из отдыха на Кипре или в Турции для «Одноклассников» или «Вконтакте». Иногда свадебки, но редко… Для более серьезных заказов Никите не хватало деловой хватки, профильного образования и хорошей камеры. Так что в их семье Вика зарабатывала больше — одна свадьба покрывала полмесяца работы Никиты…

Муж почувствовал Викин взгляд. Обернулся. Снял наушники. Подошел к Вике и молча обнял ее…

— Устал? Устал… Ох, Никит, если бы у нас были деньги… Все было бы по-другому… — выдохнула Вика в плечо мужа.

— У нас и так все хорошо — я люблю тебя, ты любишь меня, у нас есть Марк, и мы — оптимисты!

— Да… Но я верю, что все еще может быть по-другому… — грустно ответила женщина и нежно поцеловала мужа в губы.

— Эй, Веселова… — муж игриво ущипнул Вику за попу, — помнишь, что мы зеленые?

Вика улыбнулась и чмокнула Никиту в небритую шеку.

На кухне она сварила себе кофе. Налила в «икеевскую» чашку. Ужасно хотелось спать… Вика думала о подруге. Зависть крутила хвостом и улеглась змеей под сердцем. Как можно так жить — медленно, глупо, беспроблемно («А в «Перекресток» фермерскую сметану стали завозить! Вот радость!») и… счастливо. Вика мечтала оказаться на месте Светки Мамонтовой, хотя бы пару месяцев! Вот если бы у них с Никитой были деньги! Взяла бы отпуск у судьбы — на три-четыре месяца, чтобы просто жить: готовила бы, как Светка, с утра блинчики и белковые омлетики, занималась бы с сыном, никуда не спешила, читала бы только телепрограмму и смотрела телевизор, на улицу бы выходила только за едой или в салон красоты... Не биться, не выживать, не крутиться как белка в колесе двадцать четыре часа в сутки...

Зависть зашевелила хвостом. Вика открыла страничку Светы Мамонтовой в «Вконтакте», пролистала последние фотографии — курица с апельсинами, сицилийский картофельный пирог, бефстроганов с шампиньонами, венгерский перкельт из говядины... Еда, еда и только еда. Вика везде поставила «лайки», написала восторженные комментарии: «Как аппетитно!», «Чудесно!», «Дай рецепт!» и с чувством исполненного «дружеского» долга пошла одеваться на деловую встречу.

«День закрытых дверей...» — мрачно подумала Вика, когда попала на проходную жилого комплекса «Диамант» недалеко от Кутузовского проспекта. Охранник с бульдожьими складками на лице медленно переписывал ее паспортные данные.

— А прописки нет?

— Нет.

— И регистрации нет?

— Вам какое дело, а?

Бульдожья морда противно ухмыльнулась.

— Иван! — крикнул охранник куда-то вбок. — Проводи девушку в семнадцатую квартиру, это к Ибрагимову.

Вика прошла через турникет, вышла на улицу. И ахнула. Остановилась на минуту, чтобы все вокруг хорошенько рассмотреть. Здесь были двухэтажные коттеджи, а не многоэтажки. Создавалось ощущение, что ты в Швейцарии, в горном шале, а не в Москве, на Кутузовском, где сейчас все стоят в мертвой километровой пробке. Вика почувствовала, как у нее стали подкашиваться ноги и немного задрожали руки. Она боялась. Она очень боялась идти на встречу с новыми заказчиками, потому что Вика Веселова попала на заповедную территорию Очень Больших Денег. Ей казалось, что одно ее неосторожное слово или жест — и все! Она выдаст себя с головой, что самозванка, актриса, что никакая не крутая организаторша свадеб, а обычная провинциалка, которая бьется за выживание в большом городе и зарабатывает чем может. Этот свадебный заказ свалился на нее случайно. Позвонил дядя Азамат, хозяин хинкальной, и сказал, что его друг, сослуживец, Асмет Ибрагимов, с которым они когда-то вместе охраняли границу России и Казахстана, женится. Азамат пояснил, что свадьбу надо организовать быстро и с душой, дело там срочное. Почему срочное? «Сама увидишь, — загадочно сказал дядя Азамат. — И да… Вот тебе шанс перейти на новую ступень, не всю же жизнь в хинкальных работать…»

Это правда, московский свадебный рынок очень жестко регламентирован: Вика устраивала «демократичные» свадьбы с маленькими бюджетиками, а тут, в «Диаманте» на всю округу пахло миллионами…

Три ступени вверх, и о боже мой, как в кино! Кованая ручка, которой надо стучать, чтобы открыли, а не звонок!

Вика только было хотела постучать в дверь, но та уже отворилась, видимо повсюду были камеры видеонаблюдения. На пороге стояла маленькая филиппинка в черном платье с белым, как у школьницы, воротничком. Она поздоровалась по-английски, взяла Викину дубленку.

Скользкий пол, позвоночный изгиб лестницы, много слепящего света. Вика почувствовала себя слабой и ненавидела себя за трусость и преклонение перед чужим богатством, за плебейское желание склониться в поклоне и сказать: «Чего изволите?» Во рту пересохло. Ей хотелось воды.

— Итц хиа, — произнесла филиппинка на английском и открыла дверь в гостиную.

Асмет Ибрагимов выглядел как располневший Джеки Чан. И смотрел он цепко и пристально, как кобра. У Вики в буквальном смысле задрожали руки, что не скрылось от глаз Асмета. Он, не говоря ни слова, плеснул в стакан виски и протянул девушке. Потом что-то сказал по-английски филиппинке. Вика поняла лишь одно слово «чай».

Асмет сразу перешел к делу.

— Мою невесту зовут Айбала, что в переводе с казахского «красивая, как луна». Мы планировали свадьбу на следующее лето, хотели привлекать агентство…

Асмет назвал топовое свадебное агентство, которое работало со свадьбами, бюджет которых от пятидесяти миллионов рублей.

Вика съежилась в кресле. Ей было ужасно некомфортно в этом холодном доме, рядом с этим опасным мужчиной. Одно дело уютный мир среднего достатка Светки Мамонтовой, другое дело оказаться здесь, среди кричащей роскоши она чувствовала себя как черная прислуга, что осмелилась покинуть кухню и присесть на краешек хозяйского дивана.

— Но обстоятельства изменились, — продолжал Асмет, — нам нужна красивая свадьба только для родственников и самых близких друзей примерно на тридцать человек.

— Что-то случилось?

— Случилось. Моя невеста не хочет выходить за меня замуж.

Вике стало просто очень нехорошо, до тошноты. Куда она ввязывается? Зачем ей это надо?

— И…

— Вам надо сделать нам свадьбу, через три недели, но до этого нужно уговорить невесту.

Повисла пауза.

— Как? Я? Уговорю вашу невесту? — Вике хотелось добавить «Вы в своем уме?!», но она не посмела.

Асмет пожал плечами. Налил себе виски.

— Я не знаю «как», но если все получится, то я заплачу вам миллион. После свадьбы. Если все пройдет идеально, то мы сделаем еще одну свадьбу через год. В Казахстане так принято — сначала скромная свадьба для невесты, потом — пышная для жениха. И я еще заплачу вам миллион, Виктория. Итого два миллиона.

И снова молчание. От напряжения воздух как будто бы стал тяжелым, и его можно было резать на куски.

— Хорошо. Давайте я попробую. Когда я могу с ней поговорить?

— Хоть сейчас…

— Она… Она живет здесь? — удивленно спросила Вика.

У нее были заказчики из Казахстана, простые люди, правда, но традиции уважали. Уму непостижимо, чтобы невеста ДО свадьбы жила в доме жениха. Если, конечно, родители не закрыли на это глаза или им не заткнули рот пачкой денег. Или он просто ее не украл. Такое в современном Казахстане до сих пор бывает. Ну и их разница в возрасте? Насколько Вика помнит, по казахским традициям, жених не должен быть старше невесты больше чем на двадцать пять лет...

— На двадцать семь лет... — как будто бы угадал мысли Вики Асмет. — Я старше на двадцать семь лет, но два года — это почти ничто, правда?

Вика закивала. А что еще оставалось делать?

— Не смотрите на меня так... Осуждающе... — добавил Асмет. — У Айбалы будет все, о чем она даже еще мечтать не умеет. Мы друзья с ее отцом. Родители наш брак одобряют. Айбала весной закончила школу, приехала учиться на подготовительных курсах в МГИМО. Это нормально, что она остановилась в доме друга своего отца.

Вика не поверила ни одному слову. Врет! Паршивый змей! Боже! Восемнадцать лет? Она только что закончила школу! Вчерашняя школьница...

Асмет позвонил по телефону. Появился мужчина с незапоминающимся лицом в черном костюме и черной водолазке под горло. Он провел Вику по длинному коридору и остановился у запертой двери. Магнитным ключом открыл ее.

Ни слова не говоря, ушел, оставив Вику одну.

Вика тихонько постучала. Толкнула дверь.

В комнате был полумрак. Тоскливо горел торшер у стола. И голубой свет откусанного яблока на открытом компьютере...

— Привет, я Виктория Веселова... Я...

Она сразу узнала ее. На кровати в форме розового сердца сидела девушка с рекламы денежных переводов. Эти плакаты с ее лучезарной улыбкой красовались на всех билбордах Москвы, а также в вагонах метро и журналах. «Быстрые переводы! Украина, Казахстан, Беларусь»...

— Уходите, — тихо сказала Айбала. — Пожалуйста, уходите...

— Айбала...

— Я не пойду за него замуж. Никто, никто не может заставить меня передумать! Ни мама, ни отец, ни братья! Уходите! — девушка уже кричала.

Но Вика никуда не ушла... Она присела на банкетку, которая стояла ближе к зеркалу, позади Айбалы. Осмотрелась... Во всей обреченной фигурке девушки, ее розовых зайцах и медвежатах (да еще сущий ребенок!), маленькой фотографии на столе, похожей на ту, что делают в будках моментального фото, чувствовалась тоска. Вика почему-то вспомнила, как ломают со звонким хрустом молодые ветки яблонь с набухшими, но не распустившимися почками... И какие они нежнозеленые внутри...

— Как зовут твоего возлюбленного?

— Откуда вы знаете? — с горечью вскрикнула Айбала.

— Не надо быть Вангой, чтобы не почувствовать, что здесь все пропитано несчастной любовью.

Девушка самым мелодраматичным образом кинулась в подушки и зарыдала что есть мочи...

Через тридцать минут Вика знала все... Оказывается, хитрый змей Асмет Ибрагимов, владелец системы «быстрых переводов», давно присмотрел себе в невесты Айбалу. Он был другом ее отца и своим человеком в их доме. О своем намерении жениться на Айбале он высказался сразу же. Разница в возрасте никого не смущала, нужно было лишь дождаться восемнадцатилетия Айбалы. Тем более что издавна первый этап традиционной казахской свадьбы — это предварительный сговор. Бывает даже так, что будущие родственники совершают сговор еще до рождения детей, про такую чушь, как чувства и совместимость, никто даже думать не хочет. Так что ситуация Айбалы была не из ряда вон выходящей, а более чем типичной даже для современного Казахстана XXI века… Асмет, чтобы заручиться поддержкой будущих родственников окончательно и бесповоротно, каждый год инвестировал крупные суммы в их бизнес (семья Айбалы владела сетью отелей). Все шло как по плану, пока месяц назад Айбала не слетала на похороны своей бабушки в поселок Акжар. Там, отплакав прародительницу, она вдруг познакомилась с сыном местного механика — бедным и пылким студентом захолустного вуза.

Переписка. Перезвоны. Клятвы. Признания. А тут этот толстый Джеки Чан про свадьбу что-то мелет…

— Я ему сказала, что, если силой заставишь, отравлюсь! Или отпусти меня — или отравлюсь! — Айбала с блестящими от гнева глазами рассказывала Вике историю своей любви.

— Ведь главное, это любовь? Правда? — с юношеским жаром спрашивала у нее девушка.

Вика молчала…

— А давай я тебе расскажу кое-что… Как я познакомилась со своим мужем.

Айбала подняла на Вику удивленные глаза.

— Мне было восемнадцать лет, как тебе скоро, я училась в пединституте в Вологде, ужасно собой гордилась. Что я — Вика Петрова, дочка запойной малярши — отца у меня никогда не было, — которая все детство провела либо на улице, либо в коридоре общаги, не знающая ни ласки, ни поддержки, ни помощи, только тошнотную нищету, когда съесть кусок мяса было счастье, а поспать в чистой постели — счастье вдвойне, — вдруг поступила в институт! Для меня это был как шанс вырваться в другую жизнь, сделать головокружительный прыжок, раз — и ты Алина Кабаева! В школе я старалась хорошо учиться, читала книги в библиотеке допоздна, выписывала в тетрадку цитаты классиков, чтобы казаться умнее при случае, посещала театральную студию. Кстати, сама себя туда записала! Мне очень хотелось другой жизни, чтобы все как у людей. И вот в институте, помню, февраль, я готовлюсь к докладу по детской психологии, а есть хочется ужасно, аж сосет под ложечкой… Думаю, возьму сто рублей, куплю два «Доширака» и батон, потом вернусь обратно в общагу. Подхожу к магазину, а это такой не сетевой супермаркет, а захолустная палатка, где помимо сникерсов, молока еще и водку в стаканах продавали. Товары, так сказать, первой необходимости. А возле магазина валяется пьяница. Холод собачий, а он в синтепоновой курточке, без шапки, обоссанный, руки красные, водкой несет за версту… Оставить так — замерзнет! Звонить кому-то? Кому звонить? Вдруг вижу, из-за угла бежит парень лет двадцати, с детскими санками, и кричит мне: «Оставьте! Это мое добро!» Это был Никита. Мой будущий муж. Так мы с ним познакомились.

Айбала молчала.

— «Доширак» купили? — спросила она.

— Нет, не купили. Купили бубликов, сто граммов «Мишки на Севере», пачку плавленого сыра и батон. Отвезли отца Никиты домой, а потом всю ночь проговорили на кухне. Оказалось, что мы как два инопланетянина, которые наконец-то встретились. Знаешь, какой это был разговор! «Я весь зеленый!» — «И я вся зеленая». — «Ты такой же, как я». — «Мы оба зеленые!». Как тебе это получше объяснить, Айбала... Мы прожили с Никитой очень похожие жизни, почти на соседних улицах Вологды, с той лишь разницей, что у Никиты не было матери, а у меня отца. И мы — дети пьяниц. И нам очень-очень хотелось другой, нормальной жизни. Наша встреча — это встреча инопланетян, которые хотят попасть на свою планету, но вместе. Теперь вместе. Два зеленых человечка... Через три дня мы с Никитой поженились, просто пошли в ближайший загс и поставили штампы. После того как я закончила вуз, мы уехали в Москву. Люди всегда едут в Москву, когда им больше некуда ехать. Помнишь? Это из фильма «Русалка». Здесь стали зарабатывать видеосъемкой и корпоративчиками, потом пошли свадьбы...

Айбала сделала круглые глаза.

— Зачем вы мне это рассказали?

— Не знаю... — Вика пожала плечами. — Просто подумай, что твой жених может дать вашим будущим детям. Ты не просто выходишь замуж, но еще выбираешь отца своим будущим детям. Айбала, милая, у них будет все, о чем другие даже не могут мечтать... И это стоит того, чтобы сказать судьбе «да». Подумай, какой прекрасный выйдет из Асмета отец...

— Уходите... — тихо, но без злобы произнесла Айбала. — Я все поняла... А теперь уходите...

— Ухожу... — покорно ответила Вика, — Вот моя визитка, я оставлю ее здесь, на банкетке. Если передумаешь, то позвони мне. Будем делать самую красивую свадьбу. Твою… Ну, пока…

Вика тихонько закрыла дверь и подумала, что все, что она сказала, было чистой импровизацией, но без единого слова лжи.

И еще поймала себя на мысли, что миллион — это мало.

Надо было у змеи Ибрагимова просить больше.

…Только когда Вика устало плюхнулась меж двух полных дам в метро, она смогла чуть-чуть расслабиться. Она среди своих. Простых, неприветливых, но очень родных людей. У тетки справа были въевшиеся черные следы на указательном пальце правой руки («Картошку чистила!» — с теплотой подумала Вика) и поцарапанное обручальное кольцо. Тетка слева читала цветную телепрограмму про очередной развод модной звезды сериалов, и от ее волос едва уловимо пахло жареной рыбой. Народ торчал в телефонах, кто-то переговаривался, два человека читали, один дедушка вез в клетке грустного сиамского кота с оборванными усами…

Вика почувствовала, что не по-человечески устала, ведь сегодня ночью она совсем не поспала, еще очень хотелось есть и чтобы… пожалели. Кто-то просто погладил по голове и сказал, что все будет хорошо. Но таких подарков она даже в детстве не получала, а что говорить теперь, когда ты женщина за тридцать лет…

Тепло метро приятно убаюкивало. Вика прикрыла глаза. Она думала про превратности любви. Сколько было уже сделано свадеб, сколько пар она поженила, но как редко встречалась настоящая любовь… «Потому что пришло время», «Потому что вместе работали», «Потому что хочется детей», «Потому что мама проела мозг, чтобы выходила замуж…», «Потому что надоело одному и заморозку из супермакета в микроволновке разогревать…»…

Поезд метро летел вперед, и все это роскошное, изысканное, шикарное из «Диаманта» сворачивалось и уменьшалось в размерах, пока не стало просто точкой на странице еще одного прожитого дня… Просто очередной заказ…

Очень хотелось поскорей домой, в свою берлогу, но нужно было забрать сына.

На седьмом снова долго открывали. И это раздражало. Ну от кого прячутся?

Вика забежала в квартиру и сказала скороговоркой: «ПриветСветаспасибозавсеМарикэтомама!» и тут же замолчала. Сначала Вика узнала его обувь, а потом его наглую морду. Замшевые ботинки, совсем не по погоде, гордо выпячивая носы, стояли на полке в коридоре. Да, это был именно тот мужчина, который сегодня в четыре утра открыл ей дверь в подъезде. Сейчас он был в стильном спортивном костюме. Красивый, надменный, с фирменной ухмылочкой. Видимо, Петр Мамонтов и правда много тренировался, потому тело было подкачанное, стальное. Он него шел мужской ток, сразу видно, что такой не привык получать отказы.

Светка рядом с ним смотрелась старше лет на десять, замусоленная и пожеванная, как будто бы она мимо проходила, по-соседски за солью зашла… Очень странный брак, на первый взгляд…

При виде Вики глаза Петра вспыхнули. Он едва скрыл довольную улыбку.

— Это Вика… А это Петр, мой муж.

Молчание. Все так и есть… Светин муж…

Соседка прервала затянувшуюся паузу:

— Я позову Марка, они заигрались…

Света говорила так, чтобы не смотреть в глаза Вике…

Дверь в детскую была закрыта, и оттуда раздавались веселые детские визги.

Петр ощупывал Вику взглядом. Так смотрят мужчины, когда хотят оценить размер груди — третий? четвертый?

Вика внутренне сжалась и поправила шарф.

Вдруг Петр спросил:

— Вика? Да, Вика… А вы что оканчивали?

— Школу.. — как дура пробормотала Вика, у нее не было сил поддерживать светскую беседу.

— А вуз?

— А вуз… Пединститут в Вологде…

— Ааааа… — доброжелательно улыбнулся Петр и вдруг сказал шепотом: — Дай телефон…

Вика опешила. Она не нашлась, что ответить.

Петр смотрел на нее смеющимися глазами.

— Быстрей давай… — он игриво подмигнул Вике, кивая головой на дверь детской.

Вика покрутила пальцем у виска — сумасшедший? И отстранилась к двери, запахивая куртку.

— Мама! — Марк выбежал из детской Севы и повис на матери. — Мама! Мама! Мама!

— Ну все, все, хватит… — Вика поспешно поставила сына на ножки. — Мы пойдем. Давай руку, Марк! Не балуйся, Марк!

— Может, ребенку кофту надеть? В подъезде холодно, — заботливо сказала Света.

— Нормально… Это для закалки.

— Ну смотрите… А то я бы дала кофту Севы… А Марк так хорошо покушал у нас: и супчик, и тефтельку, и вареничек, и компот.

«Хоть кто-то сегодня поел», — подумала Вика, прислушиваясь к голодному урчанию в животе.

— Свет! Нам пора! Спасибо!

Света стала отпирать многочисленные замки своих тройных дверей.

Петр Мамонтов многозначительно протянул:

— Еще увидимся…

Никиты дома не было, видимо, ломбард гулял по полной. Вика врубила сыну мультики (ааа, все равно режима никакого нет!) и пошла в душ. Она терла себя мочалкой, поливала пахучими гелями, как будто бы хотела отодрать от себя липкий, похотливый взгляд мужа Светы. «Господи, как же теперь Марка водить туда? И бояться каждый раз столкнуться с этим мачо?» Накатывали воспоминания из детства — как бы поскорей улизнуть в коридор общаги, когда мама начинала пить с очередным сожителем… И не слышать — смеха, ора, стонов, слез, потом ора и драки… Вика прибавила горячей воды. По ее лицу, смешиваясь с водой, текли слезы, которые не приносили никакого облегчения душе и сердцу. Вспомнились умоляющие глаза этой девочки, восемнадцатилетней Айбалы, которые просили спасти ее…

«Ничего личного, принцесса, это просто бизнес…» — подумала Вика, кутаясь в махровое, пусть не очень свежее, полотенце…

Не Айбала, а Ибрагимов позвонил часов в одиннадцать утра следующего дня, когда Вика с сыном гуляли в парке. Его голос был холодным, но с едва уловимыми радостными нотками.

— Она согласна! На двадцать первое марта назначаем регистрацию! Никохом проведем накануне: только я, Айбала и мулла. Это венчание по-вашему, — пояснил Асмет. — А двадцать первого марта — Кутузовский загс, все уже решено. Завтра вы поедете с Айбалой в салон свадебных платьев, она хочет, чтобы вы были с ней каждый день…

— Да, но… — Вика хотела сказать, что у нее другие планы, она не может вот так…

— У метро «Кунцевская» вас будет ждать водитель, номер машины…

— Да, но…

— Свадьба нужна «европейская», никаких национальных обрядов, и… это… без этих ваших пошлых конкурсов.

— Да, но… Извините! Но бюджет, контракт, предоплата?

— Бюджет не ограничен, контракт не нужен. — Асмет отчеканил как по бумажке — Виктория Веселова, тысяча девятьсот восемьдесят третьего года рождения, город Вологда… Номер паспорта… Все ваши данные у нас есть. Оплата — безналичный перевод на карту или наличными с курьером. Сразу после свадьбы. До свидания!

Вика оторопело осталась стоять с телефоном в руке.

— Мама… — Марк подбежал к Вике. — Смотли!

Сын разжал руку и показал коричневую собачью какашку!

— Фу, фу… Марк! Нельзя! Это не песочек!

Вика стала очищать влажными салфетками перчатки сына.

— Расстреляла бы. Вот лично, — за спиной Вики раздался голос Светы Мамонтовой. Севастьян был при ней же в моднейшем пуховике и с огромным, самым дорогим в округе, детским грузовиком.

— Догхантерам, что ли, позвонить, пусть потравят этих песиков нафиг! Один раз я уже звонила, но, видимо, мало… — зло проговорила Света.

Вика подумала, как странно Света шутит про догхантеров. Она бы точно на такое не решилась..

— Здесь дети гуляют, а они со своими собаками! Ты знаешь, что первая причина аллергии — это собачье дерьмо, которым мы дышим и приносим на подошвах обуви домой…

— Свет.. — взмолилась Вика. — Не надо… Ну с кем не бывает такого?

— С моим сыном не бывает, — заметила Света.

Вике очень хотелось сказать в ответ: «Ты думаешь, что я плохая мать?»

Но Викина чуйка подсказывала, что со Светой ругаться не стоит. Тем более что еще неизвестно, где придется оставлять Марка…

— Нам в педагогическом вузе говорили..

— Ой! — Света издала возглас удивления. — Ой, а ты что, педагог?

— Да, начальной школы… Но я никогда по профессии не работала… Мы в Москву с Никитой рванули…

— Аааа, ну тогда понятно… — облегченно сказала Света.

Мальчиков потянуло в парк. Войдя туда, они принялись скрести лопатами грязный асфальт. Снега почти не было. Зато были мутные лужи, в которых отражалось небо.

— Свет, а как ты с Петей познакомилась? — снова подняла Вика свой давний вопрос. Теперь ей было втройне интересно. — Ну расскажи…

В прошлый раз Света отмолчалась. И ничего не сказала Вике о знакомстве с мужем…

— Понравился? — игриво, но с фальшивой улыбкой спросила соседка.

— Интересный типаж, да… — миролюбиво ответила Вика.

— Как мы с Петенькой… — Светин взгляд поплыл. — Он, Вик, моя судьба…

И Света очень подробно, не упуская ни одной детали, рассказала Вике свою «лав стори», которая оказалась весьма банальной — учились вместе с первого класса: красавец, умник и спортсмен Петя Мамонтов и ничем не выдающаяся Света Горина. Светка была тайно в него влюблена всю школу, но шансов у нее не было, пока на выпускном, разогретый шампанским, Петя в шутку не сказал: «Хорошая жена — это Светка Горина, за ней будет и сытно, и спокойно», а, мол, ваша Вероника (это была звезда школы) — погулять и забыть. Была драка, скандал, но Петины слова Свете в душу запали. А тот еще возьми да и пошути: «Университет МВД закончу, приду жениться на тебе, Светка. Жди!» И Света ждала… Пять лет они не виделись, хотя тоже, как и Вика с Никитой, жили на соседних улицах в одном районе. И ведь пришел… И замуж позвал. Все очень удивились выбору Пети. Зачем? Как? Почему Светка?

— А Петька говорил: «Судьба»… — Светка вздохнула.

Вике очень не понравилась эта история.

— Ну а свадьба-то, свадьба была красивая?

— Не, Петя сказал, а зачем? Лучше мы машину купим. Тихо расписались в районном загсе, посидели у нас на кухне с родителями, собрали деньги — мы сразу сказали: никаких сервизов! Деньгами! Через неделю Петя купил себе новую машину. Меня катал. Два раза! — с восторгом сказала подруга. — Заставил на права выучиться, но я не вожу, мне не нравится…

Вика подумала, как похожи их истории со Светой, только как будто бы их вывернули наизнанку. Похожи, да не очень…

— А где работает рыцарь твоего сердца? — спросила Вика.

— Ну… — Света замялась… — Раньше в «органах», но там случилась некрасивая история… Превышение должностных полномочий… Оклеветали, ну конечно же, Петеньку оклеветали. В общем, пришлось уволиться. Сейчас у него частное охранное предприятие. Нормально зарабатывает… Нам хватает. Только много работает, иногда без выходных, с утра до ночи. Ну ты видела? Его почти никогда нет дома…

Внезапно посыпался снег. Мелкий, колючий, как крупа. Вика закрыла глаза и подняла лицо к небу. Ее сын сделал так же. Только взял маму за руку. Господи… Как хорошо… Вот так, просто гулять, просто дышать, держа за руку своего сына… Как не хочется работать…

Вдруг мокрый, желтый лист со старческими пигментными пятнами оказался на лице Вики. Ветер принес… Она чувствовала себя вот этим листом — дрожащим, побитым непогодой, оторванным от родного дерева. Да она такая же — лишенная поддержки, подпитки и защиты.

— Ой, листик! — Света глупо хихикнула и сняла лист с щеки подруги.

Светка, напротив, казалась укорененной, сильной, цепкой, такую репку и вдесятером из земли не вытащишь. Все переживет, все перетерпит — и град, и ливень, и химические удобрения, и мужицкий сапог. Жизнестойкая. И фамилия под стать — ведь мамонты не вымерли, а просто стали слонами.

— Свет, ко мне большой заказ «приплыл». Можно я иногда к тебе Марика буду закидывать?

— Приводи, почему нет? Сева его любит... — ответила Светка. — Ой, Вика! А что Сева учудил-то. Я пиццу сделала, так он от каждого куска понадкусывал, а потом мне по-английски говорит: «Инаф», в смысле — «Мама, достаточно». А про скидки в «Детском мире» знаешь? Еще новая дворничиха у нас, скоро будут детскую площадку красить...

Вика трескотню подруги слушала вполуха. Света всегда на одной волне — дом, ребенок, быт... Вика составляла план, как ей за три недели сделать свадьбу Айбалы, чтобы все было по высшему классу. Ох, как кстати этот миллион... Может быть, получится поехать к морю... Покажу Марку море... Никита отдохнет... Таиланд или Вьетнам, а может быть, Мальдивы? Гулять так гулять!

* * *

И закрутилось! И понеслась с космической скоростью подготовка к свадьбе: Айбала держалась как шахиня — гордо и надменно. Она куталась в меха на заднем сиденье «Гелентвагена», не вынимая наушников из ушей. С Викой разговаривала обрывками «да», «нет», «подходит», «хочу», «не хочу», как будто за что-то ей мстила. Оживлялась только в ювелирных бутиках. Выбирала все самое дорогое. Ибрагимов рад был платить, его сотни тысяч долларов безумно и расточительно списывались со счета на все, буквально все прихоти Айбалы.

Вика честно пыталась вести бюджет, как это делала обычно на своих «эконом-свадьбах», но здесь был другой случай. Она махнула рукой и просто фиксировала заказы и капризы невесты: подушечка с инициалами для колец, букет из белых пахучих лилий, оформление свадебного кортежа, рассадка гостей, кулечки для лепестков роз (обсыпать молодых после загса), подробный плейлист музыки. Пять раз переписывали сценарий (скрипачки до пианистки, а не после), цвет платья ведущей (слава богу, Вика не вела эту свадьбу), фотограф (только входящего в ТОП WEDDING AWARDS), лучший видеограф (Викиного мужа Айбала забраковала). Юная невеста демонстрировала Вике высшую форму сучества — она отметала то, что сама же утвердила сутки назад. Вика как мантру повторяла: «Миллион. У меня уже есть миллион», и смиренно выносила капризы Айбалы... «Море, море, я покажу Марку, Никите и себе море...»

Накануне свадьбы Айбалы и Асмета Вика плохо спала. Луна — круглая, разъевшаяся — висела в небе, притягивая неудобные мысли и незаданные вопросы. Вика ворочалась в постели, не в силах найти себе успокоения, под мирное дыхание спящего мужа... Она представляла Айбалу, над которой мулла читает Коран... И хладнокровного Асмета со змеиными глазками. Совесть Вики была похожа на мычание глухонемого: а может быть, стоило отговорить Айбалу от этого брака? Или вовсе отказаться от заказа? Ну что такое миллион? Много ли? Один отпуск и аренда квартиры на полгода в Москве...

Утром было уже не до робких терзаний совести... Нужно было выглядеть на миллион, чтобы его же и заработать. Вика дождалась водителя Асмета и умчалась в загс. К счастью, Марка не нужно было отводить к Свете, Никита сегодня был дома…

Кутузовский загс славится красивыми интерьерами дворцового типа. Войдя через парадный вход, молодожены и их гости сразу попадают в уютный и красивый холл с венецианскими зеркалами, красивыми колоннами и уютными мягкими диванчиками. Зал для торжественной регистрации сразу дарит ощущение праздника — высокие потолки, хрустальные люстры, изысканная обстановка. Айбала была ослепительно красива, Асмет аж раскраснелся от гордости. Прежде чем войти в зал регистрации, мать Айбалы долго что-то шептала дочери на ухо, у той в уголках глаз блестели слезы. Она вцепилась в мать руками, как будто ей было пять лет: не отдавай меня, мама! Не отдавай…

Мама поцеловала дочь в лоб и с силой выдернула свою руку…

Грянул марш Мендельсона.

За город, в бутик-отель на Новорижском шоссе, ехали с истеричным автомобильным гудением. Свадебный кортеж нарушал все правила ПДД и несся со скоростью двести километров в час. В отеле «Мона Лиза» молодоженов и гостей встречали праздничным салютом. Банкетный зал украшал огромный шар из гортензий и роз, примерно два на три метра высотой. Цветочный запах был такой силы, что от него кружилась голова. Или Вика просто переволновалась? Все же это была первая VIP-свадьба в ее профессиональной жизни. Пока все шло идеально… Вика лавировала между бриллиантами и сумками «Шанель», профессионально улыбалась и помогала родственникам и друзьям найти свое место в зале. Карточки рассадки были сделаны из срезов агата с нанесенными каллиграфом именами гостей (идея Виктории! Она такое видела в кино). Иногда, пробегая по банкетному залу отеля, Вика ловила свое отражение в зеркале и очень себе нравилась. Сегодня на ней было надето эффектное платье в зеленых стразах, отдаленно напоминающее кожу змеи. В сочетании с рыжими волосами это смотрелось феерически. Вике очень хотелось сделать селфи, но работа прежде всего... Настроение было приподнятое. В душе Вика танцевала! Ждала, когда диджея, который крутил свой лирический сет, сменит живая музыка. А вот и квинтет вышел на сцену. Скрипачки в строгих смокингах вспороли воздух острыми смычками. Музыка брала за душу и вытряхивала чувства... Кто-то тронул Вику за плечо.

— Привет, вот и встретились...

Вика обернулась. И как будто бы ударилась о стекло лбом. С фирменной ухмылочкой и смеющимися глазами перед ней стоял Петр Мамонтов.

— А... Что ты, вы, ты, здесь делаешь?

Дурацкий вопрос. Ответ был очевиден. Петр был одет в черную водолазку и черный костюм — это своеобразная униформа всех «своих людей» Ибрагимова: водители, охрана, секретарь...

— Я? Работаю. Причем как и ты... — Петр рассмеялся. — Нас здесь целый отряд! Мало ли что может случиться на свадьбе. Так что, Веселова, от меня никуда не сбежишь! Кстати, платье у тебя — зачет!

Мамонтов улыбнулся и, вульгарно указывая пальцем на грудь Вики, сказал:

— А сиськи — ну ваще на миллион! — И заржал.

— Первый танец молодоженов! — на счастье Вики громко объявил ведущий.

Приглушили свет. Зажглись фиолетовые огни. Сцена, благодаря видеопроектору, превратилась в небо. По полу поплыли облака, и зал ресторана окутал нежный туман. Айбала, грустная, тонкая и неописуемо красивая, в диадеме из восемнадцати бриллиантов, обреченно пошла в распахнутые руки Асмета, который ждал ее у колонны в центре зала. Смычки скрипок сверкали как молнии, музыка нарастала и… Вдруг на полшаге от Асмета Айбала резко развернулась и кинулась прочь. Куда-то к проходу, где толпились официанты с шампанским. Звон бокалов. Металлический звук упавших подносов и хруст стекла. Крик и мат. Почему-то звуки полицейских раций. Переполох в зале среди гостей. Белый от гнева Асмет, который тут же кому-то стал звонить…

«Черт, черт… Айбала… Сбежавшая невеста. Она не сумасшедшая, не побежит на улицу в тонком свадебном платье. Некуда, некуда бежать, девочка!» — проклиная все на свете, думала Вика.

Она бросилась к лестнице, которая вела на второй этаж. Длинный коридор, одинаковые двери номеров, утопающие в полумраке. Вика заметалась, закричала: «Айбала! Айбала!», но здесь творилось уже что-то невообразимое. Как жуки из укрытий, откуда-то повыползали мужчины в черных костюмах с неотличимыми друг от друга лицами. Вика почувствовала, как страх сковывает ей руки, как неприятно ухает в животе.

Треск раций. «Первый, скажи десятому, что на первом все чисто».

— Сюда вам нельзя. Оцеплено.

Вика поняла, что охрана Асмета за считаные секунды блокировала все возможные выходы из отеля. Сейчас здесь все перетряхнут вверх дном, пока не найдут беглянку...

Вика облокотилась на перила. Как вдруг почувствовала, как ей закрыли рукой рот, перехватили сзади руки, как пленнице, и потащили куда-то в сторону, в самый конец темного коридора. Она стала биться что есть мочи. Пыталась орать, но ее держали крепко. Внезапно толкнули дверь в какой-то номер, резко повернули к себе. Вика оказалась лицом к лицу с Петром Мамонтовым. Всклокоченный, потный, игривый...

Рация на его поясе противно трещала. Петр что-то нажал, и она смиренно заглохла.

— Испугалась? Ну здравствуй, здравствуй, красавица... — Петя сделал движение, как будто бы хотел поцеловать Вику. Она учуяла кислый запах водки и красной икры.

И вдруг ужасно разозлилась. Почувствовала, как кровь прилила к лицу, и инстинктивно сжала кулаки. Что за игры?! Ну кто он такой? Охранник Асмета? Что о себе возомнил? Черт! И почему он не ищет Айбалу?! Ей нужна была Айбала! Всем нужна Айбала!

Те несколько секунд, когда Виктория раздумывала, Мамонтов воспринял как молчаливое согласие. Он снова попытался поцеловать Вику.

— Руки! Убери! — Вика грубо, что есть силы толкнула его в грудь.

— Ну чего ты ломаешься... Вологда... — насмешливо процедил Петр Мамонтов.

— Я пожалуюсь Асмету Ибрагимову!

Петя захохотал.

— Ты? Да кто ты такая? Тебе никто не поверит! У тебя же на лице все написано… А я с ним работаю давно — честно и с полной отдачей.

Мамонтов снова заржал.

У чувства самосохранения Вики отказали тормоза, злость сейчас была ее топливом.

— Петя, ты — редкостный мудак… — выпалила Вика. — Что за игры? Ты что о себе возомнил? Что каждая готова с тобой пойти? Мне жаль, мне очень жаль мою подругу! Как можно такого муженька терпеть! Я бы такого вытолкала взашей, чтобы топал на все четыре стороны! А Светка тебе белковые омлетики готовит и на все закрывает глаза! Глупая, глупая, но очень сердечная баба, которая тебя любит больше всего на свете… Света… Ай…

— Заткнись…

Вика почувствовала, как металлический вкус крови заливает ей рот. Петр ударил ее профессионально и точно: ребром ладони по лицу. Разбил губу. Хладнокровно, с немигающими глазами засадил пощечину. И еще одну. Потом содрал с одного плеча платье, но ткань треснула по боку почти до пояса. Зеленые стразы слетали с наряда Вики, как елочные игрушки. Они звонко цокали о паркет и укатывались куда-то далеко… Минуты бессмысленной борьбы. Откуда-то из прошлого катился стеклянный шар размером с цветочную композицию, что украшала банкетный зал на свадьбе Айбалы и Асмета. А в нем, как в отражении, Вика видела пьяную мать, толпы ее сожителей, бесконечных приставал на своих свадьбах. Шар набирал скорость. Вика была абсолютно раздавлена. Кусала губы, но по-прежнему чувствовала соленый вкус крови… Онемевшая, отупевшая, запутавшаяся в липком страхе, она зажмурила глаза, чтобы не видеть рожи Пети, его злых смеющихся глаз, вонючего рта… Конечно, он был сильнее, но у нее еще был шанс потянуть время, так что Вика сопротивлялась что есть мочи…

Она не умела молиться. Да и момент был не тот. Она как язычница стала представлять себе зеленый свет, который проходит сквозь все ее тело и делает недоступной…

И вдруг Мамонтов осел на пол. Как будто бы его топором рубанули. А потом повалился лицом вниз. За его спиной Вика увидела бледную, испуганную Айбалу… Она держала в руке увесистый утюг. Вика вскрикнула и закрыла рот рукой. В полном шоке от всего происходящего, она осталась стоять на месте. Вику била мелкая дрожь, у нее тряслись руки… Петр Мамонтов валялся в полной отключке рядом.

— В деревне у моей бабки так наша соседка своего мужа убила… Напоила и утюгом… — бескровными сухими губами тихо проговорила Айбала.

Ее голос вывел Вику из состояния оцепенения.

Только сейчас она смогла осмотреться по сторонам. Мамонтов затащил ее в комнату горничных. Широкая гладильная доска стояла рядом с входной дверью. Еще тут была тележка с грязным бельем и сотни шампуней, фирменных шапочек для душа, мыла, щеток для одежды и прочего отельного «мусора», что забирают с собой постояльцы.

— Айбала!

Вика бросилась к девушке и стиснула ее в объятиях. Неизвестно, чего сейчас было больше — радости спасения из лап Мамонтова или счастья от находки беглянки… Вика крепко прижимала к себе Айбалу. Как сестру, как подругу, как дочь.

Щемило сердце, ныло и болело так, как будто оно было здесь, снаружи, а не там, под кожей… Вика чувствовала, как бешено колотится и сердечко Айбалы.

— Прости! Прости меня!

Вдруг Айбала повисла на Вике безвольно, тряпичной игрушкой, из которой вынули поролон.

— Я больше не могу… Не могу убегать… Мне совсем некуда бежать…

Катились слезы по ее красивому лицу, и дрожали плечи. Вика обнимала Айбалу, и казалось, что девушка как будто бы стала худее, легче… Совсем, совсем еще ребенок — испуганный, несчастный, потерянный…

Вика положила голову Айбалы себе на плечо, как будто та и вправду была ее малышкой, и стала баюкать, приговаривая:

— Мы что-нибудь придумаем… Мы что-нибудь обязательно придумаем, как тебя выкрасть, как тебя спасти… Эта свадьба — ошибка. Моя ошибка.

— Нет.

Айбала вдруг выпрямилась и утерла слезы. Посмотрела в глаза Вике. Этот взгляд был тяжелый, даже жесткий.

— Нет, — повторила она четко. — Не ошибка, а судьба… Не всем же быть зелеными, — спокойно произнесла она. — Потом, меня нельзя спасти. Мое лицо знает вся Россия, Украина, Казахстан… «Денежные переводы — быстро и надежно». У меня ничего нет, даже своей электронной почты, нет денег, паспорта. Родители поддерживают этот брак… Я буду сказочно богата… И они станут богаче в пять раз... Все решено. Все давно решено за меня.

Айбала присела на корточки рядом с Петром Мамонтовым, который до сих пор пребывал в полной отключке (и как она смогла его так вырубить одним ударом утюга?!), пошарила руками в карманах пиджака, нашла мобильный.

— Звони Асмету! — твердо сказала, даже приказала она Вике. — Скажи, что ты меня нашла. Минутная слабость, стресс... Перенервничала невеста, ну с кем не бывает. Он тебе поверит. И да, пусть принесут мне косметичку, а тебе одежду какую-нибудь. А этого... — она равнодушно указала туфелькой на Мамонтова, — пусть унесут...

Вика молчала. Не хотела брать мобильный. А потом послушно все сделала.

— Алло, Асмет... Это Вика Веселова...

Через пять минут в комнату влетел Асмет вместе со свитой. Он моментально оценил ситуацию. Обнял Айбалу за плечи, что-то сказал на казахском своим охранникам, кивая на Вику, а потом на Мамонтова, который, похоже приходил в себя...

Один из «своих людей» сказал, чтобы Вика ждала здесь и «в ее услугах больше не нуждаются». Петра Мамонтова унесли два бугая. Она услышала, как один говорит другому в коридоре: «Мамонта вырубили!», и долго-долго ржали.

Вика осталась одна. Болела губа и запястья. Петр Мамонтов профессионально выкручивал руки. Платье было порвано, в таком виде нельзя никуда идти... Она уселась на единственный стул в комнате горничных. Прямо напротив портрета Моны Лизы. Смотрела на ее легкую блуждающую улыбку, которую, по мнению провинциалки Вики, трудно было назвать «приятной».

Вика смотрела на портрет Джоконды, а видела полное лицо Светы Мамонтовой из Чертанова и слышала ее голос: «Расскажи мне про любовь, Вика…», и слова Айбалы: «Не всем же быть зелеными…» Ужасно захотелось обнять Никиту и сына! И она отдала бы сейчас все, чтобы просто обнять мужа и сына. Ее богатство! Ее счастье! Все вдруг увиделось по-другому: как будто бы отдернули штору — и оказалось, что везде лежит пыль в полпальца, даже на роскошных сервизах и дорогих сердцу семейных ценностях. Господи! А она ведь завидовала Свете! И хотела такой жизни, как у нее! Чашкам ЛФЗ завидовала, стеклопакетам на окнах… Обманчиво беззаботной, глупой жизни…

Вика услышала, как внизу возобновился банкет. Будто бы свадебное торжество постояло на «паузе», а теперь снова «плэй» — и понеслось. Ведущий снова объявил первый танец молодых. Музыка волнами докатывалась и сюда, на второй этаж бутик-отеля «Мона Лиза», в комнату горничных, где сидела Вика…

В номер постучали. Вика вздрогнула, вынырнув из своих невеселых мыслей. На пороге стоял очередной из одинаковых людей Асмета. Он молча протянул ей новые, даже с биркой, джинсы, черную водолазку (вот ирония!), сумку Вики, ее пальто.

Еще достал из кармана сверток размером не больше чем пачка сливочного масла.

— Асмет просил передать. Такси приедет за вами через тридцать минут и отвезет домой.

Вика осторожно взяла в руки сверток. Когда дверь за охранником закрылась, развернула шуршащую золотую обертку. Там оказалась аккуратная стопочка сложенных вместе пятитысячных купюр. Вика их пересчитала. Ее первый миллион — двести красненьких бумажек, все вместе не более двухсот граммов веса...

А радости никакой. Ноль.

Вика переступила через разорванное платье, которое валялось на полу. В темноте оно было похоже на хвост экзотической змеи... Лунный свет блестел на пластмассовых стразах. Вика шагнула к окну.

У нее была тысяча вопросов к мирозданию. Как она будет жить дальше? В этом доме, где на седьмом этаже окопались Света и Петр Мамонтовы. Что она скажет Никите? Что она скажет Ибрагимову, почему не будет делать вторую свадьбу через год... И вообще, хватит с нее всех этих свадеб.

Вике очень хотелось бы сейчас думать, что невеста Айбала на седьмом небе от счастья, но... Женщина прикусила болезненно ноющую губу и почувствовала, как по ее лицу потекли теплые тихие слезы...

Вика скомкала одну из пятитысячных, как обертку от конфеты, и запихнула в сумку. Отвернулась от ироничной улыбки Моны Лизы и долго-долго смотрела в окно на луну — холодную, одинокую, красивую. Красивую, как Айбала, что танцевала сейчас свой первый свадебный танец, задевая туфельками облака...

МАРИ МОСКВА

Мишаня-душа

Моя Мари сегодня грустит. Не могу понять почему. Живу с ней уже четверть века, даже больше, и все равно — не понимаю.

На модных мастер-классах нам, душам, часто советуют меньше париться по поводу подопечных, отрабатывать свои задачи, да и все. Но я — душа немолодая, помню еще те времена, когда люди о нас не задумывались и жизни свои проживали ровно, по судьбе и без лишних загонов. А теперь все повадились на души свои внимание обращать, исследовать, изучать нас. Нынче что ни день, то приключения. Сначала терапевты нас трясут, потом бизнес-тренеры подключаются. И, главное, люди норовят сценарий изменить, мол, «все в наших силах». Мне даже имя дали, впервые за тыщу лет. Мари как-то перебрала с винцом и всем вокруг начала рассказывать, что душа ее — это медведь. Форму-то принять — не проблема, а вот имя… Это как-то ново. Век живи — век учись, и в двадцать первом веке я — Мишаня. Приятно познакомиться.

Мы реинкарнируемся раз в столетие. Молодые души — неопытные, им нужно многое изучить, поэтому по первости их отправляют на Землю лет на двадцать, не больше. Обычно им достаются суицидники, наркоманы, что помоложе, не разобравшиеся. Это у нас называется «практика». Сценарий пишется быстро, живется еще быстрее, сблизиться не успеваешь. Возвращаешься наверх и остаток века мотаешь в школе душ. Потихоньку «прокачиваешься», сценарку подтягиваешь, философию. Потом опять на Землю. Сценарий всегда приходится сызнова писать, с этим у нас строго. Некоторые ленятся, мухлюют, списывают. Особенно если уроки похожие нужно отработать. Мне всегда нравилось писать сценарии — с фантазией проблем нет, и на Совете краснеть не нужно, мол, почему вся родня подопечного на похоронах вздыхала: «Зря его в честь деда Борьки-то назвали — его судьбу и прожил». Тот сценарий бракованный, что подопечные твои распознали. Так вот.

Тела мы сами не выбираем, это задача Совета. Кто дружен с Советом — у того обычно инкарнация без эксцессов обходится. Кто в контрах с главными — вечно какая-то подстава получается. В этом мы с людским миром схожи. Вроде написал сценарий с борьбой — военными действиями, преодолением, а тебе девчонку дают, да еще из Средней Азии. Ну и как, по-вашему, судьбу проигрывать? Некоторые, конечно, справляются, даже прославляют своих подопечных. А я вот всегда середнячком был, выделяться не любил, в обычных людей инкарнировался. В нашем мире ходит байка о силе человеческого сомнения. Душам, конечно, смешно. Какие сомнения, если мы сценарий разыгрываем в заданном теле, и все тут. Я как-то заспорил с товарищем из Совета об этом деле. Я о споре быстро забыл, а он запомнил. Всегда считал меня старым и самонадеянным, вот и подогнал мне Мари.

Ох уж эта девчонка! Сценарий такой симпатичный для нее забабахал! Радовался, что мне ее дали. Как раз девочка яркая, смешливая, боевая. Думал, карму рода быстренько отработаем и на будущее с ней будем впахивать. Лет до двадцати все гладко шло: в семье стандартная круговерть, справлялась, институт не по нраву — специально, там подруг нужно было подцепить из прошлых жизней, нам в помощь. Мужики все тоже в сценарии прописаны были: этот для тренировки, тот для опыта. И так гладко Мари шла, с шутками-прибаутками, громким смехом, аж птицы падали замертво. Я полистал сценарий и решил, что карму можно и пораньше отработать, чего ждать, раз мне повезло так с подопечной. Вырвал пару страниц, ну Данила ей и подкинул. Через швабру, конечно. У нее злодейки все в сценарии похожими прописаны — редко когда души изгаляются, каждого врага по отдельности придумывают. Всегда типаж. У нее вот — целеустремленные, низкорослые, полноватые женщины. Даже имена у них одинаковые, но это Мари просекла уже. Короче, схема такая: швабра подводит мою девочку к испытаниям из прошлых жизней, Мари их раз — и преодолевает. Просто, да? Первую швабру-злодейку я еще в девятнадцать ей подкинул, а она так справилась ловко и, главное, забыла про нее совсем, не мстила, не вспоминала! Мари тогда не расклеилась, потому что мужик замешан не был. Но это я, дурак, сейчас только понял. Обрадовался, выждал пару лет и вторую швабру закинул. Тут, конечно, посложнее было. Данила я подцепил на швабру, а Мари — на Данила. Чтобы по классике, но с подковыркой. Прабабки Мари натоптали там в карме, никуда не денешься, нужно было за род отработать. Швабра вроде в отказ ушла. Данил думал-думал и к Мари подкатил, а та и рада. Прожили два года, моя вся в любви, планов понастроила, я аж напрягся. Поженились. Я швабру тут же активизировал, Данил повелся, Мари с ним развелась. «Все по плану, — думал я, — ща быстренько отойдем и детей будем рожать. От следующего, ретроградного».

А быстренько не получилось. По сценарию — полгода слёз, вина, подруг и год на отработку. Ну, разобраться там, книг почитать, собой заняться. Гардероб обновить, она у меня такая, шмотки любит, в моде разбирается. Я как раз за следующим ее, Платоном, поглядывать начал — тот хорошо шел, по графику. Тридцадку отпраздновал, начал место для Мари расчищать, спортом занялся, о семье задумался. Короче, подготовка шла по всем фронтам, вот, смотрите, сорок вторая страница!

А Мари вдруг раз — и спасовала. Засомневалась, что ли. И если до Данила она про меня и не думала вовсе, то сейчас стала докапываться. Рассказывает подругам про свои «раскопки», аж тошно. Ну скажите на милость, что можно из меня выкопать? Я ж душа, а не землянка! Так, претворяю судьбу в жизнь, простой работяга.

У Совета, можно сказать, на побегушках. А девочка в протест ушла. Вот сидит в кофейне, две мадамы напротив. Приносят десерт. Моей достается чизкейк, украшенный ягодой физалиса. Одна из дам айфон отложила и хихикает. Мари ей: «Чего хихикаешь, любезная?», а та ей: «Съешь физалис — выйдешь замуж!» Смотрю, сердце не на месте. Послал тараканов искать. Моя побледнела вся, на подруг прям шипит, мол больше — никогда! Тут я вступаю: «Ну чего ты, мартышка, скоро будет любовь, настоящая, верная, как ты хотела!» Смотрю, гуглит сидит: «Как выбить дурь из головы без алкоголя». Решила для себя, что станет теперь холодной женщиной. Меня аж подбросило. Какая женщина холодная, если у нас трое детей на ближайшие десять лет расписаны? Раньше хотела дом, собаку, семью большую. Теперь смотрю, нормальные мечты забросила и чушь какую-то придумывает, типа тридцатку в Лондоне отметить или в Пуэрто-Рико слетать. Как будто мы с детьми не слетаем, пф.

Я на цирк этот насмотрелся и хотел было встречу с Платоном отложить. Даже придумал, как в Совете отпираться буду. А потом смотрю — страница уже перевернута. Все, не деться никуда, на сорок третьей, пожалуйста: «Платон залипает в телефон на трешке и въезжает Мари в задний бампер». Как вам поворот? По-моему, очень современно получилось. И, главное, необратимо! А девочка моя в таких настроениях! И вот уж судьбоносный вторник этот идет вовсю. Мари едет с работы, день загруженный, но не слишком. Девочка выглядит довольно свежо. В обед ругалась с заказчиками, зато на полдник пила морковный сок со сливками. Сбалансировалась кое-как. Семь вечера, поток плотный, время для любви — самое подходящее! Платона как раз придержали на выезде с парковки Федерации. Он, конечно, обматерил всех медленных товарищей на «рисовозах» и «корчах недоделанных», зато выехал с Большой Филевской на ТТК ровнехонько за белой «Оптимой» в американских наклейках по бортам. Тут деловой партнер статью скинул, про основных конкурентов. Тащились еле-еле, Платон поневоле начал вчитываться. Хренак! Вот были б у меня ладошки, вспотели бы — разнервничался я, пипец! Все инкарнации перед глазами! Такой момент! Сорок третья страница! Ух! Вся красным исчеркана — такая она важная. Я замер. Мари это почувствовала, нахмурилась. «Паразит какой-то вечер портит, а у меня душа ёкает». Перевела ручку передач на «паркинг», вздохнула, надела замшевую туфлю на левую ногу, вышла из машины. Платон ничего не почувствовал, подумал только: «Хоть бы не баба!» Перевел ручку передач на паркинг, вздохнул, почесал нос и тоже из машины вышел.

«Блин, баба-таки!» — подумал он при виде Мари.

«Блин, бампер только перекрашивала!» — подумала девочка.

«Идиоты!» — подумал я.

— Добрый вечер! Простите, я зачитался, — честно признался Платон.

Чувствую — сердце Мари в пятки ушло. Я подпрыгнул от радости! Все по сценарию!

— Кретин ты тупой! В айфон залипать меньше надо! Машина неделю как из ремонта!

— Ээээ, ты чего? Это ж суженый твой, не узнала? — я подключился, не выдержал.

Как докапываться до меня — она первая, а как мудрую старую душу послушать — фиг там было!

— Девушка, ну зачем так грубо! Я же извинился, ремонт оплачу, без проблем. Такая статья важная, зачитался, с кем не бывает!

Смотрю, мальчик-то поплыл уже от моей зеленоглазой. Говорю ей: «Девочка, не подкачай! Видишь же, мужик что надо!»

— Статья важная у тебя, говоришь? У меня, может, вечер важный! Из-за тебя теперь на трешке под дождем мокнуть!

Чувствую, не складывается что-то по сценарию. Сердце пихнул, чтобы оно еще раз в пятки смоталось. Смотрю, женщина в гневе, ничего не чувствует, а Платону нравится даже, азарт в глазах вспыхнул.

— Ну простите меня! Вот вас как зовут? Меня — Платон. Давайте кофе попьем, заодно и познакомимся. И денег я вам сразу переведу.

Я заерзал. Мари, соглашайся, наш человек, поехали кофе пить, ты же любишь! Эй, погоди, ты куда? Мари, остановись! Мари, не надо!

Хлоп!

Развернулась, села в машину, в слезы и по газам.

— Может, поговорим?

— Да что ты знаешь вообще?

— Эй, я ж Мишаня, душа твоя, могла бы и прислушаться хоть разочек.

— Не буду ни с кем знакомиться!

— Это, между прочим, суженый твой был!

— Ой, не мели чепухи, какой суженый! Мажор на финике. (Пауза). Даже если суженый! И толку! Опять плакать? Страдать? Не буду любить, не хочу, не буду!

— Мари, блин, какие страдания? Ты про уроки, что ли? Так, погоди, по сценарию — с детьми только следующие уроки. Это лет через пять только! А сейчас по мелочи, с мамой там, на работе…

— Никаких детей! Не хочу!

— А ревешь тогда чего, раз не хочу — не буду?

Визг тормозов.

Ура! Платон нас подрезал! Так. Это хорошо, значит, включился. Идет! Идет! Опускай стекло!

— Вы что вытворяете?

— Девушка, пока не скажете, как вас зовут — никуда не уеду. Ой, вы из-за бампера плачете? Да ладно вам, пластик, тем более корейский!

— Что вы сказали? Пластик? Корейский?

— Ну правда же! Только не бейте! Как вас? Ульяна?

— Почему Ульяна?

— У — Упрямая!

Моя молчит.

— Скажите имя, скажите номер, я отстану.

— Девятьсот девятнадцать, семь шесть ноль, девяносто один семьдесят два. Мари.

Закрывает стекло. У Платона улыбка на губах. Получилось. МАРИ. Радуюсь, как мальчишка. Сердце в бок подпихиваю, тараканы на подтанцовке. Стоп. Пятерка на конце. Пятерка. Уже десять лет как. Чертова пятерка! Блин, ну как так. Раньше всем шанс выписывала, а в самый важный вечер раз — и номер дала чужой. Это как вообще?

Ехали домой в раздрае. Я перечитывал сценарий. Должна была кофе поехать пить. Кофе пить, вот, красным же подчеркнуто! Отказала. И как я, дубина, просмотрел. Никогда такого не было — все четко по судьбе. Что за девчонка такая. Может, есть еще шанс? Я ж парня целеустремленного выбирал!

Два дня с Мари не разговаривали. Девочка не в духе, я в шоке. Самой же плохо, чего было брыкаться. Пишет в дневнике: «Поругалась сама с собой. Всех сторонюсь. Хочу одна быть, чтобы не дай бог...» Одна она хочет быть, ага. Как же, так и поверил. Не дай бог что? Непонятно. Едем с Мари на работу. Утро, день солнечный, заливистый. Звонит телефон. Тут, конечно, и я не ожидал. Телефон у Мари рабочий, по утрам нам только товарищи из Белгорода звонят.

— Да?

— Мари?

— Эмм, да, кто это?

— Ой, ничего себе, нашел! Ну, не хотела, чтоб я звонил, не хотела, да?

Моя молчит. Ох, и классного же парня я тебе выбрал! Со связями! Кто еще бы по номеру тачки на тебя вышел?

Наконец выдает:

— Чем могу помочь?

Научилась, блин, на работе своей дурацкой.

— Помочь? Ничем не можешь. Хотя нет, можешь! Кофе за моральный ущерб! Прям сейчас!

— Платон, пятница, восемь утра. Кофе я буду в офисе пить, одна.

— Ну, сегодня не в офисе. И не одна. Ты ж на Звенигородке работаешь? Ща я, в «Старбакс» и к тебе.

— Что еще друзья из органов тебе понарассказывали?

— Телефон, адреса, соцсети. Машину полгода как поменяла. Так, по мелочи. Все, через тридцать минут спускайся!

И трубку повесил. Моя только рот открыла, чтобы опять колкость фирменную отмочить, а мужик уж все решил. Приехал с кофе, Мари спустилась, посидела с ним в машине, была холодной и противной, как борщ семидневный. Делала вид, что все это ей не нужно совсем. Ну я-то знаю — в жизни не спустилась бы, если б было не нужно! И Платон это знал. А за девочку я переживал, конечно, — у нее от страха и сомнений сердце дрожало целый день. Тараканы взволновались, стали требовать лаванды. И корвалола. За день столько мыслей глупых передумала, все подвох искала. Это я во всем виноват. Такой сценарий написал, вон, теперь от всех шарахается. Уговаривал ее на эсэмэску хоть ответить, а она не слышит будто. Поругались с ней опять, а толку — ноль. Заперла меня и знать не хочет. А вечером Мари подруг собрала, как она говорит — «на винишко». Я-то, конечно, не пью. Но делать вид научился. Иначе кто бы глупости всякие затевал после третьего бокала? А сегодня — подсуетился в особенности. Отступил, так сказать, от сценария. Решил: нужно дело брать в свои лапы. Я ей нашептал, она Платону и написала. Ни разу себе такого не позволял! Танцы там, веселье — это пожалуйста. Иногда петь заставлял. «Душа поет» — слышали про такое? А с сообщениями и звонками не баловался — такие мелочи в сценарии не прописаны, а девочка у меня сознательная. Но тут нужно было спасать обоих! Да и то, никаких пошлостей — муть философскую развела в эсэмэсках и фотку с пером отправила. Главное ведь сигнал, а не содержание.

Платон, конечно, тут же примчался. Мари была уже не в форме, пришлось мне с ним разговаривать. А я и рад был. Сразу все рассказал про девочку, что боится, не верит, поэтому так ведет себя. Что влюбится в него обязательно, просто время ей нужно. А он и сам все, говорит, понял. С первого взгляда. И себе пообещал еще тогда, на трешке, что зеленоглазка будет с ним, что сердце это можно, нужно растопить. Мари наутро плохо помнила, что я Платону наплел. Когда «по душам» разговариваешь, слова всегда кое-как запоминаются. А важных деталей малышка и вовсе не могла связать. Но будто бы немножко оттаяла. А потом еще немножко. И еще капельку.

* * *

Сити-холл на Манхэттене забит людьми. Поразительно, сколько людей мечтают быть окольцованными именно здесь. Меня всегда интересовало, почему гостей по загсам в Штатах не таскают. Теперь-то все ясно! Я думал, хуже росписи в Таганском загсе ничего уже быть не может. Конторку эту праздничной язык назвать не поворачивается. Ёж с обглоданными ручками на столе, тоскливая дама за партой, фотографу приходится врастать в угол между шкафом и дверью, чтобы захватить хотя бы лица новобрачных. А тут Сити-холл! На Манхэттене! Кто ж знал, что вместе с Платоном и Мари будут расписываться цыгане, мексиканцы, ортодоксальные евреи и люди совсем неопределимых корней. Толпа народа со всех континентов! Да только девочка моя не замечает будто окрестного шабаша. Она — в светлом коротеньком платье, грубых ботинках и крупной кожанке. Вертит сумочку на цепочке и смотрит на Платона, не отрываясь. Он — в кроссовках, джинсах и свитшоте, с фотоаппаратом через плечо. Я наконец на расслабоне. Сидим с тараканами, чай пьем. Мари с Платоном решили, это им случайно придумалось в Нью-Йорке пожениться. Пили кофе в «Старбаксе» на Третьей авеню, ржали над чем-то, людей разглядывали. Он планировал не так предложение делать, а тут вдруг сказал: «Стань сегодня моей женой!» Но я-то в курсе, как на самом деле было задумано. Пожалуйста, страница сорок шесть, третий абзац снизу. Помню, когда сценарий писал, очень мне понравилась идея «случайно» девочку замуж выдать. Она ж после первого раза свадьбы боится, как третьей мировой, помните про физалис? А так опомниться не успела и в чем была, без туфель свадебных, без фаты, без мамыпапы — раз, и под венец. Теперь уж по-настоящему. Про свидетелей только я забыл совсем. В России-то отменили, а в Штатах — обязаловка. Пришлось чужого жениха просить. Хороший мужик, кстати, оказался. Айтишник из Сан-Франциско. Он потом с женой в Москву летал, к моим в гости. Очень подружились. Лет через двадцать айтишник этот старшую нашу, Мирославу, помог в Беркли устроить. Платон с Мари полгода по калифорнийскому времени жили, пока дочка в Сан-Франциско осваивалась. Но это потом. А пока в Нью-Йорке осень. Мои друг другом сильно заняты, платье и ботинки разбросаны по полу гостиничного номера. Тараканы в эндорфиновой отключке. И я вздремну, пожалуй, до весны, не зря же я Мишаней назван.

ЕЛЕНА НАСТОВА

Идеальная пара

— Я поверить не могу, что она выходит за эту мышь! — говорила Катя Зимина, натягивая колготки. — Зачем он ей нужен?!

— «Мышь» — слово женского рода, а этот Вадик все-таки мужчина, — глубокомысленно ответствовал Катин муж Илья. Он разложил кашу по тарелкам и резал бутерброды. — Мужичок — не соломки пучок, на дороге не валяется.

— И дурацкая, я тебе скажу, философия! — возразила Катя. — «Ты лучше голодай, чем что попало ешь…» Люстру везите аккуратнее, вот тут мой пакет с платьем, Машу во что одеть — висит на стуле вверху, Даша сама оденется. И не опаздывайте!

— Мама, там будет змея? — завопила со второго этажа Маша.

— Какая змея?! — раздраженно крикнула Катя.

— Тетя Люся сказала: «Выйду замуж, тогда эта змея умоется!» Там, что ли, будет зоопарк? Змеи правда умываются? А как — хвостом? Она кусачая? А потрогать дадут? — тараторила, спускаясь, Маша.

— Маша, это шутка! — громко ответила Даша.

— Нет, тетя Люся говорила про настоящую змею, — упрямилась Маша. — Про настоящую!

— Мама, где утюг? Ты успеешь меня заплести? Ты когда уходишь?

— Даша, шевелись скорее, тогда заплету! Не знаю, где утюг, на месте должен быть, я опаздываю! Машка, не трогай конфеты! Илья, смотри за ней!

— Ты кричишь больше всех, — упрекнул Илья.

— Божечки мои, я с ума сойду! — Катя, уже в юбке и блузке, схватилась за голову.

Илья остановился.

— А почему ты сразу платье не надела? Переодеваться там…

— Это мой протест, — сердито сказала Катя. — Вот из-за таких Вадимов женщины становятся «я и лошадь, я и бык, я и баба, и мужик»… Я же не могу просто смотреть, как Люська себя гробит?

— Если так, то конечно, — Илья улыбался. — Но, может, все не так ужасно, как ты думаешь?

— На свадьбе увидишь, — пообещала Катя.

Памятник возвышался на четыре с половиной метра, и издалека казалось, что бронзовая рука Великого князя благословляет Люсю и ее приятельницу Таню. Они смотрели, как Катя идет, а рядом на постаменте стояли бутылка шампанского и пластиковые стаканчики. Катя скосила глаза на свою черную юбку. Она будет отличаться от Люсиных гостей... Ладно, хоть блузка белая...

— Упаришься в этом, — вместо приветствия сказала Люся, одетая в короткое белое платье. Взмахнула густо накрашенными ресницами — яркая, уверенная. Будто так и надо...

— Я только на регистрацию. В кафе переоденусь. — Катя старалась говорить естественно, но отголосок упрека проскользнул в голосе. — Всем привет!

— Привет-привет, — пропела Таня. — Девочки, до чего ж хорошо сегодня!

Катя вздохнула.

— Какие вы красивые... Отлично выглядишь, невеста. И платье удачное... Как похудела!

— Специально для платья, — улыбнулась Люся. — А то я совсем отвыкла... Ну, за дело? Девичник я не собирала, поэтому давайте просто выпьем, пока есть время. В загс поедем без двадцати десять...

Суббота, начало девятого утра. Центральная городская площадь почти пуста. Три женщины — всем за тридцать — у памятника Юрию Долгорукому напиваются шампанским из одноразовых стаканчиков. Нечего сказать, хороши пташки... ну, каково событие, такой и антураж!

Катя потрясла головой, отгоняя хмурые мысли.

— Мы тут без тебя пригубили... — шустрая Таня разлила шампанское. — Ну, Люсьен, за тебя! Живите счастливо, дружно, в горе и радости!

— За тебя, дорогая! Пусть у тебя все сложится!

Шампанское ударило в нос, Катя зафыркала.

— Фамилию мужа возьмешь?

— Свою оставлю, — поставив стаканчик, ответила Люся. — Документы переделывать, предпринимательство... Хлопотно больно.

— И все-таки я не понимаю, — не выдержала Катя.

Люся выставила вперед ладошку:

— Не начинай. Выпей лучше за мое будущее!

Через два часа Катя стояла в нарядном зале и, переминаясь с ноги на ногу, слушала слова регистраторши. Выпитое шампанское притупило ее способность возмущаться, что было очень кстати. Она надеялась, что когда она смотрит на Вадима — статного, приятно улыбающегося, — в ее глазах не загорается злая насмешка. Интересно, знают ли эти люди, что, у «жениха» за душой ни копейки?.. Был у Люси в любовниках, так Люся, смеясь, рассказывала, что он только два дела делает нормально: готовит и водит машину. Но почему-то ни водителем, ни поваром или поваренком работать не может — видите ли, не приживается ни в одном коллективе! Не человек, а нелепость, и при этом всегда хорошее настроение, так что сомнения берут, кто он — мерзавец или юродивый?..

Катя прислонилась к стене и принялась рассматривать гостей. У всех были такие праздничные, взволнованные лица, и только она, как прокаженная, не верила в искренность виновников торжества, точнее — в искренность новобрачной. Люська почти год содержала мужика, а теперь решила пойти под Семейный кодекс — с ее-то бизнесом, двумя квартирами и дорогой машиной!.. Хваткая, далекая от любовной романтики Люся заявила, что Вадим ей *подходит*, а когда Катя заметила, что Люся, должно быть, подобрала то, что никому не пригодилось, подруга ответила: «Вот сидела одна девушка в тереме и ждала своего счастья… Однажды в дверь постучали. Открывает, а там — Смерть!.. Что копаться, не на ярмарку едем — с ярмарки…»

Но Катя упрямо считала, что лучше не иметь мужа, чем иметь такого. Ее ела обида за подругу.

— Дорогие Людмила и Вадим! — громко, отделяя каждое слово, говорила регистратор, полная женщина, цветастым платьем напоминающая июльскую клумбу. — Сегодняшний день — один из самых значимых в вашей жизни… «Новобрачные» — в этом слове звучит тайна, устремленность в будущее…

Катя вперила взгляд в обтянутую платьем спину «новобрачной». Она восхищалась Люсей Кубрак, ее работоспособностью, цельностью и волей. Она считала Люсю Кубрак Великой Женщиной.

Катя недоумевала: как могла Великая Женщина выбрать в мужья такое непутевое существо?..

* * *

Илья ехал в такси. Даша сидела рядом с водителем, он с Машей и подарком — сзади. Маша вопреки обыкновению молчала, переживая свои завитые плойкой локоны, туфли на каблуках и платье с пышной юбкой и бесподобными рукавами-фонариками — наряд, в который ее одевали исключительно в торжественных случаях.

Илья думал о предстоящем мероприятии. Бывшую коллегу жены Люсю Кубрак он знал в основном по рассказам Кати. Катя говорила, что первый брак Люси распался шесть лет назад, когда Люсин муж Саша закрутил роман с коллегой. Он был компьютерщик: систематизировал базы данных, сочинял программы. Умная голова, костюм с субтильным содержимым, руки с длинными пальцами, на хрящеватом носу — очки. Гомо сапиенс городского типа: кабинетный мужчина.

А Люся была не кабинетная — компанейская, веселая, с людьми сходилась «на раз-два». В самом еще начале семейной жизни познакомилась случайно с альпинистами, да и ушла с ними в поход. Поход был тренировочный, крошечный, но Люся умудрилась поймать «горняшку» — не видную глазу болезнь, когда человека с неодолимой силой тянет в горы. Сделалась Люся больная горами, да так, что дважды в год срывалась и летела-ехала-шла к этим, по этим, на эти горы. Траты, неудобство, опасность — ничего ее не останавливало.

«Горняшка» — болезнь небезобидная, бросающая отблески бивуачного костра на гражданскую жизнь. У кого-то — крошечные искры, а у Люси по размаху ее характера вышло пламя: платья и юбки заменились джинсами и разномастными штанами, сумка — городским рюкзаком, а стрижку Люся всегда носила короткую. Она перевела семью на полуфабрикаты и с головой ушла в организацию турклуба. Саша молчал, пока однажды вернувшаяся из похода Люся не открыла тушенку походным ножом. За разговором вырезала крышку банки — и не заметила.

— Люся, — тихо сказал Саша. — Ты же не в походе.

— Вот тогда-то, боюсь, он и задумался о том, что мы очень разные, — со вздохом рассказывала Люся.

— Зачем ты тушенку ножиком открывала? — с недоумением спросила Катя. — Открывашкой удобнее…

— Я даже внимания не обратила! — Люся всплеснула руками. — Я ему рассказывала… не помню что… И ножик тут же лежал, на подоконнике…

«Горняшка» прогрессировала. Люся с энтузиазмом кинулась организовывать туристические форумы, поднимать проблемы туризма на всех уровнях. То и дело к ней заваливались громкоголосые туристы и сидели ночь-полночь на кухне, обсуждая насущные вопросы. Люсиному мужу Саше стало совсем не по себе. Он стал задерживаться на работе, чтобы в тишине опустевшего предприятия насладиться покоем и работой, которую любил… Люся снова не заметила: во-первых, она была занята, а, во-вторых, Саша был, по ее мнению, неделимой и естественной частью ее самой, как, например, рука или ухо.

Но она ошибалась. Она забыла, что для других женщин Саша оставался мужчиной. И даже — с кучей достоинств.

Он был специалистом высокого класса. Пусть некоторые считали Сашу странным и не особо симпатичным, труд его оплачивался хорошо, а сверхурочный — вдвойне. И бухгалтерше Ирине это было известно лучше, чем кому бы то ни было; в контексте зарплатных ведомостей Саша Кубрак с его спокойным характером выглядел весьма привлекательно.

Ирина стала приносить Саше ужин. Горячий, в термосах: в низеньком, пузатом — котлеты и воздушное пюре. Или сырники со сметаной. Или рыбку в кляре, или еще что-нибудь эдакое. В высоком, с узким горлом — домашний морс или травяной чай. И — контрольный выстрел — маковую плюшечку на десерт. Привыкший к спагетти с консервами дома и чаю с баранками — на работе, Саша был потрясен свалившимся на него гастрономическим счастьем. Он стал ждать вечеров, которые, как солнце, освещала уютная Ирина с домашней едой.

— Она его прикормила! — гневно рассказывала Люся жене Ильи. — Создала ему инстинкт, как академик Павлов — собаке. Чтобы, когда он ее видит, у него слюна выделялась. Ты как думаешь?

Катя думала иначе, но промолчала.

Она решила познакомить мужа с Великой Женщиной, и Илья был поражен кипучей энергией гостьи. Он едва отбился, когда Люся захотела помочь ему чистить дорожку (дело было зимой). Снял со стремянки, куда она полезла ввинчивать перегоревшую лампочку. Выслушал лекцию по спасательным работам на высоте. Обсудил двадцать три способа разведения костра в неблагоприятных условиях. Получил консультацию по выбору палатки, рюкзака и камуфляжа…

И при этом почему-то весь вечер чувствовал себя так, будто его дом захватили инопланетяне.

— Это не человек, это ураган какой-то! — пожаловался он после ухода гостьи.

— А, впечатлился? — обрадовалась Катя. — Она потрясающая!

— Про горы было интересно, — согласился Илья. — Но знаешь, Кать, впечатлился, как ты говоришь, я не этим, а тем, что Люся мало похожа на женщину.

— То есть? — Катя округлила глаза.

— Она… свой в доску парень, — пояснил Илья. — Ее мужа еще надолго хватило. Я бы и месяца не выдержал.

— Люся создала областной турклуб! — запротестовала Катя. — С нуля! Это знаешь какая громадная работа? Она выбила помещение и финансирование! Тренировочные базы! Ее сам губернатор наградил! Сам губернатор — в тридцать два года!

— Верю, — соглашался Илья. — Но как женщина… Прости, Кать, как женщина: «Люся — ты агрегат, Люся, на сто киловатт, давай, давай, Люся, эх, Люся, выжимай…» С ней жить может или святой, или конченый флегматик, читай — дурак.

Тогда они чуть не поссорились. Катя утверждала, что «мужик нынче пошел хилый, оттого и женщины делаются… агрегатами». Илья не уступал: ощущение захваченного инопланетянами дома было для него убедительнее любых доводов. И когда он узнал, что Люся открыла магазин туристического снаряжения, а потом второй, и когда Кубрак арендовала гостиницу и стала преуспевающей предпринимательницей, — он еще больше укрепился в своем мнении.

Каждый остался при своем. И вдруг Люся объявила, что выходит замуж. Катя, знакомая с Люсиным избранником, негодовала. Илье было интересно, кто он, Люсин муж, — святой или все же дурак? Посмотреть на чудака, решившегося связать жизнь с Женщиной Великой и Ужасной…

— Пап, — позвала Маша, — я похожа на невесту?

— Не просто похожа — ты вылитая невеста! — Илья посмотрел на просиявшую Машу и улыбнулся.

Кафе встретило цветами и гирляндами шаров. Катя с облегчением переоделась в легкое платье, расцеловала дочек и окунулась в праздничное действо. Сторону жениха представляли мать —

подвижная женщина с беспокойными глазами, три семейные пары и два великовозрастных парня, судя по разговорам — армейские друзья Вадима. Все остальные гости, человек пятьдесят, были Люсины: дяди, тети, двоюродные братья и сестры с семьями, приятели, коллеги и, конечно, туристы — веселые, громкие, шумные. Обязательный каравай (Люся откусила больше), фотовспышки, бросание мелочи и лепестков роз — все это было *очень настоящее*, но Катя чувствовала внутри протест, словно ее вынудили участвовать в обмане. Она одергивала себя: «Какое тебе дело? Ты, Зимина, вечно суешь нос в чужие дела. Стой и молчи себе в тряпочку!»

Молчать она могла. А вот *не думать* у нее никогда не получалось.

И пока шли песни, пляски и конкурсы, Катя все пыталась определить: может, она что-то недопоняла в Вадиме? Что-то не увидела, не разглядела… Но стоило Кате взглянуть на жениха, как она понимала: нет, она не ошибается. Вадим вертелся на стуле, заговаривая то с одним, то с другим гостем, и его лицо светилось неприкрытым удовольствием человека, оказавшегося в центре внимания.

Люсины туристы веселились шумно, громко хлопали и с удовольствием откликались на шутки и розыгрыши ведущего. Гости Вадима вели себя сдержанно, скупо улыбались и, когда ведущий пытался их вытащить, вжимались в стулья. Пока родители сидели за столом, Маша Зимина стащила со стола вазочку с конфетами и отошла подальше. Даша сидела напротив матери и хмурила на сестру брови, но младшая уже бегала вокруг ведущего и радостно повизгивала.

— Поздравлять позовут — бери микрофон, — предупредила Катя мужа. — Я с Людмилой покупала люстру, а ты речь толкай…

Постепенно подошло время одаривать новобрачных. Гости говорили много и душевно, и Катю в очередной раз царапнуло несоответствие: энтузиазм и любовь, с которой поздравляли Люсю ее гости, — и шаблонность пожеланий гостей Вадима. Ей отчего-то стало казаться, что друзья жениха — случайные люди на этой свадьбе. Даже мать Вадима ничего не сказала о сыне, только поздравила и пожелала новой семье благополучия и «детишек побольше».

Дошла очередь до Зиминых. Илья поднялся и взял микрофон.

— Дорогие Людмила и Вадим, от всей нашей семьи я поздравляю вас с днем свадьбы! На мой взгляд, самое главное для семьи — это понимание и взаимное уважение. Вот этого я вам и желаю. Всегда помните о том, что важно именно для вас, не оглядывайтесь на других! А чтобы вам было еще светлее друг от друга, мы дарим вам дополнительный источник света!

Широко улыбаясь, Илья вручил Вадиму люстру.

— Что ты пожелал им, — прошептала Катя, когда муж, провожаемый аплодисментами, сел рядом. — Ты пожелал им так, будто они настоящая семья!

— А что, разве они не женятся? — рассмеялся Илья.

— Не могу отделаться от ощущения, что свадьба — спектакль, — пожаловалась Катя.

— Ты слишком пристрастна, — возразил Илья. Он налил себе коктейль и протянул Кате кисть винограда.

В перерывах между конкурсами танцевали. Таинственно светили блестящие фигуры под потолком, летали воздушные шарики, и гости перекидывали их друг другу. На медленный танец вышли жених с невестой, и Илья потянул жену в круг. Катя кружилась невпопад: думала о подруге. Люся тяжело переживала развод. Осунулась, похудела. И все толковала про фонтан, который она попросила купить Сашу, — маленький комнатный фонтан, имитация горного водопада, — а тихий Саша вдруг взорвался:

— Как же надоели мне твои горы! Ты еще и дом хочешь горами заполонить!

— Это было за год до развода, — бормотала Люся. — Вот тогда мне надо было насторожиться. Обратить внимание… Он ведь никогда не кричал, никогда… Тогда еще было не поздно, а я пустила на самотек. А это и не фонтан вовсе был…

— Выкинь из головы, — требовала Катя. — Прошлого не вернешь. Не трави себя!

Люсина голова билась-металась по подушке, и Катя кусала губы от жалости и бессилия… Ну а потом Люся, как феникс, восстала из пепла и пошла сворачивать горы: по закону сохранения энергии разрушающая горечь переплавилась в созидательный посыл…

В зал вошла новая пара. Катя выглянула из-за плеча мужа — и остановилась: бывший муж Люси, Саша, под руку с новой женой, топтался у входа. Он близоруко щурился и явно нервничал. Ирина, беременная, положив руку на высокий живот, с любопытством оглядывала зал.

Катя перевела взгляд на Люсю: Люся, только что едва переставлявшая ноги в танце с Вадимом, сейчас крепко прижимала его к себе, и Люсина голова лежала на плече мужа.

— К нам присоединяются запоздавшие гости! — громовым голосом провозгласил ведущий.

Музыка смолкла. Гости потянулись за стол. Ирине и Саше поставили стулья рядом с женихом и невестой. Саша взял микрофон и неуверенно заговорил:

— Добрый день… точнее, уже вечер… Мы зашли поздравить Людмилу и… и Вадима. Пожелать счастья, здоровья… хотим вам. И всего самого наилучшего!

Он сунул микрофон жене. Ирина улыбнулась и произнесла приятным голосом:

— Пусть брак ваш будет счастливым и долговечным, любите друг друга и уважайте, цените! И, конечно, мы желаем, чтобы к вам прилетел аист!

Гости хлопали. Саше налили шампанского, но он отодвинул:

— Я за рулём. Простите, дорогие, мы на минутку. Примите еще раз наши поздравления…

Он поднял с пола большую коробку.

— Что дарят Людмиле и Вадиму гости, зашедшие на пять минут? — подскочил ведущий. — Давайте посмотрим!

Саша пожал плечами и под одобрительный гул зала извлек на свет подарок. Катя разглядела — и похолодела: Саша с Ириной держали комнатный фонтан, точно такой, какой, по Люсиным рассказам, она просила купить Сашу за год до развода! Бывший муж запомнил невыполненную просьбу. Хотел ли он показать Люсе, что помнит ее желание, сделать приятное? Или таким образом предостерегал бывшую супругу от ошибок в новом браке?..

Люся растерянно моргала.

Пока Катя стояла, раскрыв рот, пока Людмила

подбирала подходящее ответное слово, к фонтанчику подскочила Маша. Обшарив подарок глазами, она вдруг громко, пронзительно закричала — микрофон в руке ведущего загремел:

— Фонтан! Фонтан! Это для змеи?!

— Для какой змеи, моя хорошая? — Ирина склонилась к девочке.

— Тётя Люся сказала: «Выйду замуж, змея умоется!» Где змея? Вы принесли змею? Она там, внутри?! Где змея-а-а-а???

— Ма-а-а-аашка… — Катя рухнула на стул.

Наступила многозначительная тишина.

И в этой громкой, неподвижной тишине Вадим, неловко повернувшись, опрокинул на Люсины коленки соусник. По гипюровому подолу расплылось большое оранжевое пятно.

— Ааааахххх!

Все сразу задвигались. Крик, шум, отодвигающиеся стулья!

Саша с Ириной исчезли, будто их ветром сдуло.

Катя, у которой горело лицо, уши и, ей казалось, все тело до самых пяток, бросилась к подруге, схватила за руку и потащила в туалет, к раковине.

— Не сто́ит. Все равно не отмоем, — тихо сказала Люся, когда они закрылись на задвижку.

Катя в отчаянии прислонилась к стене.

— Я не знаю, почему она так сказала. Не знаю! — ее глаза налились слезами.

— Маша ни при чем. Это я виновата, — так же тихо ответила Люся. — Она повторила мои слова.

— Да когда?! Я ничего такого не помню. — Катя шмыгала носом.

— Я, когда у вас была последний раз, разговаривала по телефону. С Таней. И сказала эту фразу. Мы с Машей были наверху, ты внизу чай наливала.

Катя с недоумением смотрела на подругу. Люся вздохнула:

— Пару месяцев назад я случайно столкнулась с Ириной. Кивнуть бы и пройти мимо, так нет, дернул меня черт спросить, как дела у моего бывшего? Ее, видно, задело. «А вот какие у Саши дела, — и на живот свой беременный показывает. — А ты случайно замуж не собираешься?» — и голосок такой змеиный! Ну и понесло меня... «Как раз, — говорю, — собираюсь! Позову вас с Сашей на свадьбу!» Она: «Спасибо. Мы обязательно придем!»

— Из-за... из-за Ирины?.. — Катя не верила своим ушам.

— Да нет, почему. — Люся пожала плечами. — Вадик не самый пропащий вариант, я тебе говорила. Отличный водитель, готовит хорошо. Слабый он — только и всего.

— А бизнес твой? Твои... твое имущество? А мать его?! — Катя не находила слов.

— Мы договор подписали брачный, по которому мой муж не имеет права на мои квартиры, машину и бизнес. — Люсин голос окреп. — С матерью его я поговорила. Сказала, что со мной ее Вадик будет как за каменной стеной, и она, кстати, тоже, — при условии, если мама не будет совать нос в наши дела. А там посмотрим...

Катя потрясенно смотрела на Людмилу. Неожиданно та улыбнулась:

— Сама бы я никогда не решилась. А так... Я ребеночка хочу родить, Вадик хорошая, я думаю, будет нянька, он детей любит... Возьму его водителем к себе, горы покажу... Будет у меня на глазах.

Катя молчала. Люся тронула ее за плечо.

— Катюш, правда... Сама посуди: нормальный мужик со мной не уживется. А Вадик безобидный, спокойный, и он меня принимает такой, какая я есть. Не корректирует, не старается изменить... Он слабый и безвольный, но преданный как собака. И не такой уж и лапоть — салатник-то ведь он перевернул не случайно.

И, весело глядя в Катины огромные глаза, закончила:

— Так что напрасно ты надевала черную юбку, мое решение просчитано и серьезно... Знаешь! Давай-ка ее сюда, юбку свою протестную, закрою пятно... И пошли в зал. Будем веселиться!

Через несколько минут Катя и Люся в юбке поверх платья вернулись к гостям. Катя нашла глазами Илью — указав глазами на Людмилу, он поднял вверх большой палец. Вадим спешил к ним навстречу. В его глазах плескалась тревога, но, встретившись взглядом с Люсей, он расслабился и, повернувшись, махнул рукой ведущему.

— Итак, досадное недоразумение устранено, — заговорил ведущий. — Самое время наполнить бокалы и выпить за то, чтобы все недоразумения в жизни этой замечательной пары были такими же незначительными и легко устранимыми!

Катя вернулась за стол. Илья встал и подвинул стул. Прошептал:

— Я отправил девчонок домой. На такси. Они уже доехали, Даша звонила.

— Скоро и мы поедем, — так же тихо ответила Катя.

Муж устроился рядом:

— Успокоила невесту в соусе? Вот комедия! Машка — ужас, находка для шпиона... Я готов был сквозь землю провалиться!

Катя молчала. Люсины слова ворочались в ее голове, укладываясь в логический рисунок, но Катина голова отказывалась его принимать.

Она повернулась к мужу:

— Она говорит, что он безвольный, но преданный... Водителем хочет к себе устроить. И... и родить от него...

— Отлично! А я думал, Людмила подобрала первого встречного... А тут, оказывается, все продумано. Молодец!

— Ты думаешь, из этого может что-то выйти?.. Они же как взрослый и ребенок!

— Ну, человек полагает, а бог располагает, — Илья пожал плечами. — Но они — идеальная пара. Вне всяких сомнений!

Катя тяжело вздохнула.

— Ты пессимистка, Катерина, — шутливым тоном сказал Илья. — Людям так тяжело найти своего человека в этом мире! А таким людям, как Люся и Вадим, — почти нереально. Порадуйся же, что это произошло!

— Если бы у них получилось — было бы здорово...

— Получится, — уверенно сказал Илья. — И, я тебе скажу, вот здесь, в этом расчете, Люся больше похожа на женщину, чем в своих подвигах... Ну что, танцы-игрища?..

Выходя из-за стола, Катя оглянулась на Люсю — вдвоем с Вадимом они сидели за столом, окруженным пустыми стульями. Положив локоть на стол, подруга слушала мужа, который, судя по всему, рассказывал ей что-то смешное, а рядом с ними и вокруг них колыхались ленты и сбитые танцующими воздушные шары.

ГАЛИЯ МАВЛЮТОВА

Венок с жасмином

Молодая нервничала. Скоро регистрация, в загс надо ехать, а очередь растянулась на два часа. Еле досидела. И парикмахерша что-то заскучала. Сонная, неповоротливая. А куда ей торопиться? Она, судя по внешности, уже пятый раз замужем. Все расчесывает, расчесывает, о чем-то думает. Интересно, о чем? Не иначе жениха своего за шестым номером вспомнила.

— Милая, а я ведь спешу! — не выдержала невеста.

— Да я уже закончила. Нравится?

Татьяна Васильевна капризно дернула плечиком. Высоко вздернутые волосы обильно политы лаком, блестят, как асфальт после дождя.

— Нравится, нравится, — проворчала она, выглядывая в глубине салона дочь Светочку. — Света, ты тут не обижай девушку.

Светлана, блондинистая женщина лет пятидесяти, резво подскочила, не считая, расплатилась, отвалив парикмахерше настолько щедрые чаевые, что та чуть фен не уронила. Парикмахерская скромная, для народа. Одни старушки да молодящиеся пенсионерки ходят. Три копейки дадут, а скандалят, как за тысячу долларов. Парикмахерша думала, что старуха поскупится, вот и не спешила с прической. Кто ж знал, что у старушки-невесты есть дочка с толстым кошельком. Маму замуж выдает.

Работницы народного салона красоты с парикмахерским инструментом в руках припали к окнам, наблюдая, как хлопотливая Светочка усаживает в «Мерседес» престарелую невесту с лакированной башней на голове. Мама с дочкой спешили в загс.

— Да они как две капли воды, обе блондинки, — загудели мастера, гневно размахивая ножницами и расческами, — надо же, и таких престарелых замуж берут. Ей бы прямиком на кладбище.

— Ага, с твоей прической только в крематорий! — поддала жару самая сердитая.

— А с твоей… с твоей и огонь не возьмет! Даже с поджигом!

На том беседа закончилась. В каждом деле главное — вовремя остановиться. Женщины разошлись по рабочим местам, где их ожидали нетерпеливые клиентки.

Тем временем невеста в родственном сопровождении уже подъезжала к месту назначения. У дверей загса дожидался жених — высокий, прямой старик с надменным выражением лица. Светлана хотела помочь невесте выйти из машины, но опоздала: Татьяна Васильевна успела зацепиться «башней», и прическа рассыпалась на глазах изумленного жениха.

— Ну вот! — огорченно воскликнул старик. В его глазах заблестело настоящее горе, словно весь мир невзначай взял да рухнул. Напрочь и без остатка.

— Дмитрий Сергеевич, помогите же! — едва не плача, Татьяна Васильевна пыталась вернуть прическу на прежнее место.

— А все из-за того, что жасмин не достали! — упрекнул жених, и непонятно было, к кому относился упрек: то ли к невесте, то ли к ее дочери.

А может, к его сопровождающим? За спиной Дмитрия Сергеевича маячили два монумента. Мужчина лет пятидесяти и женщина слегка за тридцать. Оба строили жуткие гримасы, пребывая в полной уверенности, что одаривают мир безмятежными улыбками. Сбоку торчал еще один мужчина с каменным лицом. Светлана не обращала на него внимания, но все равно было видно, что это ее законный супруг. Не муж, не сожитель, не знакомый — именно супруг. Слишком они были похожи, несмотря на то что внешне разительно отличались друг от друга.

Татьяна Васильевна наконец высвободилась из недр «Мерседеса» и осмотрелась. Табличка, урна у дверей, отсутствие очереди, присутствие каменных гостей и другие мелочи благотворно повлияли на настроение капризной невесты: она успокоилась и уцепилась за локоть Дмитрия Сергеевича. Заботливый жених набросил ей на голову теплую шаль, и жалкие остатки лакированной «башни» окончательно рухнули под двойной тяжестью козьего пуха.

— Ах ты, господи, — заголосила Татьяна Васильевна, — да что ж такое делается-то? Что ж вы на мою прическу все ополчились?

— Мама, не кричи! — поморщилась Светлана, жестами призывая на помощь мужчину с каменным лицом.

Реакции не последовало: сцепив руки, тот остался подпирать двери.

— Дмитрий Сергеевич, снимите хоть шаль! Снимите-снимите, — и несчастная невеста все же расплакалась.

Для своих семидесяти шести выглядела Татьяна Васильевна довольно бодро, однако вместе со слезами на глазах мгновенно проступила старость во всем ее морщинистом великолепии.

При виде женских слез Дмитрий Сергеевич мигом усох и сгорбился. Одна Светлана не растеряла бойцовский задор: стащила с головы невесты шаль, закрутила ее волосы в жгут и заколола заколкой, которую сняла у себя с головы:

— Мама, пойдем! Нас ждут!

Невеста послушно поплелась первой — следом двинула Светлана, Дмитрий Сергеевич побрел сзади. Чуть поодаль шли родственники жениха — немые и гордые сфинксы. Они явно презирали ситуацию со свадьбой. Понимали, что проживают не самые лучшие часы в их некогда благополучной жизни, и от этого страдали еще глубже.

В вестибюле учреждения брачующихся окружили теплом и заботой. Сотрудники загса повели молодых в особое помещение. Невеста сразу приободрилась и обрела товарный вид. Забыв о неприятностях с прической, Татьяна Васильевна разулыбалась и даже похорошела. Дмитрий Сергеевич, наоборот, слегка нахмурился и выглядел немного испуганным. Он то и дело оглядывался на сфинксов, один из которых приходился ему сыном, а второй — злой невесткой.

Прозвенел звонок. Все задергались, засуетились, затрясли сумками и борсетками. Наконец поняли, что звонок доносится из нового айфона Татьяны Васильевны. Дмитрий Сергеевич нагнулся, чтобы разглядеть номер, но не получилось: пришлось лезть за очками. Жених и невеста долго изучали цифры на экране, тыкали пальцами, промахивались, вдруг Дмитрий Сергеевич выхватил айфон из рук Татьяны Васильевны и улетучился. Произошло это настолько неожиданно и стремительно, что присутствующие ничего не поняли. Переглянулись, но промолчали. И так же молча стали ждать возвращения Дмитрия Сергеевича.

— Мама, а кто звонил-то? — громким шепотом спросила Светлана.

Сфинксы не дрогнули. Именно недрогнувший вид свидетельствовал о том, что они все слышат и мотают на ус (невидимый).

— Ой, дочка, да это Вася, — смутилась Татьяна Васильевна.

От смущения невеста еще больше похорошела. На щеках проступил румянец, глаза засверкали, но глубоко, где-то на самом дне.

— А кто это — Вася? — Светлана едва не задохнулась от удивления: о Васе она слышала впервые.

— Да тоже в пансионате познакомились. Там, где мы с Дмитрием Сергеевичем отдыхали.

Татьяна Васильевна заалела от приятных воспоминаний. Издалека она выглядела совсем как молодая. Родственники со стороны жениха слегка ожили, по лицам побежали нервные судороги, но по дороге зачахли, и сфинксы вновь застыли.

Светлана подошла поближе к будущей родне. Внутри все кипело. Хотелось спросить: «Чего сидите, как изваяния?» Но не спросила, лишь натянуто улыбнулась и потрясла головой, чтобы выглядеть радушной:

— А что случилось с Дмитрием Сергеевичем?

Вопрос повис в воздухе. Сын жениха напоминал подтаявший студень. Казалось, еще один вопрос — и несчастный растечется по полу. Светлана чертыхнулась, но мысленно. Боялась выразить гнев, а то родственники еще возьмут да уйдут — и что тогда со свадьбой делать? Ресторан заказан и оплачен, гости приглашены. Ждут, дармоеды. Коротают время за фуршетом.

— Он здоров? Не заболел? — допытывалась Светлана, поддерживая правой рукой слабеющую невесту.

Пауза получилась настолько невыносимой, что у Светланы заныли зубы, все разом.

«Только что отнесла в зубную клинику целое состояние, все вылечила и залечила, и надо же, заболели!» — подумала она, а вслух сказала, беспомощно оглядываясь в поисках работников загса:

— Что же вы молчите? Нужно что-то делать! Может, сходите за ним, поищете?

— Придет! Куда он денется?

Невестка Дмитрия Сергеевича словно очнулась от летаргии: глаза приоткрылись, рот поплыл в оскале. Светлана вгляделась и поняла, что женщина не скалится, это она так улыбается.

— Вот и хорошо! — затрясла головой Светлана, радуясь, что родственники оказались не глухими, не слепыми, а вполне себе нормальными гражданами. Вроде и с психикой все в порядке. — А то я подумала, что вы плохо слышите…

— Сами вы, знаете ли… — разозлилась женщина и слегка позеленела. — Ищете женихов на нашу голову, где попало. По пансионатам болтаетесь!

— Ничего мы не болтаемся, — затараторила Светлана, — у нас операция была.

И тут же прикусила язычок. Операцию не стоило упоминать. Еще скажут, что невеста больная. Но было поздно. Поезд ушел, а рельсы разобрали на металлолом.

— Вашей, что, операцию делали? — нахмурилась родственница, а ее муж укоризненно покачал головой: видимо, ему не понравилась новость про операцию.

— Да и ваш тоже здоровьем не блещет! Он же старше мамы, — возмутилась Светлана. — Мама, по какому заболеванию Дмитрий Сергеевич в пансионат попал?

— Почки у него, почки, — теребя пуховую шаль, всхлипнула невеста.

С опавшей прической, с заплаканными глазами она выглядела несколько грустной, если не сказать больше. Светлана тоже чуть не плакала. Невозможно было смотреть на страдания матери. Зачем она затеяла эту свадьбу? Могли бы встречаться с Дмитрием Сергеевичем по-тихому. Ходили бы в театры, в филармонию. Ну и еще куда-нибудь…

— Вот-вот, почки у него! — обрадовалась Светлана. — А у нас почки будьте-нате. Здоровенькие!

— Ой уж, — скривилась родственница. — Кто поверит-то?

— А как вас звать? — спохватилась Светлана, не забывая поглядывать в сторону входной двери.

Она еще надеялась, что Дмитрий Сергеевич вернется. И все пойдет своим чередом. Татьяна Васильевна достала таблетку и проглотила, подхватив из рук заботливой дочери бутылочку с кипяченой водой. Родственница со стороны жениха с презрением наблюдала за лекарственными манипуляциями.

— Виолетта. Виолетта Павловна.

— А я Светлана. С мамой вы знакомы, надеюсь?

Ответа на вопрос не последовало, и обе замолчали, не зная, о чем говорить дальше. Все ждали Дмитрия Сергеевича.

— А Дмитрий Сергеевич мне айфон подарил, — похвасталась Татьяна Васильевна, — и в кино сводил. На «Викинга». Мы втроем ходили. И Вася с нами.

— Мама! — простонала Светлана, успев перехватить разъяренный взгляд Виолетты Павловны.

— А что «мама»? Когда в кино сидели, так он меня за руку держал и все шептал, что, мол, все у нас с тобой, Танечка, будет серьезно. По-взрослому.

— Кто держал-то? Вася? — прошипела Виолетта Павловна, не преминув ткнуть в бок мужа. Тот покачнулся, но усидел, не свалился.

— Не-е-ет! — невинно хлопая голубыми глазками, жестко парировала Татьяна Васильевна. — Вася с другой стороны сидел. Мы с Дмитрием Сергеевичем вместе, а он сбоку. Он по контрамарке. Вася — мужчина экономный. Прижимистый. Не любит в кино за свои ходить. Долго хлопочет, но всегда выбивает социальные билеты. Для пенсионеров.

— А что, на свете существуют бесплатные билеты в кинотеатр? — изумилась Виолетта Павловна и покрылась испариной.

На лбу заблестели мелкие капельки. В помещениях загса было душно.

— Нету! Не существуют. Но Вася — пробивной мужик. Он звезду с неба достать может!

Светлана слушала мать и чувствовала, как в душу заползает страх. Татьяна Васильевна, всю жизнь славившаяся добропорядочностью и строгими нравами, в течение месяца превратилась в женщину с пониженной социальной ответственностью. Светлана тряхнула головой, сбрасывая наваждение. Нет, до этого еще не дошло. И слава богу!

— И почему не достал? — фыркнула Виолетта Павловна. — Если мужик настоящий — он должен держать свое слово.

— Так ведь мне Дмитрий Сергеевич приглянулся…

Татьяна Васильевна снова помолодела. На щеках загорелся яркий румянец. Светлана полезла за таблетками. Не дай бог, инсульт разобьет! В городе сиделку не найти. Днем с огнем, хоть обыщись. Не в больницу же Татьяну Васильевну везти. Все-таки родная мать, не чужая.

— Конечно! — протрубила Виолетта Павловна. — Конечно, Дмитрий Сергеевич приглянулся. У него четырехкомнатная квартира в центре! Как тут не приглянуться?

— Да нам чужого не надо, — обиделась за мать Светлана, — у нас свой дом есть. Да, мама?

— Есть! Коттедж. Всем на зависть. Нам чужого не надо! — гордо отчеканила Татьяна Васильевна.

При слове «коттедж» Светлана поперхнулась и закашляла. Видели бы этот коттедж! Развалюха развалюхой, пятидесятого года выпуска, зато в ближайшем пригороде.

— У вас? Коттедж? — изумилась Виолетта Павловна. — Откуда?

— От верблюда, — выпятив губы, с деланым спокойствием ответила Светлана. — У нас все есть!

— А что же платьишко-то не пошили порядочное? Посмотрите, в чем ваша невеста щеголяет! — продолжала возмущаться Виолетта Павловна. — Не стыдно перед Дмитрием Сергеевичем?

— Стыдно, у кого видно, а у нас все прикрыто. Нам нечего стыдиться! Это ваш жених сбежал!

Светлана уперла руки в бока и принялась раскачиваться на носках, но не удержала равновесие и накренилась в сторону, напоминая груженую баржу, наполовину уже потопленную. Еще одна волна, и баржа уйдет на дно. Светлана провернулась на каблуках и выправила положение. Баржа продолжила свой трудный путь по бурной реке.

— Как сбежал? — подпрыгнула Татьяна Васильевна. — Не мог сбежать такой приличный мужчина. Что ж он, нелюдь, что ли, какая? Здесь он, придет!

Татьяна Васильевна уселась у окна, и Светлана поняла, что увести мать смогут только служители психиатрической больницы. Надо ее успокоить. Она же не сумасшедшая. Нормальная старуха, адекватная, а вот что-то заклинило у нее. Светлана подсела к матери и взяла ее за руку, но все слова куда-то подевались, и Светлана словно онемела. Зато родственники Дмитрия Сергеевича чуть не плясали от радости. Казалось, они были готовы заплатить невесте, чтобы прекратить эту ненормальную свадьбу. Лишний рот в любой семье помеха.

— Митя, мы можем ехать? — заливалась Виолетта Павловна, держа мужа за руку.

Дмитрий Дмитриевич задумался. Он знал тяжелый характер отца. И родительскую руку — под стать характеру. Спина Дмитрия Дмитриевича помнила те времена, когда в стране не было органов опеки и ювенальной юстиции.

— Нет, зая. Не можем. Надо подождать.

И будущий, но пока несостоявшийся пасынок Татьяны Васильевны вновь превратился в сфинкса. Недосягаемый не только для окружающих, но и для самого себя. Виолетта Павловна чуть не захлебнулась слюной. Будь она мужчиной, сплюнула бы сфинксу под ноги, но она не могла пойти на это. Плевок под ноги Дмитрия Дмитриевича равносилен самоубийству. Легче застрелиться, чем плевать на родного мужа.

— А что это ваша невеста как зомби? Не шевельнется, не колыхнется, — пытаясь скрыть собственное бессилие, сыронизировала Виолетта Павловна.

— Свадебное платье в прокате взяла. Ни уговорить было, ни убедить. Я и купить предлагала, и сшить, и портниху домой привела — все без толку. Уперлась рогом. Она же Овен по гороскопу.

Дружба у мужчин возникает после совместного распития одного или двух ящиков пива. У женщин все происходит сложнее. Зато на века. За дружеским шепотом женщины незаметно для себя подружились, а когда заметили, спохватились, но было поздно. Женская дружба пустила корень.

— Овен — это серьезно! Мой Митя тоже Овен.

Глаза Виолетты Павловны словно затянуло пленкой. За ней скрывалось знание жизни, о котором не рассказывают даже близким подругам. Заметив, Светлана скривила губы. Не хотите — не делитесь. Знаем мы ваши секреты. Скоропалительная дружба треснула, угрожая расколоть тонкие дамские отношения, но трещина остановилась, не пошла в рост. Светлана передумала ссориться с Виолеттой Павловной из-за мелочей:

— Да, Овен она, упрямая, мама же всю жизнь в пожарке работала.

— Кем? Пожары, что ли, тушила? — испугалась Виолетта Павловна.

Пленку с глаз сдернула, вид сделала мятущийся: а что, если Татьяна Васильевна не только тушить пожары умеет, но и поджигать мастер?

— Инспектором! С проверками ходила. Женщина она простая, но веселая, певунья, — разоткровенничалась Светлана.

— Понятно, — проворчала Виолетта Павловна, — и от нормального платья отказалась по этой причине?

— Прокатное платье понравилось. Говорит, всю жизнь мечтала именно о таком. А там прейскурант. За винное пятно на платье — три тысячи штраф, за простое — две, за след от обуви — пять тысяч. Дальше не помню. Список длинный. Всего не перечесть. Вот она и ходит, как пришибленная, боится штраф заработать.

— След от обуви на свадебном платье — это интересно! И познавательно. О-о, как мы попали с вами, Светочка! А что наши мужья? Они совсем осоловели, — всполошилась Виолетта Павловна, разглядывая застывших мужчин.

— Это они от страха. Боятся, что «Скорую» вызывать придется. Мало ли, что может случиться. Жених с невестой — люди немолодые. Кстати, как вы думаете, вернется ваш Дмитрий Сергеевич или нет?

— Не знаю, — вздохнула Виолетта Павловна, — мы отдельно живем. Он сам по себе. Готовит, убирает, все без посторонней помощи. Он бывший военный. Полковник. Характер трудный. С Митей они — как кошка с собакой. Звоним ему раз в неделю. Сам он никогда. Все молчком.

— А ваш Митя, ой, извините, Дмитрий Дмитриевич не хочет его поискать? Может, плохо стало человеку, а мы тут сидим, болтаем, — волчком закрутилась Светлана, отыскивая взглядом работников загса.

Но их не было. В соседнем зале чередой шли регистрации. Одна процессия сменяла другую. Люди быстро женились и исчезали, словно спешили насладиться долгожданным браком. Про пожилых влюбленных в брачном учреждении уже забыли.

— Сам вернется! Он такой. С приветом. Поехал лечить почки — и на тебе, привез невесту. А вы на квартиру не станете претендовать? Она на Митю записана.

Виолетта Павловна посмотрела на Светлану умоляющим взглядом, а та, в свою очередь, пыталась испепелить мужа, посылая ему тайные знаки. Бесполезно. Муж громко храпел, невзирая на сложную обстановку. Первой не выдержала Татьяна Васильевна. К сумятице приглушенных звуков из соседнего зала, храпу мужчин и шепоту женщин прибавился жалобный плач.

— Мама! Ну что ты, что ты, не надо! Женихи иногда и от молодых сбегают...

Светлана хотела обнять Татьяну Васильевну, но невеста оттолкнула руку и выкрикнула, разбудив спящих мужчин и на миг оглушив сочетавшихся браком в смежной комнате:

— А я ему поверила! Говорил, что от меня жасмином пахнет. И сама я как жасмин! Обещал, что все у нас будет серьезно! Я ему песни пела. А он... Айфон подарил и забрал. Жалко стало! Я ему душу отдала, а он айфон пожале-е-е-л... И-и-и-и-и-и-и!

— Да купим мы тебе айфон, купим! — пыталась успокоить невесту Светлана, одновременно делая страшные глаза неистово храпящему мужу, но безуспешно: спал тот крепко.

Татьяна Васильевна оглянулась на зятя, два раза икнула, еще пуще разрыдалась и, швырнув букет в угол, широким шагом пожарного инспектора направилась к выходу. В этот миг дверь распахнулась, и в проеме появился Дмитрий Сергеевич. В руках у него был венок с жасмином. Свадебный венок. Не похоронный.

— Этот бы веночек да куда-нибудь по назначению, — свистящим шепотом съязвила Виолетта Павловна.

— А вы не каркайте! Не ройте людям яму, сами туда попадете! — поставила жирную точку в краткосрочной женской дружбе заметно повеселевшая Светлана.

Еще бы! Жених вернулся, и теперь не нужно отменять вечер в ресторане. Гости заждались. Небось уже весь фуршет съели и выпили.

Окаменевшие мужчины при виде жениха встрепенулись, но вновь опали, полагаясь на женщин: сами, мол, справятся. Дмитрий Сергеевич подошел к Татьяне Васильевне и надел ей на голову венок с жасмином.

— Хотел вуаль с жашмином, но не было, вот, веночек купил, — и Дмитрий Сергеевич протянул невесте злополучный айфон. — Я же думал, Танечка, что тебе Вася позвонил. Приревновал, понимаешь. А у него и в мыслях не было. Сидит себе дома один, скучает. Ну, я и пригласил его на свадьбу. Ждет нас в ресторане.

— Венок с жашмином он купил! Лучше бы цветы на могилку! — шипела и никак не могла успокоиться Виолетта Павловна, злясь, что не смогла выговорить цветочное слово.

— А чем вам не нравится жашмин? Тьфу ты, мне тоже не выговорить. Сейчас справлюсь, жа-а-а-с-с-с-ми-и-ин! Венок с жасмином. Вот, получилось!

Светлана засмеялась и захлопала в ладоши. И Вася придет на свадьбу. Почему-то было жаль незнакомого Васю. Тоже ведь одинокий. Виолетта Павловна иронически смотрела на жениха и невесту, затем перевела взгляд на Светлану и неожиданно засмеялась: видимо, зло отпустило ее. Дмитрий Дмитриевич и муж Светланы разом глянули на часы, вскинули головы и победным шагом направились в соседний зал.

Регистраторша поначалу вскипела: пропустили, мол, свою очередь, не будем вас регистрировать, но быстро остыла — слишком счастливыми выглядели жених с невестой. Просто светились от счастья, поражая гостей, родственников и служителей загса военной выправкой.

— Как вам идет веночек с жашмином! Ой, — сказала заведующая загсом Татьяне Васильевне и, поняв, что прошепелявила, засмеялась.

Ей вторили все, кто присутствовал на брачной церемонии. Только Дмитрий Сергеевич не смеялся. И Татьяна Васильевна. Они смотрели друг на друга, и для них никого вокруг не было. Только они вдвоем. Венок сполз набок, но Татьяна Васильевна его не поправляла. Она видела одного Дмитрия Сергеевича. Все исчезло для них. Возраст, болезни, одиночество. Исчезло прошлое. А жасмин благоухал, наполняя комнату бракосочетаний сказочным ароматом. Лишь однажды встречается такой, но его помнят всю оставшуюся жизнь. Именно так пахнет настоящее счастье.

ЕЛЕНА УСАЧЕВА

Мы больше не женимся

— Смотри какой! Давай, выходи!

Он был совсем никакой. Что там такого «какого» увидела Танька, я не поняла. Честно смотрела, искала. Так долго смотрела, что Танька толкнула меня в бок, а «какой» заерзал на лавке.

Невысокий, с вытянутым лицом, еще и смотрит исподлобья. Мазнул по нам взглядом — тяжелым таким, килограммов на тридцать — и отвернулся. Нет, сначала ухмыльнулся — и я поняла, что о его визите мечтают все ортодонты страны.

— Ну, чего? — щипала меня в плечо Танька. И хихикала. Как раз на ее хихиканье «какой» и оборачивался. Но как только он делал движение головой, Танька предусмотрительно отступала, давая мне возможность насладиться его недовольством.

Любила она так делать — спровоцировать, а потом наблюдать, что будет. Наблюдатель, блин.

Наша жертва сидела на лавочке, вытянув вдоль спинки левую руку, раздраженно смотрела по сторонам.

Стороны были весьма живописны — ровные дорожки, кустики все на одном уровне, бордюрчики, деревья — головки-шапки. Еще и небо голубое. Еще и солнце. В сотне метров неспешно плещется залив Волги. Красота. Слева — это от меня, а от «какого» — справа высится гостиничный комплекс, посверкивает затемненными стеклами.

Я получила очередной тычок и опустила глаза. Нет, не красота. Зачем мы вообще сюда поехали?

— Что я ему скажу? — уперлась я спиной в жесткое Танькино плечо. Плечо было непреклонно, как и Танька.

— Так и говори: «Будьте моим мужем».

— Мы даже не знакомы!

— Потом познакомитесь. Он на тебя вчера весь вечер глядел.

Как? И он?

Не помню. Я вообще не очень хорошо помню, что было вчера. А была пятница. До дня моей свадьбы месяц. Месяц! До события всей моей жизни! Вчера я была уверена, что все хорошо. Дальше наблюдался некоторый провал. А сейчас я стою на улице под солнышком в глубоком убеждении, что все плохо. И на себя вчерашнюю я смотрю, как на круглую дурочку.

Что я могу сказать потомкам в свое оправдание?

Никогда! Не выходите! Замуж! За! Поэтов! Никогда! Никогда! Никогда!

И даже не мечтайте! И не начинайте собираться это делать.

Поэты — не мужчины. И вообще — не люди.

Вот с чего Андрею взбрело в голову, что Софонин на меня смотрит? Ну да, смотрит. А что ему еще делать, если у него есть глаза. И сидит он напротив меня. И у всех вокруг настроение хорошее. Чего нам друг на друга не смотреть? И даже порой на какое-то время цепляться взглядами.

На вчерашнем банкете мы с Танькой хихикали, пили шампанское, обсуждали незнакомца напротив, что сидел рядом с Софониным. Хорошо обсуждали, ни одной грязной косточки не оставили — все были чистые. А что еще делать, если сидит такой и с мрачным видом ужинает. Это на банкете-то! Где надо веселиться и шалить. Вот мы и шалили…

— Ну, давай! — Плечо у Таньки железное. Как стукнет, сразу начинаешь анатомию вспоминать — какие жизненно важные органы задеты. А еще она настойчивая, не увернешься, под скатерть не спрячешься.

— Давай, — шипела мне в затылок Танька, обдавая сигаретным дымом.

И я дала. Сделала шаг вперед.

Мужчина коснулся носа и вновь вперился в кусты. Я выдохнула, выпуская из себя не только воздух, но и заранее составленную фразу. Не нужна она пока, пусть погуляет.

Все было бы ничего… Все было бы отлично… Мы смеялись, пили за кино. Сидящий напротив представился, и я тут же забыла его имя. Потому что так весело было говорить про кино и видеть, как собеседник зеленеет от раздражения, но держится. Ну и Софонин смотрел. Кстати, чего смотрел-то? Человек совсем не в моем вкусе.

— За кино! — подняла я бокал.

А Андрей сидел там… далеко… На другом конце этого бесконечно длинного и неправильно широкого стола. Следил.

Ну да, я к нему не села, потому что не хотелось скучать под официальные речи богатых чиновников — они организовали этот выезд писателей и поэтов в богатый пансионат и теперь желали высказаться. Мы же с Танечкой собирались пить шампанское и веселиться.

И мы веселились.

А Андрей… Он, видимо, тоже что-то делал. Но не такое веселое, как мы. Поглядывая в его сторону, я видела — мрачен мой милый. Ой как мрачен.

А то Андрей меня первый день знает. Или разглядел что неожиданное. Все же знакомое, все понятное. Я всегда такой была.

Это я так думала, не он.

Короче — мы больше не женимся.

Что самое обидное? Платье.

Я его купила. Как раз перед поездкой. Отдала обшивать кружевом.

И куда я вся такая в платье, но без загса?

— Я все равно выйду замуж! — крикнула я Андрею, когда он заявил, что через месяц ничего не будет. Мы больше не женимся!

Кричать было неудобно, потому что оба мы стояли голые. В ярости хорошо бить посуду, комкать подол юбки или швырять передник. Бросая обвинение, хорошо бы схватить оппонента за рукав, за плечо, за… Неважно за что. А тут — и не схватишь ни за что. Стоит такой Андрей, слегка сутуловатый, с брюшком — это когда уже некрасивая складка под ним появляется, — упирает руки в бока этого самого брюшка, думает, наверное, что выглядит в этот момент брутально. Ни фига! Брюшко — я на него и смотрела, — слегка волосатое, чуть приподнималось, когда Андрей орал:

— Ты как себя вела? Да вы там вообще чуть ли не целовались.

— Когда? — взмахивала я руками. Сразу же захотелось одеться — неудобно. От этого мысль сбилась. Ярость и ощущение неудобства положения рядом не стоят. Ярость с шипением гаснет. — Там такой стол широкий был, что для поцелуя пришлось бы лечь на него.

— Да ты почти легла! — Андрей поступал мудро — он не шевелился, только все больше и больше гнул плечи. — Ты и замужем будешь так себя вести!

— А что должно измениться? — возмутилась я.

Как будто штамп в паспорте включает программу по перезапуску человека.

— Все должно измениться! Ты будешь моей женой! Моей!

Вот так новость! А я думала, что это он станет моим мужем. Моим. Стеной и опорой.

Я представила эту стену, на которую можно опереться. Невысокая такая получилась. Толстенькая. Заборчик. Кирпичный. С фигурными прорехами.

И фыркнула. Ну смешно же! Представила, как расскажу об этом Таньке.

Дальше ничего не представилось, потому что Андрей сдернул с кровати халат. И, как прокуратор Иудеи Понтий Пилат, шаркающей кавалерийской походкой, в развевающемся плаще, вышел из номера.

Дверь хлопнула. Я как-то разом устала. Поискала глазами свой халат, не нашла. Подумала, не закрыть ли номер на ключ, чтобы этот выхухоль пострадал в коридоре. Ничего не придумала и упала на кровать.

Закрыла глаза. Открыла глаза. И минуты между этими действиями не прошло.

В дверь стучали.

Я потянула к себе телефон. Ай да я умница! Выключила звук. Пять пропущенных от Таньки. Три часа ночи. Отличное время для пробуждения.

Хорошо сообразила натянуть на себя простыню, а то бы вышла вся такая… в костюме Евы.

— Забери его!

Лицо у Таньки злое. Даже немного желтоватое.

— Забери его!

Я оглянулась. Забирать из номера было нечего. Если только баночки с шампунем. Красивые такие баночки…

С Танькой мы уже давно стояли неподалеку от лавочки, а наша жертва все еще сверлила взглядом кусты. Я бы не выдержала и давно обернулась. А он смотрит. И даже без видимого усилия. А мы так давно стоим, что и стоять дальше глупо, и говорить о чем-то бессмысленно.

— Кхм, — громко откашлялась Танька, и я тут же почувствовала, как она отступает за меня. — Са-ша!

Саша… отлично. Я почти сама вспомнила.

Хотя ночью это имя уже звучало. Танька ворвалась ко мне в номер и стала требовать, чтобы я забрала Андрея из ее комнаты. Он туда пришел и улегся на ее кровать. Я забирать его отказалась. Не дрова, чтобы забирать. Самостоятельная личность. Вот тогда Танька почесала плечо и сказала, что пойдет разбудит этого… киношного… попросит отнести Андрея ко мне. И сказала — Са-ша.

Таня ушла. Не вернулась. Я пыталась ждать. Но когда у тебя гудит голова, а на душе прочно поселилось чувство «все равно», сохранить вертикальное положение сложно. Я сначала прилегла на подушку, потом подобрала ноги.

Утро встретило меня прохладой. В номере я была одна. Видимо, киношный тащить тяжелого Андрея отказался. Увиделись мы с моим женихом уже за завтраком. Взгляд его дал понять, что свадебное платье, пусть и обшитое умопомрачительным кружевом, может пропасть.

Нет уж! Назло Андрею выйти замуж. Чтобы ему потом всю жизнь чесалось.

Хмурая Танька успела за короткий завтрак обвинить меня во всех смертных грехах. Никто моего Андрея у нее не забрал, и она была вынуждена чуть ли не в коридоре всю ночь просидеть — разбудить меня второй раз уже не получилось. Киношный Саша честно был разбужен и приведен в номер. Но оценив глубину трагедии, перемещать тело в пространстве отказался. «Пускай тут спит, — сказал он. — Раз он тут, где-то есть свободная кровать». Танька метнулась ко мне, но я уже была не в этом мире. Тогда она пошла обратно к Саше, тот выдал ей бутылку портвейна, а сам тоже лег спать.

— Даже не подходи ко мне, — мрачно бросил проходящий мимо Андрей.

— Подумаешь, — храбро изрекла я. — Все равно замуж выйду.

И вот тогда опять возник киношный человек. Я не помнила, почему мы весь вечер пили за кино, но какое-то отношение он к кино все-таки имел.

— Давай, — напутствовала Танька. — Потом станешь кинозвездой, тебя по телику показывать будут.

Мысли о телике меня не так занимали, как размышления о тяжелой судьбе платья. Что мы вчера такого пили, что голова гудит и движения вялые?

— Са-ша!

Саша был недоволен. Хотя солнце… хотя Волга.

— А ты ведь не женат, — все еще прячась за моим плечом, выдала Танька.

— А что? — вопрос Сашу заметно напряг. Он как-то нехорошо посмотрел на Таню. Как будто съесть собрался.

— Давай поженимся, — выпалила я, чувствуя себя героем дурного фильма с одноименным названием.

— Что?

Можно считать, что в этот момент я грохнулась в обморок.

И дальше все понеслось в бессознательном состоянии.

Мы долго еще сидели на этой самой лавке, ждали, когда все соберутся — надо было ехать в Тверь, кому-то выступать, а кому-то гулять по городу. Саша смотрел в сторону. Танька пыталась вести светскую беседу. Разговор не клеился.

Я еще надеялась, что Андрей передумает, что он уже жалеет о сказанных словах. Или хотя бы о них не помнит.

Но он все помнил и ни о чем не жалел. Может, он ждал, что я первая подойду и буду просить прощения? После глупой сцены ревности? Да я вообще его могу в асфальт вкатать за то, что он спал в чужой постели.

Я выдохнула. Саша посмотрел на меня внимательней. Я поерзала на лавке. А вдруг он буйный? А вдруг он по ночам зубами скрипит? С Андреем хотя бы все знакомо. И пусть он не выдает фантастических постельных сцен, в остальном очень мил и жизнеспособен.

Я силой заставила себя не думать про Андрея и повернулась к Саше:

— А вы чем занимаетесь?

— Я режиссер. Кино снимаю. Вроде вчера об этом говорили.

Кино… И я вдруг вспомнила, что вчера на открытии нашего сомнительного мероприятия действительно должны были давать кино, только мы с Танькой из зала сбежали. Было скучно. Было душно. Танька хотела курить и обсудить последние сплетни. А там, значит, что-то демонстрировали. Теперь бы никак не показать, что я этот шедевр не видела.

— Здорово, — выдохнула я. — Кино…

Саша склонил голову. Происходящее его бодрило.

Народ вывалился из подъезда. Автобус давно стоял под козырьком, прятался от солнца. Рассаживались. Ждали гения Герасима. Перекрикивая друг друга, выясняли, был ли он на завтраке.

Я забралась на последний ряд автобуса, кинула рюкзак, — Танечка почему-то осталась впереди ворковать с моим Андрюшей — закрыла глаза. Все равно выйду замуж. Платье есть, что еще надо? Говорят, что такие спонтанные решения — самые долгоиграющие. А старые проверенные друзья — они среди ночи сбегают в халате на голое тело.

Кто-то трогает за плечо. Я, оказывается, уснула. Экскурсовод мило рассказывала о том, что Тверское княжество было все покрыто сетью рек — не пройти, не проехать. Поэтому передвигались только по воде. По журчащему ручейку я и уплыла в сон. Вынырнула.

— Идем, — манит Танька, а взгляд такой хитрый, как будто только что сыграла роль шемаханской царицы.

За ней стоит Саша. Смотрит хмуро. А чего он опять хмурый? Улыбаться не пробовал? И тут вспомнила — не надо ему часто улыбаться, украдут инопланетяне на эксперименты — рисунок зубов у него и правда был затейливым.

Я поискала глазами Андрея. Он что-то шептал на ухо Вере Белкиной. Верка жмурилась довольно и трясла лохматой головой. Ладно, и это запомним. Не я объявляла войну. Не я ее и проиграю.

Все шли в местный университет на выступление, а мы собирались в музей Михаила Евграфовича Салтыкова-Щедрина.

Танька снова ткнула меня своим плечом. Ткнула и глазами показала на Сашу.

Я широко улыбнулась. Но ничего не сказала. Потому что на меня в упор смотрел Андрей. Как примерная невеста, я должна была сопровождать своего жениха на выступление. Но где та невеста, что кому-то что-то должна?

Андрей не отводил взгляд. Я улыбалась. Он сломался первым. Отвернулся и пошел вслед за всеми.

— А, кстати, о чем вы говорили? — напомнила я Таньке.

— Погода хорошая для прогулок, — загадочно ответила она.

— Ну тогда точно в музей! — сообщила я в спины уходящих поэтов.

— Не кричи, — поморщился Саша. — Чего ты такая шумная?

— Понравиться тебе хочу. Мне очень надо выйти замуж.

— Зачем? Был я там. Недавно развелся. Ничего хорошего.

— Хочу сходить, проверить. Что-нибудь хорошее там наверняка осталось.

Вот теперь Саша смотрел на меня во все глаза. И Андрей, исчезающий за углом университета, тоже смотрел. Все отлично работало!

В музее ждали чуть больше людей, чем пришло. А пришли мы втроем.

— Михаил Евграфович был человеком нервическим, — доверительно сообщала нам милая экскурсовод Евгения. — Мог за вечер в гостях шесть раз вспылить, выбежать из комнаты, но потом неизменно возвращался.

Саша скучал. Я смотрела на него. Может, замять всю эту историю? Чего я к человеку прицепилась? Может, он и правда травмирован женитьбами? Может, у него уже мозоль на том месте, где все время давило.

Я окинула взглядом фигуру Саши. Невысокий. Сухой. Двигался мягко — видно, что занимается каким-то спортом. Плаванием или теннисом. Синий рюкзак с логотипом «Асикс». Прыгает, что ли?

— Супруга Салтыкова, Елизавета Аполлоновна, была женщина находчивая. У нее была страсть — она любила гадать на картах. А так как ей не хотелось узнавать о себе ничего плохого, то все пики она заранее из колоды вынимала.

Высокий лоб, коротко стрижен. Я старательно искала недостатки и зачем-то находила достоинства. Танька, зараза. Вот зачем она сказала, что я Саше понравилась? Так бы прошла мимо и не заметила, а теперь вот смотрю, высматриваю...

— Михаил Евграфович любил играть в карты, но делать это не умел и частенько проигрывал. При этом каждый раз обвинял в своем проигрыше партнеров, мол, они неправильно играли.

Стоит, смотрит на витрину, где выставлены вещи Елизаветы Аполлоновны. Интересно, как бы все было, если бы не ссора, если бы не Танька. Я бы, наверное, даже не вспомнила его имя. И вообще бы не замечала.

— Будущий великий писатель учился в знаменитом лицее, в первом выпуске которого был Пушкин. Помните, какая кличка была у Александра Сергеевича? «Француз», потому что по-французски он говорил лучше, чем по-русски. А у Салтыкова кличка была «умник». Надеюсь, расшифровывать ее не нужно.

Не нужно. Нам вообще ничего не нужно. Мы и так все понимаем.

— А мне здесь нравится, — повернулся к нам Саша. — Хороший музей. Хоть я музеев и не люблю.

Евгения разулыбалась. Я получила очередной тычок от Таньки.

— Говори что-нибудь, — прошипела она мне в затылок.

— А как они познакомились? — выпалила я и тут же получила тяжелый вздох в тот же затылок.

— О! Это интересная история. Михаил Евграфович увидел юную Бетси, когда ей было двенадцать лет, и влюбился. И до того любовь его была сильна, что он решился ждать, пока его милая повзрослеет.

Мы с Танькой обменялись взглядами. Экскурсовода наши переглядывания вдохновили. Она набрала в грудь побольше воздуха и продолжила:

— Когда юной Елизавете исполнилось пятнадцать, а Михаилу Евграфовичу шел уже тридцатый, он решился попросить благословения у маменьки. Но она категорически отказала, убежденная, что это всего лишь блажь ее великовозрастного сына. Тогда Михаил Евграфович поехал к отцу Лизы, бывшему вице-губернатору Вятки. Отцу тоже не очень понравилось, что у влюбленных такая разница в возрасте, и он поставил условие — год. Если молодые люди не передумают, быть свадьбе. И они не передумали!

Евгения подарила мне лучезарный взгляд. Я поежилась.

— Отличная история! — воскликнула Танька, делая снимок веера Елизаветы Аполлоновны. — Вот это любовь!

Евгения поджала губы, готовя новую порцию информации.

— Михаил Евграфович отличался сварливым характером, частенько бывал в плохом настроении, гостей не жаловал, а вот Елизавета Аполлоновна была всегда весела, любила гулять и вращаться в кругу поклонников. Из-за чего у них дома частенько происходили ссоры. Поговаривали, что жена изменяет Салтыкову.

Из моей головы тут же выветрились все радужные картинки семейного счастья. Словно вдруг взяли и перед бегущим человеком поставили стену. Человеком была я. Таня громко хмыкнула. Евгения опомнилась. Саша радостно улыбался. Как будто сейчас ему рассказывали его же историю.

— У них было двое детей, — торопилась Евгения. — Через семнадцать лет брака родилась девочка.

Танька опять хмыкнула и стала с любопытством рассматривать стену. На стене был портрет Михаила Евграфовича — с бородой и с выпученными глазами.

— И дети на него совсем не были похожи, — пробормотала Танька, когда я подкралась к ней сзади.

На этой фразе мне совсем расхотелось свадьбы. Ну их… Замуж выйдешь, а потом изменяй. Опять же платье…

— А знаешь, — сказал на выходе Саша. — Я согласен. Ты мне понравилась.

Танька за моей спиной поперхнулась табачным дымом.

Весь месяц я честно смотрела фильмы про свадьбы — настраивалась. «Свадебный разгром», «Большая свадьба», «Безумная свадьба», «Горько!», «Война невест», «Шафер напрокат», «Переполох на свадьбе», «Друг невесты», «Свадебный переполох», «Сбежавшая невеста»… Уф, и не было им числа. Из всего просмотра я вынесла одну мысль — мое платье гораздо лучше, чем у киношных невест. На этом и остановимся.

Танька курила на балконе, тонкая сигарета дрожала в пальцах.

— Не передумала?

— Нет, — я смотрела на свои руки. Как пишут в книжках, костяшки пальцев побелели — так крепко я обхватила поручень балкона. Они и правда побелели. От всего. От того, что конец октября и холодно, от того, что боюсь. От того, что просто костяшки.

— Ну и дура, — сигарета улетела вниз. — Странный он какой-то.

Наверное, Саша на самом деле был странный.

Наше первое свидание не задалось. Я сбежала. Никогда не думала, что смогу на каблуках пролететь через всю Тверскую. Но я сделала это. Мы сидели на ступеньках крыльца подъезда одного из домов тверских переулков. Целовались. И я вдруг захотела убежать. Так захотела, что вскочила и побежала. Чуть не сшибла охранника в переходе.

— Хорошо бегаешь, — услышала я утром в трубку.

Знала, он за мной не побежит. Не побежал.

Я оттолкнулась от перил балкона и ушла в комнату. Таня вытянула из пачки новую сигарету.

Я так долго мечтала выйти замуж, что для этого дня не придумала ничего лучше, как прогулка по городу, загс и ресторан. А потом все так стремительно развалилось, что от планов не осталось ничего.

Из зеркала на меня смотрела невеста... Невеста без места.

— Пойдем! — Таня спрятала телефон.

В дверях балконной двери в обрамлении тюля она выглядела великолепно. Может, мне тоже нужно было фату прикупить? За последний месяц я больше всего беспокоилась о платье... Зачем при таком платье фата?

Потом мы ходили на Сашин показ в Дом фотографии. Я ждала, что новый жених подарит мне кроссовки. Как раз в этот день посмотрела «Сбежавшую невесту». Не подарил. Он не любил американское кино. Не делал подарков. Был скуп на слова.

В следующий раз на прогулке в парке я стерла ноги в кровь.

Все просто вопило, что ничего не получится.

На мои возникшие сомнения Саша ухмылялся. На губе у него была ссадина. Упал. Катался на лыжероллерах и упал на повороте. А я в первую секунду подумала, что подрался. Что Андрей...

Но это был не Андрей. Андрей растворился в сумерках того дня, когда мы возвращались из Твери. Поэтический десант прошел успешно. Два дня выступлений. Все были пьяные и счастливые. И даже Танька, хотя смотрела она на меня странно.

В душе росла злоба. За месяц она вымахала в приличную скотину. Все равно сделаю, назло. Раздражение так распирало грудь, что, казалось, не влезу в платье. Оно у меня было узкий карандаш с широкой юбкой от колен. И кружево.

— Поехали, время, — напомнила Танька.

Я бросила телефон в сумочку, щелкнула застежкой.

— Мне Юлька рассказывала, — почувствовала, что говорю и остановиться не могу. — Они с Денисом встречались, все было хорошо, но выходить за него замуж она не собиралась. Он три раза предложение делал. Она ни в какую. Тогда он женился на другой. Юлька тут же вернулась и сказала, что согласна. У них сейчас двое детей.

— Кто такая Юлька?

Я подняла глаза. Поймала Танькин взгляд в зеркале. Не понравился он мне. Ладно я нервничаю, мне по статусу положено. А почему нервничает она? Вернее, не нервничает, а злится. Ее же была идея.

Я сжала губы, но не смогла сдержаться.

— А другая моя подруга тоже жениться хотела. Только он сначала на своей подруге женился, а потом только на ней.

— В очередь, что ли?

Лифт дернулся, останавливаясь. Мы вышли.

— В очередь, — прошептала я.

Во дворе нас ждала машина. За рулем я заметила Сашу.

Это, конечно, детство и глупость, но Саша вообще не употреблял слово «любовь». О бывших женах не говорил. Но их-то он любил, наверное.

Можно ли влюбиться за месяц? А за день? Бр…

— Доброе утро!

Саша вышел из машины, открыл перед Таней дверь. Повернулся ко мне. Я задохнулась, когда он сделал шаг.

Ни о чем не думать, ни о чем, все правильно!

Как только во вторник открылся загс, я пришла, чтобы переписать заявление. Регистраторша долго смотрела в компьютер.

— Я не вижу вашу фамилию… — бормотала она.

— Но номер-то есть?

— Номер… — зависала работница. — Давайте я вобью новые данные, а потом поищу…

Я обернулась к Таньке. Только что заметила, что она в длинном черном шифоновом платье, юбка шуршала. О чем я думаю? Нарядилась подруга на мой праздник… О чем я думаю!!!!!

— Ты не заезжал в загс проверить, все ли хорошо? — спросила я.

— Да успокойся ты, все в порядке.

Саша хорошо водил машину. Мне нравилось. Она мягко выскользнула из двора. Мелькнули по сторонам деревья.

Осень. Октябрь. Странно, я всегда хотела выйти замуж в сентябре или декабре. И вот — октябрь. Я хотела выйти замуж за Андрея. И вот — Саша.

Я разнервничалась, снова полезла в сумочку за телефоном. Заболели запястья. Ну подумаешь! Свадьба! Что волноваться? Просмотрела лист принятых звонков. Андрей звонил ровно месяц назад. В Завидово. С тех пор мы не виделись.

Загс — первый этаж в многоподъездном доме. Высокие витринные окна, подхваченный лентами тюль. Красиво.

— Даша!

Я оглядываюсь. Танька чиркает зажигалкой. Прыгает искра, но все мимо. Вот вырастает огонек. Танька манит меня в сторону. Я ловлю каждое движение. Мне кажется, Саша видит, что мы отходим.

— Пойдем. — Таня сходит с асфальта и утопает каблуком в земле.

Туфли на каблуках… у Тани… Чего-то я сегодня внимательная слишком. Мы идем через деревья за дом.

— Слушай, — начинает Таня, и сигарета в ее пальцах дрожит так, что пепел сам собой падает, легким призраком скатывается с шифоновой юбки.

— А вот и девочки!

Я роняю челюсть, сумку и подхваченный подол платья.

Андрей в костюме. Он ему чертовски идет. Весь такой красивый подходит к Таньке и целует ее в щеку.

— Аааахххм… — вырывается из меня. Чтобы что-то сказать, надо закрыть рот, но у меня не получается. Я наклоняюсь за сумкой.

— Здравствуй, Дашенька! Какая ты красивая в этом платье.

В голове бьется с десяток ответов. От злых до легкоюмористических. Но я молчу.

— Танечка, ты готова?

— Мы сейчас.

— Не задерживайтесь, девочки.

Андрей уходит.

Я беспомощно смотрю на его безукоризненно ровную спину в пиджаке. «А меня поцеловать? — бьется в голове. — А сказать, что любит? Что страдал? Что мы женимся?» И тут же всплыло убийственное: «Мы больше не женимся!»

Я машинально иду за Андреем. Каблуки... они вспахали всю землю за домом. Выбираюсь на асфальт. Слабо бьется мысль, что каблуки надо протереть. Таня что-то говорит, я не слышу. А потом она исчезает. Я оглядываюсь и понимаю, что стою одна. Белое платье. Белая куртка. Я иду через толпу, надеясь увидеть черный шифон знакомой юбки. Не могу же я пойти в зал без Таньки. Поднимаюсь по ступенькам. Один каблучок звонок, второй тих.

— Приглашаем в зал Татьяну Харитонову и Андрея Красноперова.

Я вслушиваюсь в эхо звуков. В них что-то неправильное. Андрей Красноперов — да, но рядом с ним должна быть моя фамилия. И вдруг с большим запозданием я слышу слова Таньки:

— Ты меня прости, но так получилось. Он на следующий день позвонил, спрашивал, что делать. Мы встретились, ну... и это... А потом он предложил пожениться. У вас же был день. Я не думала, что у вас с Сашей все получится. Он же совсем тебе не подходит.

— Татьяна и Андрей! Проходите!

Я увидела черную юбку. Шифон шуршал.

За локоть взяли. Крепко. Вот ведь спортсмены! Нарастили мускулы! Саша бегает, а еще подтягивается. И наверняка отжимается. Я не видела.

Мне хотелось упасть. Не дали.

Взгляд мажет мимо. Я все хочу увидеть лицо, глаза — и не вижу.

Платье. Это все из-за него!

— Даша!

То ли щека у меня такая горячая, то ли губы у Саши холодные.

— Дыши!

Меня трясет, но я потихоньку начинаю дышать.

— Как... они... — вырывается из меня.

Точно! Номер... фамилия... моей фамилии уже не было в списке, потому что Андрей успел раньше меня. Назло. Не хотел, чтобы пропадал такой костюм.

— Это все из-за платья, — прошептала я.

— Очень хорошее платье, — спокойно отвечает Саша. И только сейчас я замечаю, что он в джинсах и кроссовках. Хотя рубашка — да — белая.

Все вокруг ходит ходуном. Я лежу на руках у Саши. Держит он меня осторожно. Я могу разбиться?

— Дарья Щелкова и Александр Грачев.

Я выпрямляюсь. Тело стало легким. Кажется, что я сейчас взлечу.

— Дарья и Александр! Проходите!

Я смотрю на Сашу. Он спокоен.

— Мы больше не женимся? — прошептала я.

— Если ты хочешь...

— А платье?

— Очень хорошее платье, — зачем-то повторяет Саша.

Я опять вижу черный шифон. Андрей идет к нам. Я закрываю глаза.

Так хочется, чтобы кто-нибудь сказал, что любит меня. Но Саша этого не говорит. Он поворачивается к Андрею:

— Поздравляю, старик!

Они обнимаются. Ну, скажи, что любишь!

— Даша, — жалобно зовет Танька.

Я бегу. Слетаю по ступенькам — теперь каблучки отбивают жизнерадостную чечетку, расталкиваю пары, вылетаю на улицу. Мгновение теряюсь — куда? Беру направо, в парк. Тут снова пары, тут фотографируются. Я впарываюсь в стаю голубей. Мне кричат. Я прорываюсь на свободное пространство. Дальше, дальше. Он не побежит. Я вообще никому не нужна.

— Да стой ты!

Сашина рука мажет по моему локтю. Я спотыкаюсь и падаю. Больно. Глупо. Еще и трещит что-то.

— Ну вот куда ты бежала?

Саша тянет меня наверх.

Я вижу, как по подолу растекается осенняя грязь. Боку холодно — шов разошелся.

— Мое платье, — шепчу я.

— Забей! — уверенно говорит Саша. — Это ерунда.

— Какая дурацкая свадьба, — вздыхаю я.

И как я в таком виде пройду теперь через строй белоснежных невест? Танька права, выходить замуж надо в черном.

— Свадьбы всегда дурацкие, — говорит Саша. — Пойдем. У меня есть для тебя подарок.

Я больше ни о чем не думаю и просто иду за Сашей. Для моей будущей свадьбы теперь придется придумать другую систему отсчета. Теперь все будет зависеть не от платья, а от любви. Знаю точно — любовь есть! А значит, будет и свадьба.

УЛЬЯ НОВА

Шрам Мендельсона

1

Фаина, как всегда, сразу все разглядела и поняла. Ведь ее отец был знаменитым ученым-орнитологом, славившимся в научных кругах своей наблюдательностью. Да и сама она с детства присматривалась к птицам и много чего знала о жизни и поведении ворон, голубей и синиц.

Однажды в школьные годы Фаина украдкой вскарабкалась на письменный стол и вытащила с верхней полки отцовской библиотеки увесистый том в потрепанном сером переплете. Через час она уже до мелочей была осведомлена о спаривании галок. Через год она разведала много чего о человеческой близости. После ей приходилось добирать лишь штрихи, а также уточнения некоторых необязательных последствий. Теперь, в свои тридцать, Фаина прищурила глаз и безошибочно узнала особую сизую вуаль на личике Вари. Как если бы на голову фарфоровой статуэтки накинули пыльный шифон, от которого с каждой минутой нарастает удушье и легкое головокружение, придающее окружающему нарастающую неустойчивость. Фаина бессовестно заглянула в глаза не единственной и не самой любимой подруге, как мельком заглядывают в графин или в лабораторную колбу, чтобы убедиться. И она убедилась: все так. Во влажных зрачках — затаенный, мечущийся страх попавшейся в западню. Фаину невозможно было провести оживленным рассказом о конвертах для приглашений. Или расспросами насчет аренды кабриолетов для свадебного кортежа. Белое, белое, белое. Чистая и нетронутая белизна бумаги. И все же ни лайковыми перчатками, ни заколками с флердоранжем, ни крепдешином, кружевом и голубями, выпущенными в небо, нельзя было отвлечь Фаину от главного. Она уже несколько минут сидела, отодвинув тарелочку с пирожным и высокий стакан с горячим шоколадом, который остывал и становился приторной жижей. Выпрямила спину до хруста позвонков — подобное напряжение всегда придавало ей чуткость и точность тщательного сфокусированного прибора. Фаина отлично знала о Варином преподавателе по испанскому, который иногда звонил подруге, а потом неожиданно пропадал на неделю, на месяц. Знала и о сокурснике, который все же уехал на стажировку в Швецию или куда-то там еще, но по-прежнему иногда писал Варе за полночь, намереваясь длить тоненькое капроновое чувство без обязательств, без обещаний. Фаина прищурилась, безжалостно всмотрелась в утончившееся, встревоженное лицо и убедилась, что Варя не беременна. А потом, сквозь сизый шифон, прочитала, что это не сердечное ранение какой-нибудь из неоправдавшихся иллюзий. Нет, на лице подруги, без сомнения, был так знакомый Фаине морок тщательно скрываемого отчаяния и удушья. Холодок совершающегося пророчества, оторопь прикосновения к судьбе. И тогда уж окончательно ничего не надо было объяснять о тревоге помолвленных, о завороженности угодивших в свадьбу.

Фаина навсегда запомнила, как школьным летом, в наплывающей сини дачного вечера часто слышала сдавленные всхлипы соседки. Муж бил ее почти каждый день, бессловесно зверел по пустякам, хватал рулон кальки для выкроек и колотил, колотил, выбирая для ударов скрываемые платьем бедра, прикрытые резиновыми сапогами лодыжки. Однажды Фаина все же отважилась, пробралась сквозь мелкий моросящий ливень под яблонями соседского сада и заглянула в темное низкое оконце их дачи. Всмотрелась сквозь тюль и увидела там только тьму затаившегося дома. А потом, кажется, услышала сдавленные рыдания соседки, безвыходные всхлипы, полнящиеся синей судорогой судьбы и безвыходностью, как будто в их покосившемся фанерном домике никогда не было и не будет ни дверей, ни окон. Как будто западня совместной жизни будет длиться вечно в повторяемости вспышек его гнева, глухих точных ударов, саднящих кровоподтеков.

Теперь Фаина пропускала мимо ушей рассказ о Вариной погоне за платьем. За свадебным платьем, соответствующим воображаемому с детства платью-мечте, платью об идеальной любви, мечте с балетным кринолином капустной белянки.

Ничего не хотела знать о погоне за облачением на один день, суетливо охотясь на которое на самом деле так легко убегать от саднящего окончания девичьих грез, так легко спасаться от утраты ожиданий новой весны. Искать платье и на самом деле бежать навстречу своей неизвестности, без дверей и окон. Серая вуаль медленного и неукротимого воплощения одной свадьбы, как одной-единственной смерти или одной из нескольких предстоящих смертей, но все равно губительная для неуловимых, не всегда оправданных ожиданий. Кружить по салонам города, спешить под мелким осенним дождем. Нетерпеливо барабанить костяшками пальцев по щитку равелевское болеро, пропускать толпы на светофоре, не встретить и в следующем салоне свое единственное с детства платье с невесомой юбкой-безе и жестким тутовым корсетом. А болеро нарастает, все громче и четче, грозно вовлекая в воплощение, в приближение заветного дня. И на Варином лице сияет фальшивая улыбка и сереет мертвенная маска угодившей в свою судьбу-свадьбу.

Вот почему Фаина без предисловий перешла к делу. Отбросила всякие условности, весь этот этикет тактичного словоблудия двух неблизких подруг. Она умолкла, перестала слушать, прекратила воодушевленно кивать. Потом уткнулась в набитое, позвякивающее и похрустывающее нутро бирюзовой сумки. И очень скоро величественным жестом герцогини, предполагающим подчинение, извлекла и пододвинула Варе через стол сиреневую визитку. Один из учеников отца, такой смешной, немного похожий на клоуна, а на самом деле подававший большие надежды молодой исследователь лебедей, которому пророчили большое будущее, вдруг как-то поспешно и целеустремленно поступил на вечернее отделение медицинского факультета. Экстерном прошел обучение за три с половиной года. И, кажется, уже тогда начал усовершенствования, получил грант для создания нового поколения титановых имплантатов. Фаинин отец хмуро промычал однажды, что этому парню еще не раз повезет. И чуть тише добавил: «Потому что у него светлая голова».

— И теперь нам с тобой нужно немного подправить ситуацию. Просто подстраховаться, чтобы восстановить обратимость, понимаешь? — пробормотала Фаина. — Нет-нет, ты, пожалуйста, не волнуйся, мы ничего не нарушим и никого не спугнем. Ни одна живая душа никогда не узнает, даже не догадается.

Пропела вкрадчивым голоском старшей сестры. Чуть настойчивее подтолкнула Варе визитку — тоненькой когтистой лапкой между блюдечком и чашкой. А к этому прибавила жестче, с незнакомой настойчивостью, не предполагающей обсуждения:

— Операция займет от силы сорок минут, под местным наркозом. Обратимость вернется. У тебя всегда будет выход. А розы вырастут сами, вот увидишь. И, конечно, не прикидывайся — ты отлично понимаешь, о чем я.

2

После похорон жены дедушка Савелий ходит на кладбище каждый день вот уже три года — так говорили его соседки-дачницы. Не пропускает ни дня, уверяли они, ни одного дня, включая выходные и праздники. Обычно он отправляется туда после позднего обеда или ближе к вечеру, чтобы дождаться наедине с тишиной захода солнца — вот какая любовь. Они прожили вместе сорок один год, и теперь каждый день, в один особенный миг, будто все же осилив, будто очнувшись от оторопи, в которую обернулась жизнь без нее, дедушка Савелий решительно хлопает себя по коленям. Чуть трясущимися костлявыми ручонками прилаживает на дверь домика тяжеленный ржавый замок. И усердно шаркает к своей единственной по тропинкам, тротуарам, велодорожкам, а потом уж по кромке шоссе, придерживая кепарик, чтобы головной убор не сдуло настойчивым ветром от проносящихся мимо фур и автобусов.

Давным-давно поняв эту привычку дедушки Савелия, соседки не считают его ежедневные походы на кладбище заскоком или чудачеством, а принимают с молчаливым и уважительным пониманием. После всего, что произошло, после ее долгой болезни и той последней зимы, когда он один пытался ее выхаживать в этом самом домике, ему теперь необходимо побыть одному, помолчать с той, которая всегда была рядом, среди тишины соснового парка, среди бесшумного листопада редких осин кладбища. Соседка справа была уверена, что ежедневные свидания — особый ритуал воспоминаний и стыдливых старческих слез. Дедушка Савелий не возражал. А на сдержанные советы соседки слева, которая упрашивала не мучить себя, а лучше все-таки съездить к сыну или пригласить внучку на лето, он лишь грустно покачивал головой. Вряд ли эти румяные добродушные дачницы догадывались, что каждый день он на самом деле убегал от стен с узорами обоев, в которые мелкими бобовыми корнями вплеталось множество минут и слов. Мелкие корешки минут, цепкие тоненькие усики-слова держали его так крепко в горестной и беспросветной растерянности. Ведь это теперь и была его единственная жизнь. Но дедушка Савелий все равно справлялся, решительно хлопал себя по коленям, на некоторое время освобождался из паутины прошлого и все-таки убегал подышать смолистым закатом, мокрым песком и хрустальными капельками, свисающими с веток сосен.

Каждый день дедушка Савелий спускался по деревянной лесенке, жевал песок шажками, пыхтел к сухому дереву, которое умерло, упало и с тех пор служило дикой скамейкой, обросшей по краям кустиками облепихи и гербарием сухих трав. Дедушка Савелий, морщась, кое-как присаживался на посеревшее от дождей бревно. Укладывал кепарик на колено. Обозревал пустынный берег. Заглядывал в даль моря, где ниточка ртути тянулась, неуловимо мерцая, темнея до антрацита по краям. Никого в целом мире не касалась правда: каждый день он приходил на берег моря и с радостью забывал здесь обо всем на свете. Убегал отовсюду, бессовестно переставал думать об умершей жене, выпускал из памяти сына и женщин, среди которых этот парень окончательно заблудился, больше не ждал звонка от двух закадычных приятелей из ремонтной мастерской. Смотрел вдаль, неожиданно вытряхнув из себя всю случившуюся жизнь, будто опилки из нутра игрушечного вельветового медведя. Только упоительная, почти недозволительная прозрачность вечернего воздуха.

Только уходящий вдаль песчаный берег. Переливчатая, свинцовая гладь вод, проникающая в душу ультракаиновой анестезией. И солнце, которое вот-вот качнется и беспрепятственно покатится на закат, каждый раз незаметно вытягивая, вызволяя вслед за собой из широкого морского рукава ночь. Дедушка Савелий смотрел вдаль, ненадолго осмелившись видеть только волны, только неторопливые парочки, прогуливающиеся в обнимку по мокрой полосе песка. А потом снова начинало простреливать и саднить в левой лопатке. Он поеживался, морщился, пытался найти положение, чтобы не чувствовать нарастающее неудобство. И каждый раз в спине начинало тянуть, отвлекая его от созерцания волн, а потом и вовсе заставляя опомниться, устыдиться, кое-как приподняться и поскорее возвращаться назад.

3

— Операция Мендельсона длится около часа. Под местным наркозом производятся два вертикальных надреза, не более полутора сантиметров каждый. Топографически они располагаются на уровне ости, вдоль медиального края лопаток, — вежливо чеканила администратор клиники. И Варя замерла, завороженно наблюдая за руками этой женщины. Ухоженные, моложавые, с аккуратным лиловым лаком на ногтях. Дизайнерское кольцо с тремя полудрагоценными камнями. Еще одно широкое кольцо из белого золота — обручальное или просто на память, для красоты.

— Немного расскажу об имплантатах, а точнее — о «крыловидных имплантатах Мендельсона». Их нужно выбрать заранее. В ассортименте продукция трех крупнейших фирм-производителей. В зависимости от материала и свойств цена колеблется, но я бы посоветовала простое и проверенное, средней ценовой категории. Я вам потом подчеркну в буклете. Стержень крыловидного имплантата погружается в разрез на глубину не более трех миллиметров. В зависимости от производителя и от свойств материала заживление происходит в течение двух недель. Крыловидная часть надежно фиксируется к лопатке специальным лейкопластырем на срок до двух месяцев.

Варя поежилась, вспомнив, как прошлым летом, в самый разгар июля, по залитой солнцем улице трусила кошка. Чуть пригнувшись к тротуару, серая пятнистая кошка бежала по брусчатке, потом торопливо пересекла трамвайные пути. Она тащила в зубах крыло голубя. В золотом, солнечном воздухе, перемешанном с пыльцой, жарой и пылью, это сизое, чуть раскрывшееся крыло смотрелось как страшный дар. А еще как нечаянно явившееся на глаза предзнаменование, подробности и смысл которого не хотелось знать.

— В клинике осуществляется стационарный послеоперационный контроль за заживлением, — новая волна информации захлестывала Варю отблеском ртути и серебра. — Я бы порекомендовала показываться каждый день. Потом будет достаточно приезжать сюда раз в неделю. В комплект услуги входит два контрольных анализа крови, микробиологическое исследование, биохимический анализ экссудата после снятия швов. Осложнения случаются крайне редко. Вы же наверняка обратили внимание, что за последние годы трансплантация органов и тканей шагнула вперед. Поэтому бояться не надо. Клиника дает гарантию на три года.

Администратор, вызубрившая невидимый буклет операции, которую никогда не рекламируют в женских журналах, а в закрытых сообществах называют не иначе, как «крыльями обратимости», чуть наклонила голову. Невысокая, белокурая, она умело скрывала за чуть съехавшими на нос очками накопившуюся за неделю усталость. Не дождавшись ответа, не прочитав по Вариному лицу ничего определенного, она продолжила с чуть уловимой рекламной настойчивостью:

— Взвесьте все за и против, хорошенько обдумайте, у вас есть несколько дней. А чего думать: вы заручаетесь обратимостью на ближайшее десятилетие, можете спокойненько двигаться навстречу судьбе и свадьбе. Крылья надежно фиксируются специальным лейкопластырем к лопаткам. В крайнем случае пластырь можно поменять, контролируя излишнюю подвижность и активность крыла. Очень важное уточнение: никто из гостей точно ничего не заметит сквозь свадебное платье, тем более если будет фата. Ваш избранник ни о чем не догадается. Очень скоро он ко всему привыкнет. А со временем, но это уж забегаю вперед, он вообще перестанет замечать какие-то там крыловидные подробности. Просто не будет видеть, что там у вас за спиной. А вот фату я бы посоветовала покупать после процедуры. К тому же вы всегда можете накинуть на плечи пелеринку, меховое болеро. Ах, болеро-болеро, не правда ли, вот самая подходящая мелодия для объединения двух личностей, двух судеб в одну? Думайте, девушка, у вас еще есть время. На всякий случай давайте условимся: созваниваемся в четверг, в первой половине дня.

У этой женщины были сладкие, навязчивые духи. Цитрус и сирень еще долго преследовали Варю, возвращали ее мысли к обратимости, к пластырю, фиксирующему на лопатке крыловидную часть имплантата. Сирень, цитрус, мед, солнечная паутинка. Кошка, бегущая по улице с крылом в зубах. Варя уже предчувствовала оледененную анестетиком щекотку неглубокого надреза. И спокойствие притаившегося за спиной аварийного крыла уже казалось ей необходимым. Неминуемым.

4

Над морем дрожало пронзительное и прохладное небо. Неохватно-голубое, рвущееся в грудь бескрайним изумлением. А море под ним умиротворенно струилось к берегу мелкими грядами синих и сизых волн. Дедушка Савелий, как всегда, до конца не верил в это бескрайнее прохладное пространство. Почти полностью растворившись в мгновениях берега и волн, он с удовольствием щурился по сторонам и украдкой наблюдал редкие прогуливающиеся у моря парочки. С деревянной лесенки выкатилась девочка в синей юбке, обшитой по подолу чем-то сверкающим. За ней по песку звучно прошаркал квадратный парень в кожаной крутке. Потом на широкой полосе безлюдного пляжа возникла блондинка в синих сапогах, на каждом шагу старавшаяся обуздать рвущийся в солому волос ветер. Дедушка Савелий отвлекся на шамкающую и шуршащую музыку их шагов по песку, следил за бегом девочки, приглядывал за тем, как она приседает за камешками, ракушками, выброшенной на берег медузой. Дедушка Савелий засмотрелся на далекую, ускользающую за горизонт баржу и не заметил, как перед его глазами на берегу по неведомому мановению развернулась сцена.

На фоне моря и песка незаметно возникли два фотографа, торопливо вытащили оборудование из сумок и большущего чемодана. Быстро установили на песке черные массивные треноги, и уже щедро выпускали в воздух снопы бархатного фиалкового дыма. Дым расползался по сторонам, клубился шифоновым шлейфом, выстилая небо и заслоняя неуловимой фиалковой лентой обнявшихся молодоженов. Платье-мечта с пышной балетной юбкой, платье об идеальной любви заполнило своей белизной все бескрайнее пространство. Невесомая парча лепестками вспрыгивала на ветру, когда невеста, позируя фотографам, исполняла на фоне берега и неба лебединый танец свадебных объятий. На каждой фигуре она делала осознанную остановку, создавая статую, подчеркивая непостижимое изобилие этого дня. И все же, позируя для семейного альбома, создавая письмо в будущее, невеста немного увлекалась, упоительно пританцовывая от легкости, утопая в своем долгожданном белом торжестве. Тоненькая фата трепетала и поблескивала на ветру. Фотограф запустил вторую шашку. По берегу поплыл бархатный синий дым, укутывая жениха и невесту, будто статуэтки свадебного торта, в струи клубящихся завитков и орнаментов.

Варя исполняла свой лебединый танец, свой свадебный менуэт легко, невесомо. Прижималась к плотному хитину пиджака и замирала на минуту, на две, навеки. Обнимала за шею, клала голову на плечо, чувствуя на щеке синтетически-капроновый запах фаты, напоминавший ей утраченный запах школьных лент на линейках и утренниках. И от этого будущее распахивалось белым, пронизанное этим прохладным небом. И Варя замирала, успев уловить краем глаза убегающий вдаль берег, дюны, сосны. И вечное, неторопливое, безостановочное шествие волн к берегу. Невозмутимый, не прерывающийся ни на минуту великий марш моря-времени. Синий дым застилал мягкими бархатными клубками щурящихся на ветру фотографов и их маленькую подвижную ассистентку в дутой курточке. Гости, столпившиеся на смотровой площадке, терпеливо ждали и любовались сверху на эту пару, на сцену фотографирования, развернувшуюся на фоне моря самодостаточной, сиюминутной красотой кино. Варя легко, по-балетному размыкала объятия, заглядывала в даль берега, расправляла за спиной фату. Потом она снова прижималась к плечу, чувствовала горчинку табака и мускатный одеколон, от которого берег и песок начинали медленно уплывать из-под ее новеньких белых туфель. Тогда она поспешно сплетала пальцы, накрепко вплетаясь своей рукой в его мягкую теплую руку. И они вместе летели, танцевали и кружились среди сосен, волн, синего дыма и песка.

Дедушка Савелий все никак не мог оторваться, завороженный зрелищем, которое будто и развернулось на берегу для него одного. Поначалу он пытался защититься шутливым ворчанием, но потом все же запнулся, угодил, утонул. И почти уже начинал испытывать особенную свадебную надежду, дурманящую чистоту начала, нетерпение и предчувствие новой главы, новой жизни. Белые парчовые лепестки платья, развевающиеся на ветру, заражали и его ожиданием и ничем не оправданным обещанием будущего.

Невеста неторопливо меняла фигуры танца-фотографирования. Жених послушно перемещался, дополняя кадр убежденной точностью спины и плеч. Дедушка Савелий, увлеченный зрелищем, окончательно сдался, дал слабину и все же вспомнил тот вечер, когда они спешили на выставку фотографий. Астра в коротких шерстяных шортиках и шелковистых кашемировых колготках от восторга кошкой прыгнула на софу прямо в ботинках с огромными деревянными каблуками. И несколько минут, напевая и хохоча, прыгала на скрипящей софе в каблуках и шортиках, на фоне распахнутого окна, где рассыпался, раскатывался нарастающий щебет и майское ликование пичуг. И все было у них еще впереди, все в самом начале. И золото листвы норовило заполнить собой эту маленькую комнатку и всю их последующую жизнь, без остатка. Дедушка Савелий утер ладонью глаза. Море как будто слегка потемнело. Невеста по-прежнему невесомо и упоительно меняла фигуры танца. И тогда он вновь почувствовал эту знакомую щекотку, а потом стягивающую, ноющую боль в левой лопатке. Как всегда, поморщился. Потом поспешно приладил на голову кепарик. И через несколько минут уже шамкал шажками по берегу, враз на память оглядывая молодоженов и чуть заметно качая головой самому себе. Судя по твоему легкомыслию, милая, добродушно шевелил он сухими губами, кое-как взбираясь по деревянной лесенке, в клинике тебе тоже не сказали главное. Ведь не все говорят нам эти врачи. И об этой операции тоже скрывают кое-что важное, милая. И не потому, что считают это незначительным, а совсем по другой причине. Ты сама подумай: свадьба, медовый месяц, нежность, объятия, первые годы вдвоем — все это не проходит бесследно. Организм человека такая необъяснимая вещь. И все имеет свои последствия. Что-то меняется в крови от этой нежности, от этой свадьбы, от этого меда. Наверное, как теперь пишут в газетах, снижается иммунитет, возникает привязанность, а потом привыкание. Организм поддается, слабеет, и в итоге всегда приживается только один имплантат. А на месте второго со временем останется только шрам. Шрам Мендельсона. И никакой обратимости не будет, и никакого выхода на самом деле не существует. Если только это настоящая свадьба, а не какая-нибудь там фальшивка по расчету или от скуки. И ты тоже, милая, никуда не улетишь из этой судьбы. И я никуда не убегу, даже убежав к морю. Потому что всегда приживаются только два аварийных крыла — на двоих…

ОКСАНА ЛИСКОВАЯ

Живая музыка

С одной стороны

Мама у меня была женщиной веселой и назвала меня Игнатия.

...И Вадик, растянув свой рот в лучезарной улыбке, спросил меня: «Выйдешь за меня замуж, Ига?» Я кивнула. Так мы начали готовиться к свадьбе.

Совсем с другой стороны (с нехорошей)

На свадебный стол в ресторане «Счастливые озерки» забралась крыса. Не то чтобы ей не хватило еды на кухне, но стало скучно, и она, унюхав суету в банкетном зале, поняла — будет свадьба. Залезла на стол, покрутилась и улеглась поспать.

С одной стороны

Я проснулась рано-рано и стала вспоминать, все ли у нас устроено как надо. Потом моим подругам придется хвастать перед чужими подружками, а им перед другими подружками, которые не были у нас на свадьбе, потому что мы решили отмечать ее по-семейному. Мама сказала, что постарается не прийти на свадьбу, потому что Вадик ей не нравится и, скорее всего, его непременно убьют на помойке. Черт возьми! Мы поругались, но это не помешало ей помогать выбирать мне свадебное платье и фату. Мама сказала, что платье должно быть прагматичным, и мы купили маленькое белое платье и длинную узкую фату. Не скажу, что мне не шло все это, я плоская красотка, на меня что ни надень, все круто. Но тайком от мамы я сгоняла в один московский магазин (а сама я из глубокого Примосковья) и купила себе совершенно роскошное серое платье с вышитыми розами на огромной пышной юбке и тонких рукавах, оно точно соответствовало моей мечте, поэтому денег, которые мне вручил будущий свекр и его бабушка, хватило и еще осталось, в этом же магазине я накупила шикарных голубых галстуков для свекра и его трех братьев, которые тоже собрались к нам на свадьбу. Я решила быть прикольной и купила себе оранжевые колготки, перчатки и бюстгальтер. Тайком от всех я решила, что этого белья вполне хватит, потому что, как я прочитала в одном женском журнале, девушка должна идти на всякие эротические авантюры. И в самый разгар веселья на свадьбе я собиралась шепнуть своему новоиспеченному муженьку, что трусиков на мне нет, и тут-то бы и началась наша прекрасная брачная ночь. Не то чтобы все остальные наши ночи были не прекрасны, но все-таки должно же быть что-то особенное именно в день свадьбы.

Я — человек педантичный и все продумала заранее. И не только продумала, но и записала себе, что нужно делать, до того как мы приедем в ресторан. Утро было расписано у меня довольно подробно от умывания до надевания серег и чулок, но после разговора с мамой, которая сказала, что обязательно приедет в загс, потому что у нее предчувствие дурного и она намерена меня спасти, если это дурное проявит себя, уже в машине, после странных заигрываний свидетелей с нашими лавочными бабками, я обнаружила, что надела трусы, но какие именно, вспомнить никак не могла. Я решила, что в загсе зайду в туалет и сниму их, чтобы все шло по плану.

С другой стороны

Когда ко мне вбежала Игнатия и спросила, не приду ли я на ее свадьбу в «Счастливые озерки», чтобы сыграть на гитаре, потому что все свадьбы одинаковые, а она хочет совершенно необычную, не только с живой музыкой, но с музыкой от лучших друзей, я немедленно согласилась, так я обалдела. Игнатия скакала вокруг меня, рассказывала, что свекр и бабка свекра дали ей много денег, чтобы она купила себе любое платье, самое наилюбое платье из самой Москвы, и что приготовления идут полным ходом, что она счастлива, что мама ее не придет на свадьбу, потому что считает, что Вадик урод и бандит. Честно говоря, мама Игнатии была недалека от истины. Про Вадика и его отца ходили разные слухи, никто толком не знал, откуда у него столько богатств и вообще всего такого, что к этому богатству прилагается. С другой стороны, любая из нас вышла бы замуж за Вадика. Он был прекрасный, настоящий зайчик, лапочка, прямо создан для девочек. Я согласилась и села репетировать музыку, чтобы не опозориться перед Вадиком. В чем же идти на свадьбу — на гитаре играть? С другой стороны, Игнатия совершенно не представляла, как я играю на гитаре, а в этом заключалась страшная закавыка. Играла-то я давно, но выучить смогла только один перебор: то есть я дергала сначала шестую струну, потом первую, вторую, третью, шестую, третью, вторую, первую, вторую, третью, шестую… Это все, что я умела на тот момент, когда Игнатия наняла меня гитаристом на свою свадьбу. И я попыталась разучить песню из фильма «Служебный роман» про погоду. Ничего не вышло, тогда я решила скачать в Интернете кем-то записанный гитарный вариант и как-нибудь тайком включить его на телефоне, а самой изображать это дело на гитаре — то есть попросту делать вид, что я играю как бог. Так я придумала выкрутиться, успокоилась и вернулась к своему перебору и вопросу «что надеть?».

С одной стороны

Возле загса тоже были только свои — будущий свекр, зареванная свекровь, зареванная моя мать, бабушка свекра с зонтом и голубом галстуке поверх блузки с желтыми кружевами, Софка с гитарой, мой брат с проколотым пупком навыпуск и Вадик в бордовых шортах, жилете и сиреневой рубашке. Свекр и его братья были в футболках, но галстуки все равно надели. И был кто-то еще, кого я совсем не знала, да и плевать мне было на этих людей, которые сбились в кучки и болтали. Времени было до фига, и я попросилась в туалет, чтобы выполнить свой замысел.

С другой стороны

— Скажите, а взяли паспорта, всегда бывает, что молодые забывают паспорта. Я много раз об этом читала! — закричала я, когда Игнатия побежала, задрав шикарную юбку от платья, чтобы не грохнуться на лестнице загса раньше времени, в тубзик.

— Софка! Что ты говоришь? — закричал Вадик и полез в машину, выставив свою задницу наружу.

Вылез он из машины не таким оптимистичным.

— Хотите сыграю вам? — неожиданно предложила я и стала стаскивать гитару с плеча.

— Нет, — сказал побледневший Вадик, — паспортов нет. Наверное, мы их забыли.

— Не паникуй, сынок, — закричал Вадиков папа.

— Правнучек, не бзди! — закричала бабка Вадикова папы.

— Для этого и нужны братья! — снова заорал Вадиков папа и, вынув из кармана ключи, бросил их одному из своих братьев и сказал, что расскажет, где лежат паспорта молодых, а все паспорта, по его словам, были оставлены в квартире жениха, как положено, в одном месте, чтобы не искать, когда тот приедет в квартиру. Брат Вадикова папы поправил галстук, сунул ключи в карман, сел в машину и уехал.

Все расслабились, разбрелись по кучкам и стали трепаться, я поправила гитару.

— Смотрите, — я вцепилась в рукав кого-то, — ключи от квартиры, он их выронил.

Народ замер, зацепился взглядом за моим пальцем и увидел, что ключи от квартиры валяются на асфальте.

— А где Игнатия? — громко засипел Вадик. — Она уже давно ушла.

— Не бзди, правнучек, — откликнулась бабка Вадикова папы, — не таких женили!

Но правнучек, похоже, игнорировал ее совет, и вокруг него стало тихо и пусто.

— Софка, дай эту свою бандуру и сходи за Игнатией! — нервно вскрикнул он и упал в обморок.

Тут я уронила на Вадика гитару, полезла в карман за телефоном, чтобы вызвать «Скорую», но со всех сторон в свои телефоны уже орали:

— «Скорая»!

— Жениху плохо.

— Упал парень.

— Невеста пропала.

— Ресторан заказан.

— Паспорта исчезли.

— Лет ему полных?

— Фамилия?

— Лежит не один.

— Гитарой убило.

Я подумала-подумала и побежала в здание загса за Игнатией, заодно и сама посмотрю, как я выгляжу, а тут от стресса еще красными пятнами пойдешь, да так и останешься.

В загсе было мирно и прохладно, повсюду стояли приличные бело-черные женихи, невесты, их родня и друзья, все они почему-то не говорили громко, как будто были в палате у больного, а шептались, целовались, утирали красивыми платочками слезы матерей и отцов, вынимали трусы из попы прямо на глазах остальных и посматривали на большие розовые двери, где, очевидно, те, кто дождался своей очереди, уже обещали друг другу всякие приятные вещи. Я спросила, где здесь туалет, и, получив тихий ответ от белой невесты, побежала туда как можно тише, чтобы соответствовать.

Игнатия была там. Она стояла, согнувшись пополам, и пыхтела. Я тоже слегка к ней нагнулась.

— Игнатия.

Игнатия распрямилась и треснула мне головой в челюсть. Не буду описывать то, что я почувствовала, одним словом, когда я поняла, что все еще жива, то отказалась играть на гитаре в связи с травмой. Игнатия, приложив к моей челюсти куль холодной мокрой туалетной бумаги, тихо зашептала:

— Софка! Понимаешь, сначала я пошла в туалет ради идеи, но теперь мне просто чисто физиологически уже надо. Очень надо. А я с этими юбками не могу справиться. Будь другом, сними мне трусы и…

Я вытарщилась на Игнатию. Она вообще всегда была с приветом, но чтобы так… я отпрыгнула и заперлась в кабинке.

— О! Софка-Софка! — завопила Игнатия. — Ты же мне подруга…

Я молчала. Я ничего не понимала, но решила не выходить пока.

С одной стороны

Чертова подруга! Спряталась в такой неподходящий момент. Я побарабанила в дверь кабинки и поняла, что Софка что-то не то поняла, ей больно, она в шоке. Болевой шок. Ладно. Пойду попрошу Вадика, в конце концов, он уже давно мне не мальчик, не муж, но и не жених, если честно-то. Я выскочила на улицу. В той стороне, где стояли наши машины и наши люди, была еще и «Скорая помощь». Врач с оранжевым чемоданом мирно шел к ней, сияя своей световой полоской на ярком солнце. Вот кто мне поможет! Им же что? А мне для идеи нужно, остальное я переживу!

— Доктор! — завопила я что есть мочи и рванула к нему, но оказалась в объятьях будущего свекра с одной стороны и своей матери с другой.

Доктор перешел на бег и скрылся в машине, аккуратно закрыв большую дверь «Скорой».

Совсем с другой стороны (с нехорошей)

Киллер, которому было велено напугать Вадика, отец которого задолжал большим людям слишком большие деньги, был как-то не в духе. Во-первых, он не любил этот вид работы: ну что за фигня? Напугать. Зачем вообще пугать того, кто должен большим людям большие деньги? Время киллерское попусту тратить. Во-вторых, а если не поймут или не напугаются? Ну, отстрелит он Вадику ухо, как по гонорару, ну и что? Вяло он собирался на свою работу, ехал к ресторану «Счастливые озерки» с большим запасом бутербродов и кваса, все ему казалось не мило в этот день. Не хотелось ему пугать людей, хотелось как-то работать по профессии, хоть она и была уже не в моде.

С одной стороны

— Игнатия! Где ты была? — орал будущий свекр.

— Не отдам! — вопила моя мама.

Вадик почему-то лежал на асфальте, под головой у него был мой — невестин букет, а рядом валялись наши паспорта.

— Что это? Что тут? — заорала я в ответ. — Почему документы на асфальте, — как можно! Непорядок! Так их любой подметет, и мы не поженимся!

Свекр немедленно отцепился от меня, рванул к документам, а его брюки рванули ну… эээ… да, на свекровой заднице.

Мать дернулась, начала смеяться во все горло и отцепилась от меня.

Вадик посмотрел на меня каким-то неординарным взглядом, и тут я поняла, что очень люблю его, и мне наплевать на порванные будущим свекром брюки, из которых торчали васильковые трусы, на мою эротическую идею и на изломанный невестин букет, я просто хочу за него замуж. Сильно! Вот прям за такого этого, с неординарным, прямо скажем, идиотским взглядом.

Свекр держал в руках наши паспорта и мою мать, которая от смеха не знала куда себя деть и вроде как взяла свекра под руку, чтобы не видеть его оборотную сторону.

— Не бзди, Игнатия! — воодушевила меня боевым кличем бабка Вадикова папы. — Мой правнучек еще о-го-го!

Я решила последовать ее совету и, пнув гитару подальше, заорала:

— Стройся все! Вадик, подъем. Софка в туалете с травмой! Пошли спасать.

Что за дурь я выкрикнула и почему, теперь уже трудно сказать, тем более что Софка в тот роковой момент пинания ее гитары, держась за челюсть, старалась не ржать над свекром, как это делала моя мать. Она, покрутив у виска пальцем, подняла гитару и построилась. За ней построились остальные, и мы пошли в загс. Такие как есть, в любви и согласии.

Со стороны мироздания

Много людей приходит закрепить свои отношения в красивом загсе с розовыми дверями. Разные приходят люди. Вот толстяк с порванными на заду брюками. Вот девушка с гитарой и прижатой к челюсти туалетной бумагой. Вот старая (просто мумия) бабка в кружевной блузе и в голубом галстуке. Вот жених, бледный как… смерть, извините, с идиотским взглядом и листьями разных растений в свадебной прическе, к тому же у него, как это часто бывает у женихов, не очень красивый костюм. Вот рядом с ним прыгающая невеста, которой не терпится охомутать этого бледного идиота. Вот все они… пойдут сейчас отмечать свою свадьбу, которая начинается не здесь, а чтобы вы знали, здесь свадебная середина, так сказать, переломная точка, когда свадебная процессия, уже порядком одуревшая, делает, что им говорит один-единственный нормальный человек в этом месте — сотрудник загса, регистрирующий их брак. Он один сочувственно и торжественно дает этой комедии поехать в ресторан «Счастливые озерки». В нашей-то глуши это самый дорогой ресторан, не каждому под силу. Ну… ничего, сейчас уже последние секунды, я увижу рваный зад этого толстяка и позвоню киллеру, что клиенты едут.

— Совет вам да любовь. Можете поцеловать невесту.

С одной стороны

— Вадик, солнышко, давай потом поцелуемся, пожалуйста, сними мне трусы, не могу больше, а сама не могу. Ты же муж мне уже.

Вадик, не изменивший своего все еще идиотского выражения, но вполне оживший, схватил меня на руки и понесся куда-то.

— Игнатия! Игнатия! Ига! — кричал он по дороге.

Откуда у него тогда на это хватило сил, я не знаю, хорошо не уронил меня по дороге до кустов за загсом, на полянке. Туда мы и свалились вместе. И тут я уже объяснила, в чем моя идея. Вадик стал серьезным и вдруг сказал:

— Столько терпеть опасно для здоровья.

Тут он залез под мои пышные юбки — совершенно чумовое платье! И, предварительно чихнув, наконец дотронулся до меня своими пылкими пальцами.

— Спрятать? — спросил он, разглядывая мои старые, потертые, в бабочках, трусы.

— Выкинь и отвернись, я тут, в кустах. Надоело в загс бегать.

Вадик учтиво пошел в сторону помойки, чтобы выкинуть в большой помойный бак мое несвадебное имущество. Нас ждали «Счастливые озерки».

Совсем с другой стороны (с нехорошей)

Киллер видел в свой окуляр, что свадьба ввалилась в ресторан. Что свадьба стала рассаживаться за стол. Что какая-то часть свадьбы стала хватать еду с тарелок, а между тарелок почти у самого свадебного торта подняла голову и попыталась встать крыса. Киллер хихикнул, откусил от бутерброда изрядный кусок, быстро прожевал его и стал целиться крысе в ухо. Крыса подняла голову, оценила ситуацию и решила аккуратно забраться внутрь торта, чтобы не пострадать в свадебной толпе. Она привстала и поползла к своей цели. Киллер подумал: «Однако куда ж это она».

С одной стороны

Я решила нарушить традиции и начать с торта.

Наша семья стала рассаживаться. И тут вспомнили про брата свекра. Свекр постучал по бокалу и сказал: «Ща!» Он достал мобильный телефон, потыкал туда пальцем и заорал:

— Брат, милый, ты вошел в квартиру? Уже не надо…

Мы с Вадиком пробирались на свое почетное место к торту и не слышали суть разговора, мы услышали только вопль свекра, после которого все неожиданно заткнулись:

— Это что же, были те самые ключи?

Свекр после этой фразы замолк и треснул себя по лбу свободной рукой. Очевидно, брат сказал ему что-то неприятное.

— Что же случилось? — заорала моя мать. — Игнатия, я не выдержу!

— Мама, помолчите, — заорал Вадик в ответ.

— Я не твоя мать, — парировала моя мать.

Свекр обвел взглядом замерших участников нашего бракосочетания и спросил:

— Кто-нибудь подобрал ключи с асфальта?

Бабка моего свекра села, поправила свой голубой галстук на блузе.

— На хрен все ваши проблемы, — сообщила она тихо, — давайте кушать.

— Кушать! — подхватила вся компания и засуетилась, заглушая свекров разговор и повторные шлепки по лбу.

Мы с Вадиком сели за стол. Мне показалось, что я не только люблю Вадика, но и сильно хочу есть. Торт был прямо перед нами, и мы практически перестали видеть всех остальных. Я взяла ложку из ближайшего блюда с салатом, облизала ее и засунула в торт. В тот же момент что-то громыхнуло, над столом взлетела огромная крыса, растопырив лапы во все стороны и неприлично изогнув хвост. Вадик побледнел и завизжал. Крыса медленно грохнулась в торт, прямо туда, где стояли сахарные голубки.

Со стороны мироздания

Еще несколько месяцев местные газеты освещали свадьбу в ресторане «Счастливые озерки». Так, что все, кто был и не был свидетелем странного взлета и падения обычной серой крысы, могли с разных точек зрения узнать всякие интересные подробности не только от очевидцев, но и от их друзей и друзей их друзей, по рассказам близких знакомых их знакомых. О том, как были потеряны ключи от машины — подарок молодым, и о том, как жених женился по паспорту брата свекра, а мать невесты пела и играла на гитаре элегии. И о том, что невеста собственноручно накануне свадьбы приготовила торт, в котором почти утонул завсегдатай свадебных церемоний.

АННА АРКАТОВА

Пани Зося

Нашу соседку звали Софья. Бабушка звала ее пани Зося. Потому, что Софья свое имя произносила Зоффя и потому, что бабушка смотрела «Кабачок 13 стульев» и там была пани Зося. Софья была полькой, и она была пожилая. Ей было восемьдесят лет, или семьдесят, а может быть, шестьдесят. Я была девочкой и все, что шло после сорока, называла старостью. У Софьи была такая узкая ручка, как будто на ней не было большого пальца. Бабушка говорила, что это порода. Софья носила серый плащ, и я почему-то всегда думала, что он английский. Во всяком случае, когда речь шла об Агате Кристи, я всегда представляла Софью в сером плаще. Еще у Софьи была нежная обвислая кожа шеи и она не произносила эл. Софья держала двух белых когда-то болонок. У них была свалявшаяся шерсть. Потому, что Софья все-таки была старая и не могла их мыть и потому, что в Софьиной квартире не было удобств. Тогда повсюду было много болонок. Но после Софьиных они почему-то все исчезли и я до сих пор не видела ни одной болонки.

Софья жила напротив, в старинном трехэтажном доме, одинаковом со всех сторон, как кубик. У нее была маленькая двухкомнатная квартира, и туалет был на лестнице, а ванны и телефона не было. Софья жила среди тяжелой мебели, на стенах висели фотографии, выцветшие вышивки и несколько гравюр… До войны в этом доме был довольно популярный бордель, а еще раньше весь этот дом принадлежал Софьиному мужу. Он был польский еврей и имел в Риге кинотеатр и что-то еще, связанное с кино. Он умер сразу после войны. Детей у Софьи не было, а была одна-единственная двоюродная сестра, которая жила в Варшаве. В Варшаву Софья поехать, конечно, никак не могла и только получала из Варшавы посылки с красивыми вещами. Софья приносила их нам, и бабушка кое-что у нее покупала. У меня, например, был зонтик из такой посылки.

Когда бабушка говорила про Софью, она говорила «Софья», а когда Софья шла к нам с посылкой, бабушка говорила «пани Зося». Пани Зося приходила к нам со своими болонками. Сначала она держала их на поводках. Поводки были красные. Они тянули детские Софьины пальчики. И она в конце концов виновато вздыхала и отпускала поводки. Болонки разбегались по комнатам, их заносило на поворотах, потому что паркет был хорошо навощен и бабушка сама два раза падала на нем, поскользнувшись, и два раза ломала себе руку, но мы все равно продолжали вощить паркет два раза в год. Болонки путались в своих поводках и лаяли так, что можно было оглохнуть. Софья, как ей казалось, громко, звала их по-польски. Но болонки не слушались, а скорее всего, они Софью не слышали. Софья проходила на кухню, где они с бабушкой что-то обсуждали. И когда Софья наконец уходила, собрав собак, после них еще какое-то время пахло псиной, и бабушка говорила, что больше не будет пускать Софью с собаками. Но потом опять пускала. А когда готовила что-нибудь на зиму, то всегда давала пару баночек Софье.

Пани Зося умела гадать, и я к ней иногда приходила погадать, а иногда просто так приходила, потому что мне у Софьи нравилось и с ней было легко разговаривать, а дома у нас не особенно все друг с другом разговаривали. У Софьи всегда было бисквитное печенье, красивый розовый чайник, и мы всегда пили чай в комнате. Когда мне сделали предложение, я так переживала, что не знала, какими словами и кому это рассказать. Я пошла к Софье, и Софья разложила пасьянс. Она спокойно спросила, какого цвета его глаза и нравятся ли мне его родители. Я отвечала неуверенно, и Софья сказала, что гадать не стоит, все будет само собой и давай лучше попьем чай с печеньем. И мне действительно было все равно, что там покажут Софьины карты, потому что я очень любила и смертельно хотела замуж.

Через день Софья пришла к нам без болонок и принесла польскую посылку. На этот раз там были две комбинации — черная и лимонная, мужской зонтик, духи и темно-синяя кримпленовая пара — платье без рукавов и жакет. Кримплен был тонкий, без жаккардовых узоров и выглядел как благородная шерсть. Бабушка на этот раз уселась с Софьей в комнате и долго думала насчет костюма. И пани Зося сказала, что она ее не торопит. Все равно ей предлагать больше некому. А бабушка сказала: как Семен скажет. Они еще немного поговорили. И Софья ушла и оставила нам всю посылку. И в этот день что-то случилось, потому что бабушка вдруг перестала со мной разговаривать, и дедушка, и тетя, которая жила с нами. И на второй день они со мной не разговаривали. А на третий день бабушка не выдержала и специально вышла из кухни в середине приготовления обеда и сказала мне: как же так, такое важное событие, как предложение, а первой узнаёт Софья, а не родные люди.

Бабушка стояла на пороге моей комнаты, оперевшись спиной о дверной косяк и заложив руки за спину. Так что когда она начала плакать, то не сразу вынула руки из-за спины, и слезы стали ей капать на воротничок. Бабушка сама шила платья и любила, чтобы на них был белый воротничок. Это была редкость, что бабушка плачет, и я не знала, что говорить.

С тех пор пани Зося к нам больше не приходила, я через месяц вышла замуж и уехала в другой дом. Однажды я встретила Софью на нашей улице, но уже с одной болонкой, которая уже не тянула поводок, а шла медленно, как Софья. Моя тетя сказала мне в тот раз, что она договорилась с пани Зосей, что если что, — то можно она возьмет себе вот эту и вот эту картинку и одну вышивку, где букет. Софья сказала, что конечно.

На моей свадьбе бабушка была в этом кримпленовом костюме — платье без рукавов и жакет. Еще бабушка надевала его в театр. Он выглядел всегда очень торжественно и не мялся, и синий цвет очень шел к седым волосам. Через пять лет бабушка умерла, и хоронили ее в этом костюме, и даже кружевной платочек в кармашке оставили. Ничего более нарядного у нее никогда не было.

АЛИСА ЛУНИНА

Два возраста любви

Выйдя из Академии художеств, Елизавета Ткачева спустилась к реке. На набережной было пустынно и ветрено. Лиза поежилась от холода и давящей, как сегодняшнее небо над Петербургом, печали. Ей вдруг вспомнилось, как они сидели тут, у сфинксов, вдвоем с Андреем. Это было «их место» — здесь Андрей обычно дожидался ее, здесь они целовались, разговаривали, отсюда начинали долгие прогулки по городу. Да, так было еще недавно, но теперь от тех дней остались лишь воспоминания — полгода назад Лиза с Андреем поссорились, и Андрей уехал к себе в Москву.

Серая Нева сливалась со свинцовым небом, на набережной застыли в вечности сфинксы. Пошел дождь; на душе у Лизы тоже заунывно моросило — тоска-а-а… А казалось бы, чего ей грустить?

Все, чего она хотела: свободы, независимости, реализации в профессии — так или иначе сбылось. Она художница, она свободна, независима, успешна. Более того — полчаса назад узнала, что ее картины будут участвовать в престижной выставке (если бы ей об этом сообщили год назад, Лиза бы заорала от радости, ведь она мечтала о такой выставке всю жизнь!). Однако же теперь, когда ее желания осуществились, она почему-то не радуется, да и свобода в связке с независимостью почему-то не делают ее счастливой. Видимо, и впрямь миром управляет закон недостаточности — человеку всегда чего-то не хватает. Причем зачастую люди даже не знают, чего именно им не хватает, так — томятся смутными желаниями... Что до Лизы, то она по крайней мере точно знает, чего, вернее, кого ей не хватает в этот хмурый майский день. Правда, чтобы понять это, ей понадобилось расстаться с Андреем и прожить без него полгода. Дура ты, Елизавета Ткачева, — вздохнула Лиза, — и доходит до тебя, как до жирафа!

Погруженная в свои переживания, вдребезги свободная, независимая, но очень несчастная двадцатидевятилетняя барышня долго бродила под дождем, пока не заметила, что совсем промокла. Лиза уже собиралась пойти домой, на Петроградскую, но вдруг забеспокоилась: она забыла что-то важное, нечто, что нужно было узелком завязать на память. И вот — узелок распутан. Она вспомнила: ну конечно, сегодня у родителей жемчужная свадьба — тридцатилетие семейной жизни! Лиза развернулась и потопала на Васильевский остров — поздравлять родителей с этим — обалдеть каким! — событием.

— …Ну и как вы дожили до такой даты? — спросила Лиза, вручая маме букет ее любимых хризантем. — Тридцать лет совместной жизни?! Между прочим, даже за очень серьезное преступление дают меньший срок!

Мама заохала, замахала на Лизу руками: что за дурацкие шутки? Отец рассмеялся — он и сам любил пошутить. Лиза торжественно вручила родителям подарки: матушке — жемчужные бусы (а свадьба-то жемчужная!), страстному кофеману бате — кофеварку. Собственно, отмечать собирались в выходные, но мама уже сбивалась с ног: парила, жарила, обзванивала друзей, приглашая на субботнее торжество. Впрочем, с появлением дочери мама начала хлопотать уже в сторону Лизы: накормить, напоить, дать исключительно важные советы.

Потом ужинали, разговаривали, а когда стали пить чай, отец вдруг спросил Лизу, помнит ли она стариков Ковалевых из соседнего парадного. Лиза кивнула — помню. Отставного военного дядю Мишу Ковалева и его жену тетю Шуру она знала с детства, потому что дружила с их внучкой Светой; дядя Миша был неизменно приветлив, а тетя Шура чем-нибудь угощала Лизу — то яблоко сунет, то конфету. Последний раз Лиза видела их пару лет назад — обоим было уже далеко за семьдесят; дядя Миша ощутимо сдал, а вот тетя Шура держалась молодцом и выглядела заметно моложе мужа.

— А что случилось-то? — забеспокоилась Лиза.

Оказалось, вот что. Неделю назад тете Шуре стало плохо, на «Скорой» ее увезли в больницу. В тот же вечер в больнице тетя Шура умерла. Сердце. Стали звонить дяде Мише, чтобы сообщить о случившемся, но телефон не отвечал. Родственники поехали к нему домой и нашли его мертвым. Сердце. Умер дядя Миша примерно в то же время, что и его жена. Такая вот история.

— Хорошая семья — жили дружно, — смахнула слезу мама. — У них тоже недавно была годовщина свадьбы — бриллиантовая. Им ведь по восемнадцать было, когда они поженились, прожили вместе шестьдесят лет в любви и согласии. Троих детей вырастили, семерых внуков.

— Они жили долго и счастливо и умерли в один день, — вздохнула Лиза, — выходит, так бывает на самом деле...

— По-всякому бывает, дочка, — мягко сказала мама.

С чаем и разговорами засиделись на кухне допоздна. Родители вспоминали, как на их шумной студенческой свадьбе два дня гудело все общежитие, как приятель жениха открывал шампанское и залил им весь потолок, как жених потерял обручальное кольцо и ребята всем курсом искали это кольцо, но так и не нашли.

— Помнится, невеста рыдала, дескать, плохая примета! — рассмеялся батя. — Однако же назло всем приметам прожили вместе тридцать лет и, даст бог, доживем и до бриллиантовой свадьбы!

Он накрыл ладонью руку матери, и Лиза поразилась тому, сколько в этом жесте было нежности; ее родители и спустя тридцать лет были интересны друг другу.

— И в чем же секрет счастливой семейной жизни? — не выдержала Лиза. — Что нужно, чтобы прожить вместе столько лет?

— Нужна любовь, — улыбнулась мама. —

Кстати, твоя прабабушка Елизавета, в честь которой тебя назвали, говорила, что любовь — это когда кто-то становится для тебя важнее, чем ты сам. А уж она-то знала, о чем говорит…

Лиза перевела взгляд на старинный, доставшийся родителям от бабушки шкаф, за стеклом которого стоял макет трехмачтового парусника с парусами алого цвета. *Эту историю* она знала с самого детства…

Ленинград, весна 1940 года

Лиза бежала по Кировскому мосту — спешила на Петроградскую сторону, в управление, где она работала картографом. Город заливал такой безнадежный дождь, какой может быть только в Ленинграде. Спасаясь от дождя (она в этот день, как нарочно, не взяла с собой зонт), Лиза накинула на голову плащ. Передвигаться таким образом было неудобно, и Лиза столкнулась с идущим ей навстречу молодым мужчиной. Можно сказать, что она влетела в него, как снаряд, так что мужчина даже слегка покачнулся. Смущенная Лиза пробормотала извинения. Незнакомец махнул рукой — пустое! — однако же продолжал стоять, как вкопанный. Лиза вежливо кивнула — всего доброго, и повернулась, чтобы уйти.

— Неужели вы сейчас просто так уйдете? — воскликнул незнакомец. В уголках его губ пряталась улыбка.

Лиза строго спросила: а в чем, собственно, дело?

И в ту же секунду улыбка, запрятанная в уголках его губ, засияла и расцвела:

— Ведь нас столкнула сама судьба! Разве нам теперь можно расстаться?

Лиза вспыхнула: ну уж это чересчур! — и махнула рукой: извините, спешу, у меня на глупости, молодой человек, просто нет времени!

Позже выяснилось, что и у Павла Ткачева на «глупости» тоже не было времени — в то утро он спешил на службу, однако же, увидев на мосту эту светлоглазую хрупкую девушку, понял, что более важных дел, чем она, у него в жизни нет. А потому, забыв обо всех прочих делах, Павел круто развернулся на мосту и вместо того, чтобы идти в центр города, как собирался до этой судьбоносной встречи, потопал в другую сторону — за этой вот хрупкой гражданкой.

Через год, весной сорок первого, Павел и Лиза решили пожениться. Дату свадьбы назначили на сентябрь (ко времени возвращения Лизы в Петербург из Казахстана, куда она, будучи картографом, отправилась в мае в составе геологической экспедиции), однако начавшаяся война смела все планы.

Узнав о начале войны, Лиза выпросила отпуск и немедля поехала в Ленинград. А в Ленинграде она узнала, что через три дня Павел, отказавшись от своей институтской брони, уходит на фронт добровольцем. Зная, что останавливать его бесполезно, она попросила только об одном — пожениться прямо сейчас. «Хочу ждать тебя с войны — женой». Через знакомую Лизы им удалось устроить регистрацию брака на следующий день. Это была странная свадьба: ни гостей, ни цветов, у невесты лицо в слезах. Конечно, не о такой свадьбе они мечтали, но что поделаешь…

Они вышли из загса. День был пасмурный, с дождем и ветром. Взявшись за руки, молодожены пошли через мост к Павлу домой. Дома Павел вручил жене подарок — модель трехмачтового парусника, который смастерил сам (в юности он увлекался моделированием). Павел знал, что Лиза любит Грина, поэтому паруса у парусника были алого цвета. Павел признался, что осенью, в день их свадьбы, он хотел устроить для Лизы прогулку на яхте с алыми парусами и уже договорился об этом со своим приятелем, который занимался парусным спортом и работал на водной станции. Но это были мечты мирного времени, а сейчас, во время войны, не до романтики. Так что пока в подарок только макет…

Через два дня Павел ушел на фронт. Он погиб в сорок втором, так и не узнав о том, что у него родился сын. Лиза больше никогда не вышла замуж — растила сына, внуков, правнуков; считала себя счастливым человеком и никогда ни на что не жаловалась.

* * *

— Вот такая у них была свадьба. А любовь — длиною в жизнь… — Мама бережно поставила старый парусник за стекло. — Бабушка всегда отмечала день их с дедом свадьбы, помнила эту дату…

В ту ночь, оставшись ночевать у родителей, Лиза долго не спала, перелистывала семейный альбом со старыми, пожелтевшими от времени фотографиями. Вот с довоенной фотокарточки смеются светловолосая девушка в берете и темноволосый юноша — Елизавета и Павел; а на этом снимке прабабушка Елизавета уже спустя долгую жизнь, полную испытаний, — седая, вступившая в пору «второго возраста любви». Лиза помнила, как прабабушка говорила, что у любви бывает два времени — два возраста. Первый, страстный, мелодраматический — со страстями и яркими эмоциями, и второй — возраст «взрослой» любви, когда страсти давно отпылали, когда любовь становится чистым, ровным чувством, когда двое корнями прорастают друг в друга; когда любимый человек становится твоей родиной, городом, домом — твоим всем.

Лиза вздохнула, подумав о своей собственной истории. Они с Андреем пережили первый возраст любви, но только теперь она поняла, что он — тот человек, с которым она хочет однажды пережить возраст зрелой любви.

...Они познакомились год назад, в Петербурге. Можно сказать, что Лиза наехала на Андрея «колесом судьбы» — колесом велосипеда. В тот день она ехала по Троицкому мосту. Увидев впереди парня, она посигналила, а он вдруг вместо того, чтобы посторониться, качнулся в ее сторону; всего каких-то десять сантиметров, но этого хватило, чтобы Лиза на своем велике в него влетела, и незнакомец со всей дури грохнулся об асфальт. Оказалось, что, переходя мост, он слушал музыку и из-за наушников не слышал сигнала. Позже Андрей сказал, что это судьба подтолкнула его под ее колеса, а в ту минуту он, улыбаясь, совсем незло сказал:

— Ты вообще смотришь, куда едешь?

Лиза фыркнула и уже хотела уехать, но он строго остановил ее:

— А лечить меня кто будет? Неужели ты бросишь пострадавшего на поле боя? — И показал свою ободранную ногу.

Естественно, после этого она не могла бросить «пострадавшего» — пригласила его к себе домой, смазала рану зеленкой, напоила чаем. Андрей рассказал о себе: он — микробиолог, живет в Москве, в Петербург приехал на выходные. Быстро выяснилось, что у них много общих интересов, одни и те же люблю — не люблю: книги, фильмы, музыка. Просто удивительно, что на свете бывают такие родственные души. В тот раз они до ночи, да что там — до утра! — гуляли по городу. Лиза показывала Андрею свой Петербург; рассвет они встретили на Неве.

Закрутился роман. Модная история: она — петербурженка, он — москвич. Питер — Москва. Надя — Женя Лукашин. «С любимыми не расставайтесь!» Андрей приезжал в Питер, Лиза наезжала в Москву, перезванивались так вообще по несколько раз на дню и несовременно писали друг другу письма (письма, а не смс, ясно?!). И все было прекрасно, пока Андрею через полгода этого модного романа не взбрело в голову, что настала пора их отношения узаконить. Ну и как-нибудь определиться с местом проживания: Москва? Петербург?

…В тот вечер Лиза потащила Андрея на крышу своего дома, с которой открывался фантастический вид на город (типичная питерская история: петербуржца хлебом не корми — дай забраться на какую-нибудь ржавую, изъеденную временем крышу). И вот сидят они вдвоем на крыше — весь город перед ними, решительно все прекрасно, и вдруг Андрей совершенно некстати выпаливает: выходи за меня — будем жить долго и счастливо, и тра-та-та что-то очень романтическое. А Лиза слушает его и не понимает: крыша у него поехала, что ли?! Наконец она спрашивает у Андрея довольно невежливо: это еще зачем?! Андрей спотыкается посреди своего романтического предложения, но потом довольно вежливо говорит: а разве брак — это не закономерный финал счастливых отношений двух любящих друг друга людей?

— Вот именно, что финал, — усмехается Лиза. — Конец свободе, независимости! Каюк, петля на шее. Кому это нужно вообще? Ну что этот штамп в паспорте? Разве бумажка что-то значит?

— Я думал, что каждая девушка мечтает о красивой свадьбе, платье, — неловко улыбается Андрей, — тем более это бывает раз в жизни…

А вот этого он лучше бы не говорил. Лиза вспыхивает:

— У некоторых девушек это случается несколько раз в жизни. Я, как ты знаешь, уже была замужем.

Андрей окончательно тушуется:

— Прости, я сморозил глупость.

Лиза молчит, настроение испорчено.

…Десять лет назад, еще студенткой, она вышла замуж за своего ровесника. Их замужеству предшествовал яркий скоротечный роман: вчера встретились, сегодня поняли, что жить друг без друга не могут, назавтра — в загс. По желанию родителей жениха (люди серьезные, со статусом) свадьба была пышной; все по установленному сценарию: лимузины, банкет в ресторане на сто персон (большинство гостей Лиза даже не знала), тамада весь вечер в угаре. Свадьба «пела и плясала» три дня. Так что свадебное платье у Лизы было, — ха! — у нее было три платья — на каждый день торжеств, а вот счастья в этом браке не было.

Они и года семейной жизни не одолели — взаимные ссоры, придирки, «одиночество вдвоем».

А что пошло не так, где не там свернули? Сложно сказать. Нет, можно, конечно, составить длинный реестр обид и претензий к бывшему мужу, но Лиза предпочитала этого не делать — не ее стиль. Тем более что добрые люди придумали удобную формулировку на все случаи жизни: «не сошлись характерами». Поэтому на все вопросы окружающих Лиза отвечала, что они с мужем не сошлись характерами. Она и своей маме так сказала; та, правда, на это грустно заметила, что какой же характер может быть в двадцать-то лет, кроме исключительно скверного?!

Если свадьбы бывают разные, то и разводы тоже. Бывают неприятные, с таким, знаете, противным скрипом, когда вчера еще близкие люди вдруг начинают мелочиться и делить кастрюли-сковородки; а случаются очень болезненные, когда режут по живому — делят детей, к примеру. У Лизы же был относительно легкий развод: быстрый и без каких бы то ни было претензий друг к другу — ни имущественных, ни иного рода. Они с мужем пришли в означенный день в загс, и их развели по-быстрому (формулировка про «не сошлись характерами» тут прошла на ура). Выйдя из учреждения, они равнодушно кивнули друг другу — ну, пока! И все — разошлись в разные стороны. Абсолютно чужие люди. И не то чтобы у Лизы в результате неудачного замужества осталась какая-то особенная психологическая травма, или страх, или еще что-то в этом роде — нет, просто теперь она считала, что у нее, как у сапера, нет права на ошибку. Второй раз Лиза хотела выйти замуж только в случае, если она будет уверена в необходимости этого поступка. Чтобы навсегда. Как ее прабабушка с прадедом. Бабушка с дедом. Родители.

И вот этими сомнениями и мыслями Лиза честно поделилась с Андреем в тот вечер: понимаешь, о чем я? Андрей пожал плечами — не очень-то он ее понимал. Тогда она сказала, что со столь серьезным шагом, как женитьба, двум людям с таким хорошим чувством юмора надо бы повременить. «Проверить отношения временем…»

— Мне ничего проверять не нужно! — усмехнулся Андрей.

Больше он ничего не сказал; встал и ушел. Слез с крыши — вернулся на землю. И пропал — не звонил Лизе, не писал. А она тоже. Ну потому что гордая. И потому что дура.

С того вечера прошло полгода, и с каждым днем надежда на их примирение, как было ясно Лизе, таяла.

За окнами родительской квартиры тарабанил дождик. Петербургская ночь скоро должна была перейти в рассвет — пора было спать. Лиза убрала фотоальбом за стекло шкафа и, на миг поддавшись сентиментальной слабости, коснулась рукой стоящего на полке старого парусника.

* * *

С утра началась обычная круговерть. Сначала Лиза оформляла документы для будущей выставки, потом поехала на другой конец города, чтобы забрать из мастерской холсты и папки с рисунками и отвезти их в Академию. По пути в Академию она заскочила в любимую кофейню, чтобы немного отдышаться.

Ореховый вкус латте с легкой горчинкой, капли дождя на стекле… Из кофейно-дождливого, рассеянного состояния в реальность Лизу вернул телефонный звонок. Звонила ее подруга Ира (подруга настолько близкая, что Лиза могла называть ее Иркой без риска показаться невежливой). Начали с пинг-понга в пустяковые вопросы про погоду-моду, а потом Ирка решилась спросить Лизу — между прочим, до последнего оттягивала! — ну что, твой Андрей не объявлялся? Лиза пожала плечами, на лицо ее набежала тень. И хотя Ирка сейчас не могла видеть ее лица, но очевидно, что-то такое она почувствовала даже на расстоянии, потому что тут же поспешила Лизу утешить. Правда, довольно оригинальным способом — Ира сказала Лизе, что коль скоро ты, душенька, хотела независимости, то почему бы тебе теперь, обретя эту самую независимость, не воспарить от счастья?!

Лиза вздохнула так тяжело, словно в последний раз; да сказала бы она сейчас такое, отчего у любой феминистки разорвалось бы сердце! И про свободу, и про вожделенную независимость, и про старые добрые «вечные ценности». Да, про них особенно.

— Ну ладно, даст бог, все наладится! — испуганно вставила Ирка. Настоящая подруга — утешает.

Хотя еще вопрос, кто кого должен был утешать. Об эту пору жизни Ира переживала тяжелый развод с мужем Ильей. При этом поженились они всего год назад. Свадьба у Иры с Ильей была — закачаешься, молодожены рассекали по городу в правительственном «ЗИСе» (кого сейчас лимузинами удивишь?), для банкета арендовали настоящий дворец. Гостей было — людская река. Чтобы отгрохать такую свадьбу, Ирка с женихом взяли кредит. А через год — нате вам — развод. А они за свадьбу еще кредит не выплатили, нормально, да?

— Нет, я понимаю, — сокрушалась в телефон Ирка, — люди после развода имущество пилят, но чтобы пилить кредит?! Да еще за свадьбу! Это вообще нонсенс!

— Это не нонсенс, — пожала плечами Лиза. — Говорят, сейчас — распространенное явление.

— Кошмар, — застонала Ирка, — главное, я не могу понять, куда оно все ушло? Трепет чувств, дрожь от поцелуев, рассветы-закаты, лирика?! Ведь было все! И вдруг: тебе — холодильник? А мне тогда стиральную машинку!

Лиза вздохнула — у некоторых бывает так, что не уходит. Ни трепет чувств, ни лирика. А бывает, что взамен романтики приходит что-то более важное. Вот я тебе историю расскажу... И рассказала Ирке историю про старичков Ковалевых из соседнего парадного. Ирка заплакала (у нее после развода все время «слезки на колесиках»), а когда Лиза рассказала ей про военную свадьбу своих прабабушки-прадедушки, буквально зарыдала. Басовитый Иркин рев слышали, кажется, во всей кофейне.

— Ну чего ты? — улыбнулась Лиза. — Ты еще встретишь то самое, настоящее. И будете вы жить долго и счастливо, и умрете в один день. А лучше вообще не умирайте!

...С Ирой простились, кофе был выпит, но Лиза не спешила уходить из кофейни — смотрела на дождь за окном, опять рассеивалась в разные мысли и неожиданно сосредоточилась на одной. Она увидела билетную кассу, расположенную через дорогу от кофейни. И стало ясно, что нужно делать.

Лиза выскочила из кофейни, под дождем перебежала по лужам дорогу и взяла в кассе билет до Москвы на эту субботу.

Она подходила к Академии, увешанная холстами и папками, когда ее телефон вдруг зазвонил. Лиза чертыхнулась — как не вовремя, руки заняты! — однако исхитрилась, открыла сумку, подцепила телефон и… увидела высветившуюся на экране фотографию Андрея. Вернее, их с Андреем общую фотографию, сделанную прошлым летом в Павловском парке (фото так нравилось Лизе, что она связала его с номером Андрея в своей телефонной книге). Сердце ухнуло, рука дрогнула, и в следующую минуту холсты, папки и главное — нет, только не это! — телефон — посыпались на землю. Подняв телефон и увидев темный, разбитый экран, она поняла, что он безнадежно испорчен. Лиза собрала холсты и разревелась. В Академию в таком виде идти было никак нельзя, и она побрела к набережной — посмотреть на воду, успокоиться.

Возле сфинксов она спустилась к Неве. В этот дождливый день у реки было безлюдно, только поодаль под зонтом миловалась какая-то парочка да у самой воды кто-то сидел.

— Привет! — послышался знакомый голос, и в ту же секунду Лиза увидела Андрея.

— Ты?! — она не верила своим глазам. — Откуда?

— Оттуда! — улыбнулся Андрей. — Я тут ночью подумал, что пора вернуть нас друг другу, и додумывал эту мысль уже в поезде. А вы что об этом думаете, гражданка Ткачева?

Обалдевшая от радости гражданка Ткачева вытащила из сумки свой московский билет и замахала им в воздухе, словно подтверждая, что подобные мысли и ей приходили в голову.

...Потом они просто шли по городу, куда глаза глядят. Дошли до Английской набережной, и вдруг Андрей сжал Лизину руку:

— Смотри — загс. Зайдем?

И она кивнула — зайдем.

* * *

Прошел месяц.

В загс Андрей приехал прямо с поезда. Оба были одеты буднично, разве что Лиза надела вместо джинсов длинную юбку. В загсе, увидев их, женщина-регистратор даже губы поджала: ну что ж так прозаично?!

Зарегистрировались, подмигнули друг другу и вышли из серьезного государственного заведения. Никаких особенных планов на этот день у них не было — они заранее договорились «не бить в барабаны» и не устраивать никаких вечеринок. И тем сильнее удивилась Лиза, когда на набережной к ним вдруг подбежала группа музыкантов и заиграла ее любимого Гершвина.

Лиза с подозрением взглянула на мужа — Андрей невозмутимо пожал плечами, словно бы он не имел к происходящему никакого отношения. Музыканты играли добрых полчаса, собрав вокруг толпу зевак. Лиза слушала любимые джазовые композиции и чувствовала, как этот обычный серый день наполняется радостью, задором, драйвом. Ей хотелось танцевать.

Как вскоре выяснилось — это было только началом программы. Вскоре к набережной с эффектным ревом подкатил мотоцикл. Андрей протянул Лизе шлем:

— Пожалуйте, сударыня, сегодня это — наш свадебный «Роллс-Ройс»!

— Господи, я вышла замуж за сумасшедшего! — закричала Лиза, уцепившись за Андрея.

Мелькающие набережные, проспекты, ветер, скорость и ухающее ощущение полета и счастья.

...Она едва успела перевести дух, слезая с мотоцикла, как к ним откуда ни возьмись подскочила цыганка (самая настоящая айнанэ — чернявая, в пестрых юбках) и заголосила: давайте погадаю, красивые! Лиза вздрогнула: ой, не надо, я суеверная. Но цыганка уже крепко держала ее за руку, читала линии на ее ладони, и в итоге нагадала Лизе счастье на всю жизнь. Вот так — ни больше ни меньше. И любовь «до седых волос».

— Вот этот, — цыганка кивнула на Андрея, — всю жизнь тебя будет любить!

— И даже после! — вставил Андрей.

— О! И даже после, — подтвердила цыганка. — И еще вижу, — ромала снова схватила ладонь Лизы, — в скором времени тебя ждет дальняя дорога!

— А куда? — уточнила Лиза.

Пока Андрей объяснял ей, куда именно им выпадет «дорога», цыганка куда-то исчезла (кстати, голос у нее был точь-в-точь как у двоюродной сестры Андрея Кати, которая училась в театральной академии).

— Мы едем в Италию? — удивилась Лиза, выслушав Андрея.

— Ну, ты же хотела увидеть все эти волшебные маленькие города, застывшие в Средневековье: Перуджу, Сиену, Ассизи, «город ста башен» Сан-Джиминьяно?! Считай, что это будет наше свадебное путешествие. В эти выходные уезжаем на три недели. Пятизвездочных отелей не обещаю — ты вышла замуж не за бизнесмена, но гарантирую, что будет интересно. Мы возьмем машину напрокат и проедем по всей Италии… Это — то, чего ты хотела?

Лиза улыбалась: да, это — то, чего она хотела.

На сегодня чудес было в избытке, но в этот день случилось еще кое-что… После ужина в ресторанчике Андрей завязал Лизе глаза платком и, попросив не подглядывать, решительно потащил ее за собой. Прошли квартал, вошли в какое-то здание, двери, лестница, еще лестница, долгие переходы, и наконец Андрей стянул платок. Лиза ахнула — они стояли в ее любимых лоджиях Рафаэля в Эрмитаже. Кроме них в этот час в музее никого не было, только вдалеке ходили хранители музея.

— Но как это возможно? — не выдержала Лиза. — Попасть в Эрмитаж ночью?!

Андрей только улыбнулся.

Тишина, пустые залы, за окнами Нева…

После Эрмитажа они до рассвета гуляли по городу. А когда рассвело, Лиза, почувствовав, что разламывается от усталости, предложила взять такси и поехать к ней. Но Андрей словно не слышал ее; взглянув на часы, он потащил ее на Троицкий мост. «Не можем же мы не почтить судьбоносный мост, на котором познакомились!»

На середине моста, примерно в том месте, где Лиза наехала на него «колесом судьбы», Андрей вдруг остановился и достал из кармана кольцо — с небольшим (она вышла замуж не за бизнесмена!) камнем зеленого цвета.

— Изумруд, — ответил Андрей, прочитав вопрос в ее глазах. — Я подумал, что камень должен быть зеленым. А ты разве не знаешь? День бракосочетания называют зеленой свадьбой. Так что у нас сегодня зеленая свадьба! — Он надел кольцо ей на палец. — Ну что, берем курс на бриллиантовую?!

Лиза вздохнула: на бриллиантовую... Чтобы как те старички из соседнего парадного. И умерли в один день...

Андрей развернул ее лицом к реке, и она увидела...

По Неве плыл парусник — обычная парусная яхта, но паруса у него были самого что ни на есть алого цвета. Лиза взглянула на мужа, догадываясь обо всем (однажды она рассказала ему о том, как ее прадед из-за войны не смог осуществить свою мечту — подарить невесте в день их свадьбы прогулку на паруснике с алыми парусами). И хотя Андрей невозмутимо пожал плечами: не знаю, не знаю, я здесь ни при чем, не такой уж я и романтик, в уголках его губ пряталась довольная улыбка.

Лиза смотрела, как парусник, освещенный рассветным солнцем, рассекает Неву и вопреки разлукам, времени, смерти плывет сквозь вечность.

АРИНА ОБУХ

Жизнь начинала бить хвостом

— Почему на твоих картинах все беременные? И женщины, и рыбы?

— Это их лучшее состояние.

…Как только что пойманная рыба, жизнь начинала бить хвостом, подаваясь то вправо, то влево, замирала, казалось, навсегда, то вдруг опять надувала плавательный пузырь и со всей мощью кидалась вперед, унося с собой рыбака.

Глеб рисовал эту рыбу. А получалась Рита с корзиной птиц на голове и прозрачная чешуя неба.

Он расставлял по мастерской свои холсты, радуясь, что не забыл их подписывать и проставлять даты: «Ленинград». «Кишинев». «Питер». «Свадьба». «Развод». «Свадьба». «Развод»… Так, стоп, а где еще одна «Свадьба»? Названия одинаковые. Сюжеты разные. Он разводится. Она выходит замуж.

В перерывах они танцуют.

— Опять замуж выходишь? — усмехается он. — Дай бог не в последний.

Когда пришла очередь пожениться им, они не стали собирать друзей: ну, как-то странно собирать людей по одному и тому же поводу в четвертый раз. Да и пир получался аккурат во время чумы.

Их страна рушилась, разлетаясь на мелкие осколки, в одном из которых оказались они. Тут на авансцену истории выходит Дали. И «в предчувствии гражданской войны» они принимают решение вернуться на историческую родину, в Ленинград, продать квартиру, сделать прописку, купить квартиру… Но до всего этого ей нужно было развестись.

— А кто этот грустный человек на фотографии?

Да, вот именно с этим грустным человеком Рите нужно было развестись. На снимке Глеб, Рита, смешливые гости и Алик. У Алика огромные глаза, и, несмотря на окружающее его веселье, он как будто находится от всего этого в соседней комнате.

Алик

В свое время, выбегая за него замуж, Рита забыла свой свадебный букет. И Алик — они опаздывали в загс и на работу одновременно — на бегу купил цветы в киоске у центрального кладбища, которое находилось рядом с загсом, и это их страшно рассмешило.

Они все время опаздывали. Они все время бежали. Жизнь на бегу.

Она телеведущая. Он оператор. Она старше. Они и не думали становиться парой — слишком банально. Мнили себя сложней обстоятельств. Город наблюдал. Город жил слухами. И каждую неделю в положенный час садился у телеэкрана и ждал, когда он ее бросит. Это станет понятно по ее лицу. Город будет смотреть ей в глаза.

Но, спрашивается, как можно что-либо увидеть, если передача о кино? Вероятно, город думал, что в прямом эфире камера начнет бить хвостом и подаваться то вправо, то влево. Город неустанно смотрел ей в глаза, боясь прошляпить кульминацию.

Но город прошляпил. Да и вообще все шло не по сценарию.

— Представляешь, она меня бросила!.. — говорил Алик городу.

— Как?! — недоумевал город. — Тебя?!

— Меня! Такого золотого! Ну не дура?..

Город был удивлен, взволнован, оскорблен… Страна рушилась, а Город носил в себе историю Алика. И велел Алику выбросить сценарий Риты и идти по классическому сценарию: Москва, новые проекты, новая жена…

Новую жену Алика тоже будут звать Ритой. И это его устроит: привыкать к новому имени не хотелось. В жизни ему нравились только две женщины — Рита и Рита.

А его грусть осталась лишь на той фотографии. Потому что на самом деле он был жизнелюбом. И единственное, что его огорчало в жизни, — это смерть. Она мало кому нравится, но он был особенно капризен. Смерти страшился. И любая простуда всегда подступала к нему под звуки второй сонаты Шопена, часть третья. И теперь уже Рита Вторая просила оркестр разойтись.

Сердце успокоится таблеткой вечной жизни, на изобретение которой он получит грант.

Но сейчас, стоя на перроне, он провожал свою жену и своего друга в Ленинград.

— А вы будете обо мне заботиться? — спросил он.

Вслед за ними он отправил свое письмо.

«Вы старше меня, вы умнее меня, и вы меня обманули».

Пока шло письмо, адресат сменил имя. Его звали уже не Ленинград, а Петербург.

Поезд остановился в девяностых.

Обманщики приехали в совершенно другой город: он глядел на них как на пришлых: понаехали!..

— Ну это же мы!.. Не узнаешь?..

— Нет.

— Как нет? Вот моя родная улица — Красная Конница!..

— Нет такой улицы. Это — Кавалергардская.

Миша-Майкл

— Подожди. Но первый раз ты вышла замуж за человека, который привез нам мешок жевачек и джинсы, да? Американец?

— Да, Миша-Майкл.

Миша, улетев в Америку и став Майклом, все время женился и разводился, то есть был в постоянном поиске. Между разводами Миша звонил Рите и говорил:

— Ты единственная в моей памяти сидишь на золотой скамеечке…

И выбить из-под ног Миши эту скамеечку Рите не хватало духу.

Миша-Майкл был абсолютно уверен, что Рита всю жизнь любит только его, в то время как Рита, напротив, мучилась мыслью, что это Миша пожизненно любит ее, и когда они встретились спустя много лет, недоразумение разъяснилось, и Рита вздохнула с облегчением, а Миша-Майкл обиделся.

Их первый брак случился тридцать первого декабря. Свадьба, гости, ресторан… Набор пошлостей, который нужно пережить, поставить галочку и больше к этому никогда не возвращаться. Чтобы потом, в самом конце, на облаке, заполнить вечную анкету: «Подчеркните, поставьте галочку, распишитесь тут…».

Жизнь — началась такого-то числа. Галочка.

Закончилась — галочка.

Свадьба — четыре галочки (в сумме на двоих с Глебом).

Развод — три галочки.

Ребенок — галочка. Галина. Крошка. Пустите обратно, нам еще нужно выдать ее замуж. Да, сначала родить, а потом выдать замуж. Нашу девочку…

Рита часто думала о том, что будет «после». И потом, пряча все воображаемые бланки, спрашивала Глеба:

— Вот мы умрем. А что будет с ней, когда она состарится?

— У нее будут дети, которые будут заботиться о ней.

— Что за дети? А если они будут обижать нашу старую Галину? Злые ужасные дети.

— Это будут твои внуки.

Хотелось защитить от них старую Галю. Крошку Галю. Довести ее жизнь до конца. И успокоиться.

— Ладно, я как-нибудь Там договорюсь. Чтобы мотаться туда-сюда, — говорила Рита.

И было ясно, что она действительно договорится. Оформит пропуск. И на вахте, со временем (с вечностью) привыкнув, будут пропускать без него: «А, это опять вы, ну как там ваша Галя?»

А Алик будет упорно вычеркивать дату смерти. Капсула вечной жизни даст трещину, а грант все равно нужно отрабатывать. Чей-то теплый плавник проведет по его спине: «Смотри, это вечность, она твоя, а это тело, мы его забираем, оно тебе больше не нужно, сними, пожалуйста».

Ему придется полсмерти провести в этой регистратуре.

Но пока их облака находятся выше, стаи бывших мужей и жен слетаются в Питер. Кружа над Маркизовой лужей:

— Кар-кар!..

— Что ты сказал?

— Как!.. Как ты кричала на меня!

— Когда?!

— Когда я проиграл все деньги в казино, помнишь?

— Помню. Фактически ты проиграл не деньги, а картину!..

— Я помню.

— Ты проиграл нашу «Свадьбу»! Именно ее выбрал покупатель, когда все было на продажу! Ты бы мог на нее хотя бы поесть. Зачем ты напомнил мне, что ты идиот?

— Да видел я эту «Свадьбу»! Там рыба, а не свадьба!

— На эту картину надо было смотреть издали. Абстракция: невеста в одном городе, жених в другом. Желтые пятна айвы, взлетные полосы…

Глеб

Гостей не звали. Но они пришли — жадные до праздников и перемен.

На свадьбу пришли все — кроме жениха.

Жених застрял в поднебесной регистратуре аэропорта Ленинграда.

Их рейс отменили, точнее, в самолет посадили футбольную команду. Тогда Глеб возглавил бунт и решил брать самолет штурмом. Бунтовщика повязали и отвезли в кутузку с правом на один телефонный звонок.

— Эт-то страна!.. В эт-той стране!.. — кричал он Рите в трубку.

Какая страна, чего страна, при чем тут страна!.. Страны не было.

Пока он клял страну, подали другой самолет, объявили посадку. И тут гимн человечеству: полным составом пассажиры побежали не в самолет, а брать штурмом кутузку, чтобы освободить узника, который возглавил их бунт.

Но к этому времени менты уже пили с Глебом чай, тронутые его свадебным происшествием. Узник вышел на свободу.

И вот они бегут с Ритой в тот же загс.

Опять мимо кладбища.

Опять без цветов.

— А цветы?! — на бегу спрашивает он.

— Опаздываем!.. — бросает она.

Опаздываем — не то слово: загс уже закрыт.

...А может быть, они вообще бы не поженились — страна против, самолеты против, бывшие мужья и жены против, загс против...

Но! Если Глеб штурмовал самолет, то собравшиеся без жениха и невесты гости взяли штурмом закрытый загс. Обаяли заведующую. И к появлению жениха и невесты это была уже теплая компания, которая заблаговременно пила шампанское.

После обоюдного согласия брачующихся и в горе, и в радости быть всегда против — ветра, самолетов, стран и прочих обстоятельств непреодолимой силы — Рита и Глеб стали мужем и женой.

Шли по улице и хохотали. Сработало сарафанное радио, и на свадьбу явились все, кому не лень, включая прохожих.

...А ведь весь этот путь можно было сократить. Рита и Глеб были одноклассниками. Она на первой парте — отличница. Он на последней — художник. Но жизнь сделала взмах и развела их по разным классам. Взмах — и по разным городам. Снова взмах — и вот новая картина. Абстракция. Желтые пятна айвы, взлетные полосы. Вид из окна самолета — охра и синий.

Огромная рыба поймала их и потащила вверх по реке.

А потом появилась я. Галочка. Можно поставить галочку.

АННА ФЕДОРОВА

Зоопарк принцессы Сисси

Местные невесты знали все о свадьбах богачей и знаменитостей. У каждой — свой пример для подражания, который в идеале надо переплюнуть. И пусть ты живешь в городе, который знаменит на всю Италию только скандальным убийством пятнадцатилетней девочки, но именно твоя свадьба станет круче, чем у принца Монако и Грейс Келли.

Сильвия не искала пример для подражания в современности. Она, натура утонченная и образованная, смотрела в глубь веков. Ее идеал — принцесса Сисси. Австрийка с необычной судьбой и идеальной свадьбой.

Замок Моначи Сильвия заприметила еще в пятнадцать лет. Прекрасно сохранившийся памятник Средневековья с богато украшенной залой, верандами, лестницами, фонтанами, садами. В общем, то, что надо. Осталось только найти жениха и провернуть операцию.

* * *

Гостей было много. Слишком много, чтобы обойти всех с царственной осанкой и бокалом вина, выпить со всеми и не упасть. Ноги опухли и отказывались передвигаться. Часов шесть уже на каблуках, автоматически отпечаталось у Сильвии в голове…

Новобрачные направились к соседнему столику, где за бело-розовой скатертью, оттенка цветущего по весне миндаля, сидели… четыре носорога и две гориллы. Сильвии чуть не поплохело. Принцесса, за вами пришли, прожурчал тонкий ласковый голосок прямо в левое ухо.

Чудовища? Нет, просто животные. Даже без парадных костюмов. Они сидели, не стесняясь своей наготы, и явно чего-то ждали от приближающейся пары. Зверогости, подумала Сильвия. Какие, к черту, гости? Мяукнуло взбудораженное сознание. Ты, мать, явно не в себе. Протри глаза.

Но глаза тереть было нельзя. Макияж стоил полугодовой зарплаты рядового бармена, и выполнил его самый клевый стилист региона. Ущипнуть себя — тоже не выход. Все на виду — декольте, полные, словно шеи отожравшихся лебедей, руки — точно останется след, а принцессе такое не подобает.

Зажмурюсь, решила Сильвия, и на секунду все исчезло. Она глубоко вдохнула и выдохнула. Просто устала, скоро торт, представление на веранде, вручение подарков (точнее, конвертов с деньгами) и по домам. Давай, Сисси, еще немного, и будешь пересчитывать вожделенные купюры.

Эта мысль грела. Родители оплатили все. Часть расходов покрыл будущий муж Сандро. А все подаренные деньги пойдут ей и только ей.

Сильвия открыла глаза. Перед ней за столиком сидели четыре носорога и две гориллы. Они улыбались.

Сильвия взглянула на мужа. Тот сиял своей чуть глуповатой улыбкой (не зря ходят анекдоты про военных).

— Аморе, все в порядке? — шепнула новобрачная.

— Все просто замечательно, — нежно ответил новоиспеченный муж.

Сильвия выдавила улыбку и посмотрела на носорогов. Надо было что-то делать. Инициативу перехватил Сандро.

— Все ок? — задал он дежурный вопрос и предложил выпить.

Звери как по команде взяли бокалы, а горилла потянулась к графину: у нее плескалось на донышке.

Сильвия улыбалась, но не могла выдавить ни слова. Сисси, ну какая же ты принцесса, этикетом не блещешь, только этикетками, — мысленно ругала она себя, — даже с гостями пообщаться не можешь!

— Какие воздушные кружева, словно облачная дымка. Тончайшая работа, — слева прозвучал вполне человечий голос. Это был носорог. Если не считать странных гортанных модуляций, то говорил он почти идеально. — Сразу видно руку мастера. Достойный выбор, дорогая, у тебя отменный вкус.

Сильвия уставилась на носорога. Когда животное говорило, рог двигался вверх и вниз, как штырь, на которые раньше насаживали чеки в магазине. А еще у него были губы. Темно-синие кожистые губы. Они растягивались в стороны, затем сминались в кольцо, снова растягивались, превращались в бантик, а затем разлетались бабочкой. Если бы не обстоятельства, то Сильвия точно была бы очарована. Она любила животных.

Но очароваться не получилось. Состояние напоминало скорее транс.

— Благодарю, очень любезно с вашей стороны, — церемонно промямлила Сильвия. И, чтобы не продолжать разговор, отхлебнула вина. Гости последовали ее примеру.

Вино было прохладным, с мягкими нотами клубники и манго. Оно скатилось вниз легко и непринужденно, оставив божественное послевкусие, то самое, которое заставляет желать следующий бокал. Пожалуй, лучше еще выпить, раз все так странно.

* * *

По местным меркам, Сильвия была уже невестой не первой свежести. Ей шел тридцать пятый год. И хоть она все еще числилась «рагаццей», на самом деле всем было ясно, что на девушку она уже давно не тянет, несмотря на то что у итальянцев хорошая генетика.

У Сильвии генетика подкачала. После двадцати пяти тело стало расползаться в разные стороны, к тридцати исчезла талия, к тридцати трем стали подкрадываться седые волосы.

А она все еще была не замужем!

В маленьком южноитальянском городке свои правила игры: до тридцати замуж рано, а после тридцати уже поздно. Надо успеть тютелька в тютельку. Сильвия же протелилась: пока закончила университет — подошел возраст Христа. А там и жених, с которым связывали семь лет нежнейшей дружбы и праздник в ресторане за его счет по случаю защиты диплома, оказался больше не подходящим: негоже девушке с высшим образованием идти замуж за работника автосервиса, считала Сильвия. И не важно, что он кольцо с брильянтом подарил, не в камушках счастье. Так рассуждала Сильвия, припрятав кольцо подальше в комод.

Семья должна строиться на хорошем заработке и статусе. А любовь — это зависит от воображения. Если возят путешествовать, катают на пароходах и дарят щедрые подарки, любовь появится сама собой. Сильвия не была расчетливой или практичной. Наоборот, ее тонкая душа требовала романтизма, она всю жизнь мечтала быть принцессой, а не женой мужлана из автосервиса.

По тем же неписаным правилам местные стремились поразить друг друга размахом торжеств и нарядами не по карману.

Начиналось все с крестин. Религиозное таинство становилось первым в череде безумных празднований, ради которых не стыдно было залезть в долги до второго пришествия. Это первая репетиция самого главного события в жизни — свадьбы. Богато украшенная церковь, роскошный ресторан, сто человек гостей и трогательный пупс, разряженный как фарфоровая кукла, который через двадцать-тридцать лет должен выполнить роль новобрачного.

В восемь лет наступала очередь второй репетиции — первого причастия. Затем третья — конфирмация, следом восемнадцатилетие, а после — затишье. Родители копили на свадьбу.

Важно — сразить гостей наповал и в прямом, и в переносном смысле. Да так, чтобы еще целый год постить фотки в фейсбуке и инстаграме, ловить восхищенные взгляды и слышать завистливый шепот: на свадьбе Г. ели живых устриц и запивали «Вдовой Клико»! А у платья М. был десятиметровый шлейф, сама Кейт Мидлтон пустила бы слюну от зависти.

Расставшаяся с автосервисным женихом Сильвия начала охоту за мужьями. Отбраковывала нещадно. И наконец подфартило. Один сорокалетний болван из соседней провинции — офицер финансовой гвардии с ежемесячным доходом в три тысячи евро — запал на глубокий вырез в кружевной кофточке. А дальше Сильвия сумела показать себя во всех интимных деталях.

Она умела манипулировать мужчинами, знала, как правильно доставить удовольствие в тройном размере, никогда не страдала головными болями и, будучи апулийкой, умела готовить потрясающую пасту во всех ее разнообразиях. Любовь к прекрасной пище, к сожалению, поспособствовала исчезновению талии.

Быстро и ловко Сильвия сумела повернуть дело к свадьбе: меньше чем через полгода со дня знакомства — вот они с Сандро уже объявили о помолвке и назначили дату. Понятное дело, надо было торопиться: справные да одинокие мужики на дороге не валяются.

Все заботы по организации свадьбы невеста взяла на себя. Аморе только впахивал и отстегивал. Как, впрочем, и родители с обеих сторон.

* * *

Когда тамада (а по-итальянски он вовсе не тамада, а скромный аниматор) сказал: сейчас попляшем, волна легкой дрожи пронеслась от макушки Сильвии до позвоночника. Копыта, лапы, когти зашкрябали, застучали по мраморному полу, долговязая и толстозадая страусиха зацепила крылом скатерть, раздался дзынь, и на полу образовалась рубиновая лужа. Шакал с подпаленным боком тут же бросился слизывать божественный напиток, ведь вино, заказанное Сильвией, и правда из лучших апулийских погребов. Ну что ж, ни капли не пропало, порадовалась невеста.

Сандро не замечал ничего, он был настолько поглощен действом и новым статусом, что улыбался пуще прежнего.

— Построились рядками! — раздался бодрый голос аниматора. — Повторяем за мной! Меренге, шаг на месте, раз, два, три, четыре, бедрами виляем, левой назад, правой вперед, вперед, вперед, вперед, поехали правой назад, шесть, семь, восемь! Раз! А теперь повторим с поворотом!

Страусиха оказалась в первом ряду, она отчаянно пыталась попасть в такт и поспеть за резвым парнишкой, который старательно показывал движения, но, как известно, страусы — народ неуклюжий. Ее лапы безжалостно скользили по блестящему полу, на морде застыло мученическое выражение.

Аниматор тем временем крикнул:

— К нам присоединились новобрачные! Танцуют все! — и потащил невесту с женихом в центр.

Сильвия машинально повторяла танцевальные

па, но взгляд оставался прикован к страусихе. Бедняга, несладко ей! Тут лапы страусихи разъехались, и ее зад гулко припечатался к полу. Крики, кудахтанье, рык, вой — все смешалось в замке Моначи. Одна курица так распереживалась, что выстрелила словно пулеметной очередью с десяток яиц, носорог врезался рогом в колонну и застрял.

Казалось, что Сильвия попала в звериный ад. Только Сандро был рядом и держал марку: глуповатая улыбка не сползала с его лица.

Но тут прибежал распорядитель свадьбы и в две минуты все устроил. Гости как ни в чем не бывало сидели за столиками и мирно хлебали вино, официанты разносили очередные кулинарные изыски, приглашенная скрипачка самодовольно пиликала Вивальди.

* * *

Про саму принцессу Сисси Сильвия толком ничего не знала, но видела в кино шикарную свадьбу, красивую актрису, безумную любовь — этого было достаточно для подражания. Для Сильвии наступил золотой век — сбывались ее самые дерзкие мечты: платье с кринолином и длиннющим шлейфом, устрицы с самым настоящим шампанским и, конечно же, средневековый замок.

Что касается замка — то тут все было просто. В Италии куда ни плюнь — все замки исторические. Их так много, что большинство из них не являются музеями, а спокойно используются для нужд народа: в них устраивают гостиницы, спа, рестораны, залы для конференций и церемоний.

Тот самый замок Моначи, что Сильвия присмотрела для своей будущей свадьбы, находился в пятнадцати километрах от ее родного городка. В замке Моначи играли свадьбы только самые богатые и удачливые невесты округи.

О замке ходили легенды. Когда-то там жил прекрасный рыцарь, безнадежно влюбленный в герцогиню, которая была замужем и на уговоры не поддавалась. Он сочинял серенады, пел их под окнами, чем страшно раздражал герцога. И вот однажды беднягу убили на дуэли. Точнее, неудачно закололи, привезли в замок, где он повздыхал пару часов и испустил дух во славу прекрасной донны.

Говорят, что, как и во многих замках, в этом водились привидения. А после Первой мировой там располагался тайный дом свиданий. А еще — в подвале томился неизвестный узник, но где его кости, до сих пор неизвестно. Одним словом, дух замка был пропитан романтикой, страданиями и легендами. Об этом Сильвия каждый день строчила в фейсбуке.

А замок и на самом деле был прекрасен. Высокие стены, увитые лиловой бугенвиллеей, подпирали синее-пресинее небо. По углам высились четыре пузатые башни, на входе — мост через ров, рядом — сторожевая будка с доспехами, коридор со шпагами и крестами, а дальше ароматная цветочная оранжерея под открытым небом. Каскады лестниц, разноцветные фонтаны — все это было наработками последних лет.

Сильвия распорядилась, чтобы каждый прием пищи происходил в разных местах: гости должны были двигаться, не скучать и осмотреть все красоты замка. Большая зала для церемоний, шикарный сад с белыми беседками, терраса для аперитива, веранда для закусок. Сильвия чувствовала себя полноправной хозяйкой. Пусть и на один вечер.

* * *

Романтизм и рационализм уживались в ней, как два супруга со стажем. Верховодил все чаще последний.

Поэтому Сильвия сделала упор на свою разумную сторону и решила, что напрягаться пока не стоит. Свадьба шла своим чередом. Мало ли что может померещиться в такой день? Оправившись от первого шока, невеста, крепко схватив жениха за руку, продолжала почетный обход гостей.

Молодые поприветствовали уже девять столиков из двадцати одного. Надо было держаться. Сильвия смело улыбнулась носорогу и потащила Сандро к столику номер десять.

Круглые столики были сервированы так, что есть за ними было просто жалко. Посередине возвышалась хрустальная ваза — ее тонкая ножка-ствол уходила ввысь и рассыпалась пышной кроной мелких розоватых цветов, среди которых царили белые розы. У каждого места стояла хрустальная подставка, на которую было положен свиток-меню, отпечатанный на мелованной бумаге золотыми буквами и перевитый атласной розовой ленточкой, рядом стояла такая же табличка с именем. Фарфор с золотым тиснением, множество столовых приборов с завитыми рукоятками, тончайшие хрустальные бокалы под вина и воду.

Прикоснешься и оставишь жирные отпечатки пальцев, все загадишь. Уж лучше бы не тянули свои лапищи — Сильвии страсть как жалко разрушать все это великолепие. Но она знала: народ пришел жрать, а не любоваться. Он нее ждали умопомрачительного ужина. И шоу. Что ж, она в долгу не останется.

* * *

Начали с устриц и шампанского на террасе. Несколько официантов вскрывали лежащие во льду ракушки, тут же протягивали их на тарелках всем желающим.

С закусками не поскупились: здесь было все, чего мог пожелать гурман: устрицы свежие с шампанским, устрицы а ля гратен, карпаччо из рыбы-меч и тунца, осьминоги и каракатицы, креветки и мидии, морские гребешки, улитки в сливочном соусе и бесчисленные вариации всяких красивых мясных и овощных штучек.

Глаза гостей разбегались. Казалось, что они уже тут набьют себе пузо (а так и было), а на остальное места не хватит.

Сильвия перехватила пару устриц, чокнулась с женихом под крики восторженной толпы и предоставила фотографу вертеться вокруг. Пока они были еще свежи и прекрасны, как устрицы во льду. Ведь всем известно, что свадьба — процесс долгий и энергозатратный: прическа, макияж, одевание, приезд в церковь, венчание, фотки, шампанское, поздравления, добраться до замка…

А дальше — основное. И эта часть, по подсчетам Сильвии, должна была занять минимум семь часов. Час на аперитив, час — закуски, полчаса фото в первом саду, ужин с танцами — два часа, скрипка, торт и фото — еще час, десерт во втором саду, бар и кофе, получение подарков и разъезд гостей — еще полтора.

* * *

Невеста торжественно вплыла под хор восторженных выкриков и гром аплодисментов. Жених хоть и обладал высоким ростом и военной выправкой, терялся на ее фоне. Крупное телосложение и огромный кринолин с десятиметровым шлейфом кого хочешь отодвинут на задний план.

Это был звездный момент Сильвии. Не церковь с ее чопорным венчанием и лживыми молитвами, не заветное «да», сказанное так громко и четко, что раскатилось под сводами храма, не обмен кольцами из белого золота с крупными бриллиантами (драгоценности надо начинать копить сразу, пусть муж знает твои пристрастия), не будничный голос падре, пробубнивший в фиг знает который раз привычное: «объявляю вас мужем и женой», не подписи, которые закрепили новый статус жены и навсегда привязали к ней мягкохарактерного Сандро.

Аперитив в компании сослуживцев Сандро на зеленой лужайке, в которой тонули каблуки, под восторженное хрюканье гостей в ожидании закусок Сильвию не впечатлил. Хотя газон был подстрижен идеально, кустики, обрамлявшие его, изгибались сердцами, наполовину, правда, нарисованными, что напомнило Сильвии больше антураж приключений Алисы, чем то, что окружало принцессу Сисси.

Да, гости съехались. Сто двадцать шесть человек. Все как один ахали, когда оказывались в этом великолепии. Огромная арка из плотных белых роз, увитых атласными лентами, возвышалась над лужайкой. По краям стояли накрытые столы, за которыми официанты мешали легкие коктейли для разогрева. Все, абсолютно все было на высшем уровне.

* * *

В конце концов, они принесли мне деньги. Все принесли мне деньги. Подумаешь, носорог или горилла. Та — вообще зебра, а за дальним столиком — семейство страусов. Это ничего не меняет. После сладкого я получу заветные конверты. Интересно, где они их прячут? У них же нет карманов! Все животные были голыми, если так уместно сказать про зверей. Но именно так и подумала Сильвия. Неужели я останусь без подарков? Эта мысль озаботила ее гораздо сильнее, чем наличие сотни бестий в обеденной зале замка.

Официанты сновали туда-сюда как ни в чем не бывало. Они разносили горячее, подливали вино, доносили ледяную воду в запотевших бутылках.

После части с горячим всю толпу выпроводили в сад. Организаторы раздали всем по воздушному шарику, каждый из которых светился изнутри неоновым светом.

Торт — кульминация. Его выкатили на белом круглом столе, полностью закрытом блестящей скатертью. Как и положено, он был многоэтажным. Макушка упиралась в темноту, розочки, завитушки, тонкие ленты, серебристые и золотые, перевитые между собой, украшали каждую часть.

Этот шедевр свадебного кондитера предстояло убить большим ножом.

Когда Сильвия и Сандро вышли в сад, все зверогости были уже организованы: у каждого в руках был светящийся шарик. Посередине возвышался торт, рядом стоял официант и готовился выстрелить шампанским в темные небеса, скрипачка изгибалась в экстазе под «Вечную любовь» Азнавура, фотографы нацелили свои объективы. Да, сейчас будет одна из самых красивых и романтичных сцен, невеста смаковала ее в воображении уже несколько месяцев: ей была знакома каждая деталь. Мелодия полыхнет и кончится, пробка выстрелит и взовьется к звездам, шампанское вспенится и польется в бокалы, а гости по команде распорядителя отпустят шарики в небеса — и тысячи светящихся огоньков устремятся ввысь, будут лететь, лететь, пока не сольются со звездами.

Сильвия сияла, как могла сиять невеста в час ночи возле долгожданного торта, после мучительных часов сногсшибательного банкета. Она ждала сигнала.

Первым подошел носорог. Он протянул мясистую лапу и вручил шарик Сандро. Жених улыбнулся и взялся за ниточку. Следом подошла вся носорогова семья: мыча что-то невнятное, жена и сыновья всучили свои шары Сандро и отошли. За ними уже выстроилась очередь: чета леопардов, грациозно вышагивая на задних лапах, изящно распрощалась со своими шариками, страусы были более неуклюжи, зато их перья сверкали блестками. Гиены, фламинго, гориллы, одинокая жирафиха, три крокодила, семь пингвинов, четыре льва, пара бурых, а за ними пара белых медведей, три волка, целое семейство огненно-рыжих лисиц (наверное, крашеные, слишком ненатурально, привычно отметила Сильвия), очумелые бегемоты, круглые колючие ежи невероятно больших размеров, козочки, которые все время смеялись, корова, антилопы, мини-слон (большой бы сюда не влез, правильно, что его уменьшили), громадные, в человеческий рост, попугаи. Очередь петляла, шарики мигали, хвост зверогостей уходил куда-то в сторону. А у Сандро в руках была уже целая охапка.

Что-то пошло не так. Сильвия забеспокоилась и стала делать знаки распорядителю. В голове туманилось, нестерпимо хотелось спать, во рту пересохло, а официант с шампанским застыл в ожидании команды.

Распорядитель смотрел куда-то сквозь Сильвию, хотя сквозь плотность ее телес разглядеть что-то проблематично, и на знаки не реагировал. Тогда от нетерпения она отпустила супруга и взмахнула призывно рукой, и тут Сандро, оставшийся на свободе без груза, внезапно поплыл вверх.

Связка шариков в его руках была уже настолько велика, что Сандро стал подниматься все выше и выше. Он уцепился обеими руками за веревки и забавно болтал ногами. Гости были в восторге: шквал аплодисментов, хрюканье, рявканье, рыканье, визжанье.

Сильвия открыла рот — но оттуда не вылетало ни звука… Муж уплывал к далеким созвездиям, а она, похоже, превращалась в рыбу…

СВЕТЛАНА МОСОВА

Генеральские свадьбы

Советские мужчины были лучше. Они имели очень много свободного времени в своих бесчисленных НИИ и конструкторских бюро, а свободное время располагало к мечтательности, стихам и всяким крамольным мыслям, которые так нравились девушкам.

Советские девушки были лучше: им нравились эти советские мужчины.

Советские журналисты были лучше. Они наполняли эфир хорошо поставленными голосами и исключительно хорошими новостями — скучными, конечно (и тайная ересь лишь только в скуке!), но зато за кадром было очень весело. Весело, молодо, шумно…

А дальше — тишина…

Значит, рассказывают так: в чрезвычайно сильном подпитии и сверкании генеральского мундира корреспондент республиканского комитета по телерадиовещанию Володя Драган ворвался в зал заседаний, где как раз заседал Наблюдательный совет, и приказал всем встать, когда генерал к ним обращается!..

Все не сразу признали в грозном генерале Вовчика и в связи с этим, быть может, даже испугались, не знаю. А может быть, даже и встали (и этого впоследствии не простили!). А может, наоборот, от страха прилипли к стульям (а выглядело, как будто не испугались!). Так или иначе, но то, что все обалдели, это абсолютно точно.

А генералу было что сообщить высокому собранию. И он сообщил. А именно, что собравшиеся здесь — все без исключения, во главе с Председателем! — ни хрена не смыслят ни в радио, ни в телевидении, ни вообще!..

Между прочим, сказал правду.

Ее многие желали сказать. Но не всем хватило духу. А Драгану хватило — духу у него всегда было немерено.

В общем, сказал правду, но кто любит правду?

Разумеется, его уволили.

Причем уволили с треском, на образцово-показательном собрании работников радио и телевидения, на котором генерал, кстати, не присутствовал — закусывал где-то.

А закусив, явился к Председателю.

Но это уже ближе к концу история, а начать ее надо с того, что в генералы журналиста Драгана произвело казачье войско, в начале девяностых это делалось легко — было бы желание, горилка да казачий дух. А у Драгана все это имелось с лихвой.

Нст, пожалуй, рассказ надо начать еще раньше…

Быть может, со свадьбы Лизы и Бука.

Шампанское начали пить, как положено у добрых людей, еще в загсе, продолжили в такси и на улице — и все это провоцировало на безудержный смех, блестящее остроумие и всякие подвиги — ну кто не испытал этой агонии молодости, кто не испил из этой чаши любви!..

Драган, кстати сказать, пил из нее всю жизнь. Так и не сумев превозмочь ее сладкие чары…

Но тут важна деталь: брак был фиктивным. Зато веселье настоящим. Друзья расстарались.

Да и Лиза сдуру вдруг явилась в загс вся из себя раскрасавица — юбка-колокол, диадема на лбу, и Серега Бука, иронический юноша, тоже вдруг предстал раскрасавцем, женихом с букетом алых роз, да и тетя в загсе вдруг долбанула речь по всем правилам («Вы сегодня вступаете в брак…»), и кольца в ход пустили, и поцелуем скрепили, и шампанское открыли — и все вдруг показалось таким настоящим, что мороз пошел по коже у свидетелей (которые тоже зачем-то приперлись нарядными), и тот самый ком, как положено, в горле застрял…

Нет, ну тут все понятно, конечно: Мендельсон, речь — на слабые нервы действует, но!

Но Лиза-то, Лиза!..

Стоит раскрасавицей, Золушкой на балу — жених глаза вытаращил, как впервые увидел, и все вытаращили — и не только потому, что красавицей предстала (что красавица — и так все знали), но вот этот трепет! эти глаза нараспашку! эта готовность к счастью!.. Хитра-а мать.

А ведь никто, кстати сказать, не собирался насовсем отдавать жениха Лизе (а не жирно будет?! Лизе-то?!), у других на него, между прочим, виды были — Лизу и выбрали на эту роль по причине ее полной безопасности (коварства ни на грош: квартиру не отберет, жениха не уведет) — и вот на тебе!.. Прям как тот Иван-дурак, что умнее всех вышел.

И вот тут бы счастливый конец!..

Да не будет.

...И какая-то жуть была во всей этой свадебке, в фотографиях на память (на какую память?!) и идущей вслед за этим дружеской попойке на подружкиной квартире, где свадебка, конечно, продолжилась — всем на потеху... Но невеста была такая настоящая на этой ненастоящей свадьбе, такая взволнованная и трепетная, и жених был тоже какой-то взаправдашний, строгий и торжественный, как будто оба знали, что настоящей свадьбы им обоим никогда не видать!.. И народ уже думал в разгаре веселья (трезвая мысль в пьяной голове): а почему бы нет?.. За чем дело-то стало?! Лиза?! Серега?.. Чтобы делу венец и сказке конец?!

А может, и надеялась на что-то Лиза, и жених ее надеялся? (На поворот судьбы, на счастье из-за угла?) Но подруга была уже на страже, начеку, зорко следила за нюансами, не дала разыграться импровизации и увела жениха, оставив Лизе, у которой вдруг разболелась голова, пачку пенталгина (береги себя, Лиза).

Так и не поняла ничего Лиза, немужняя жена, ничего не поняла в этой жизни, как не поняла и другая Лиза, ее тезка, маленькая княгиня, тоже глупенькая в сущности, которой тоже не по зубам был сложный князь, задававший себе много вопросов...

Нет, нет, Лиза вопросов не задавала, какие вопросы? Не предал — друг. А предал — значит, не друг. Вот и вся правда.

А если предал, но все равно друг — тогда как? Лиза?

Лиза хлоп, хлоп глазами.

Вечный подросток, вечная девочка Лиза — без возраста, без обид, без тайн и секретов, всегда готовая к радости, причем радости тоже простой, наивной, родом из детской... Так и жила она свою жизнь без своей жизни — на посылках, на обочине чужих жизней, ошиваясь по чужим домам и чужим судьбам, с вечным пенталгином в сумке и апельсинами для чужих детей.

И никому не интересны были ее маленькие житейские истории («потом расскажешь, Лиза!»), ценилась острота ума — и здесь Лиза уступала (в остроте, в смысле), сильна была другими качествами — беззаветной преданностью и высоким служением дружбе, чужой любви — и нельзя сказать, что это не ценили — ценили, конечно.

«Потом, потом расскажешь, Лиза, лучше послушай!..»

И никто не умел слушать так, как умела Лиза — светясь от счастья, пожирая глазами рассказчика, готовая, если попросит, отдать за него жизнь!.. Потому что это действительно было счастье, которое не всегда выпадало Лизе: ведь не все можно говорить при детях, правда? А Лиза пожизненно почему-то числилась в младшей группе.

Нет, один секрет у нее все же был — те самые фотографии на память (на какую память?!), которые тайно хранила Лиза, где она невеста, а Серега жених — жених ряженый, да не суженый... В общем, выпал Лизе единственный случай сыграть главную роль, и больше главных ролей в ее жизни не было.

Но после свадьбы еще подружили немного и даже к родственникам мужа зачем-то съездили (родственники одобрили, кстати, и даже рекомендовали Сереге жениться на Лизе по-настоящему), по театрам походили, по парку погуляли…

А как-то раз даже на юмориста пошли — Лизе доставить удовольствие, ну не Сереге Буке же, брезгливому до простых радостей, — и так хохотали они с Лизой, ну Лиза — понятно, а вот Серега-то наш, высокомерный князь, чуть не помер от смеха — в буквальном смысле: с сердцем вдруг плохо стало — ка-ак кольнет!.. Потом отпустило, хвала богу.

Посмеялись, короче, и развелись.

И вот, если сопоставлять факты и время, то как-то так выходит, что именно после того свадебного кутежа у Лизы и Бука, после той ненастоящей свадьбы, Володя Драган полюбил свадьбы. И чужие, и собственные.

Женился часто, легко, невесты были все в его вкусе — пышнотелые, веселые, румяные, можно сказать, все на одно лицо — ну разницы никакой! Значит, дело было в самой свадьбе, надо думать, в самом веселье, гульбе. И гульба шла всегда по всем правилам, — то есть море гостей, тосты и все такое прочее.

Но была в женихе всегда какая-то печаль, какая-то неудовлетворенность, что ли, — то ли самой организацией свадеб, то ли еще чем-то. Иначе как же объяснить, что время спустя поступали новые приглашения — и гуляли новые свадьбы, и опять невеста — как сестра-близнец предыдущей!..

А вот у Бука и Лизы свадеб больше не было. И никто не сказал им, что та была их единственная свадьба и больше не будет. «Ну, давайте, дети, еще раз!» — нет, такого им не сказали.

И жених Серега, светлый князь, прожил свою жизнь один в своей двухкомнатной квартирке, полученной благодаря тому фиктивному браку с Лизой, так и не найдя себе жены — то ли равных не было (себе? Лизе?), то ли погряз в вопросах, на которых нет ответов (а у Лизы они были!)…

И чем дальше, все больше вспоминал он о Лизе — и как гуляли они по парку, и как смотрела на него Лиза, и как смеялись они тогда — до сердечной боли (и что это за боль такая была?..) — он больше никогда не смеялся так, несмешливый был человек, бука, колючка, кактус…

Счастье должно быть своевременным, потому что все остальное — это уже несчастье.

И полетели девяностые — все растворилось в катаклизмах: где, чего? Не до Лизы уже стало. Жизнь закрутилась, как волчок, завыла голодным волком, спасайся кто может, все врассыпную, рассредоточились, как в погоне (волки хватают отставшего, слабого), и неважны стали все эти изыски ума, и опротивели все эти сложности, и стали цениться простые вещи, коими так богата была простая душа Лизы… Не предал — друг. А предал — значит, не друг. Вот и вся правда.

Грянула свобода, и умные люди быстренько стали ставить высокие заборы, крепкие ворота и кодовые замки — в общем, стали крепче запирать двери, а Драган что сделал — а Драган рванул в Запорожье: зов предков не пустые слова. Там и стал генералом. А что? Высокий, статный, резкий, правду-матку так и рубит сплеча — генерал, да и только.

— И быть тебе генералом! — порешил атаман.

Сказано — сделано.

И на Драгана — человека, казалось бы, с чувством юмора! — тем не менее это произвело неотразимое впечатление, он вдруг понял, что, собственно, все к этому и шло. Генерал Драган. Звучит.

Заказал форму. Тоже легко. Форма шла ему безумно. И в чине генерала Вовчик вернулся назад.

И пошли уже генеральские свадьбы.

Жизнь человека делится на три периода.

В детстве мы ходим на дни рождения, в юности — на свадьбы, в зрелости — на похороны.

Третий период неожиданно вклинился во второй — то есть еще лето, а листья стали уже опадать.

Первыми приняли смерть на себя наши мальчики-операторы. Причем почти все пали в бою на одном участке фронта — по дороге от кафешантана к студии и обратно.

Но надо сказать честно, они туда бегали всегда, называя эту стекляшку кафешайтаном (что более отвечало злым чарам данного заведения), а вот в девяностые годы они оттуда не выходили.

Хоронили одного за другим, ну буквально через запятую… Красивых, молодых, слабых, любимых…

Потом подтянулись и другие профессии.

А теперь — к концу сказа о генерале Драгане.

Значит, закусив, он, уже уволенный, вновь явился к Председателю, и явление Драгана выглядело так: устрашающий генеральский мундир, ремень с кобурой, дверь открывается ударом сапога!

Что там было — неизвестно, но слухи ходили, что казачий генерал пригрозил Председателю пистолетом. Типа, при желании я могу тебя сейчас пристрелить (а желание было!) — и потянулся рукой к кобуре.

А поскольку до этого он где-то в компании выпивал и закусывал, то наверняка у него там был кислый огурец, говорил народ, но в руках Драгана этот кислый огурец мог бы запросто выстрелить и поразить Председателя.

Утешился Драган в следующей свадьбе. Но увы, ненадолго…

— Он, как меня встречал, сразу же нашу с Лизой свадьбу вспоминал… — рассказывал Бук. — Не бывал, говорит, я на более веселой свадьбе!..

И какая-то неизжитая тоска была в постоянстве этой фразы.

И получалось так, что генерал упорно пытался вступить в реку дважды (трижды, четырежды!..) — вопреки и несмотря на. В ту игру. В ту свадьбу, где радость была чистой, без примесей идущих за ней будней — вот такой именно свадьбы ему, быть может, не хватило, и он пожизненно ее ждал.

А может, ему не хватило самой Лизы? Белой невесты Лизы, вечной невесты Лизы, ничьей Лизы, хотя нравились Драгану совсем, совсем другие — что Лиза? Хрупкий опавший цвет…

А может, ему просто не хватило той юной беспечности, когда можно было просто так, без дела, шататься по улицам и на вопрос встречного — ты куда? — бездумно ответить:

— Да так…

Непозволительная роскошь впоследствии…

До последней минуты жизни генерал женился. В буквальном смысле — до последней: умер Драган в день своей свадьбы.

Утром расписался, пришел с молодой женой и друзьями домой, сел за стол, поднял бокал, выпил за любовь и умер. Инфаркт.

Хорошая жизнь. Достойная смерть. Погулял, пожил, правду сказал: до последней минуты любил. Нет-нет, хорошая жизнь.

А пистолет, кстати, у него все же был. Настоящий, с памятной надписью от казачьего атамана.

ТАТЬЯНА ЗОЛОЧЕВСКАЯ

Маков цвет

1

В поселке Зацелованный даже не пахло поцелуями. Пахло летом. Сочным и немного пряным.

Тоня давно смирилась с тем, что живет в забытой богом дыре, российской глубинке где-то между Заруйском и Щебнем, куда поезд из столицы ходит лишь один раз в неделю. Жители из года в год сонными мухами ползали там по своим прозаичным делам. И ни о чем ином не помышляли.

Название местечка и вовсе звучало насмешкой. Какая любовь в такой дыре? Какие поцелуи? Правда, старожилы поговаривали об одной легенде: будто знатный заезжий панич полюбил местную красавицу, да так крепко, что захотел увезти ее с собой в далекие края. А она, на беду, только свадьбу отгуляла — и теперь была молодая жена.

Только вот и ей приглянулся панич. Ходили-ходили, глядели-глядели, да и припал он однажды на закате к ее устам, да так, что не смог оторваться. Настиг их тогда молодой муж, да и зарубил обоих топором. Из ревности. А в память о молодой неверной жене посадил на краю города целое поле маков. Как символ страстных поцелуев. С тех пор поселок и нарекли Зацелованным.

Жители привыкли к необычному названию и, чтобы было удобней, называли друг друга — «зацэ».

Поселок Зацелованный из космоса выглядел как заколдованный. Вихреобразный круг, с переплетенными безо всякой логики неравномерными секторами, похожими на мелкосотканную венозную сетку. Единственным ровным перпендикуляром к федеральной трассе пролегал главный проспект. Как водится, имени Ленина. Если смотреть из самолета, то в начале лета, недели на три, виднелось рядом с поселком вызывающе красное маковое поле. В борьбе с наркоманами поле несколько раз перепахивали, но маки вырастали снова.

* * *

Тоня предвкушала свадьбу, наслаждаясь мельчайшими оттенками этой мысли, как будто перекатывая во рту карамельку, всякий раз буквально замирая от этой мысли, которая была сродни чистому удовольствию. Предвкушала, немножко не веря, что ее, Тонина, заветная мечта — самая важная и главная в этой нерадостной тягучей жизни, — наконец сбудется. Ее совершенно не беспокоило, что она мало знает своего будущего мужа Игоря. Он работал дальнобойщиком и однажды подвез ее на своей бесконечно длинной машине из районного центра домой. Так и познакомились. Буквально несколько встреч, шальных от того, что редких, и Игорю захотелось сделать Тоню своей женой — по закону, — так думала она. А он, возможно, очумел от долгих своих дорог, соскучился по женской ласке и в минуту нежности просто ляпнул про «выходи за меня замуж».

Тоня вставала посреди двора своего допотопного деревянного дома с облупившимися синими боками и сломанным покосившимся крылечком, мечтательно закрывала глаза, и, как по заказу, возникал образ Игоря — кареглазого, широкоплечего, коротко стриженного. Настоящего брутала, как в заграничных фильмах. Немножко пахнущего соляркой, потом и терпким одеколоном с летучей ноткой цитруса. Ей мерещилась картинка: он, она и двое пострелят-погодков идут по главной улице «Зацэ» к дому, держась за руки. Она не думала, как они будут жить, какие построят отношения, как скоро родят детей и что ждет ее в браке. Все это казалось пока неважным, навязчивым и тонуло в призрачном розовом облаке ее свадебной мечты.

А еще ей хотелось шикарных фотографий в маковом поле. Чтобы на алом фоне — кипенно-белое платье и летящая птицей в небесную синь фата, и полуоткрытые для поцелуя ждущие губы, и пронзительный карий взгляд Игоря.

Она видела похожее фото на выставке в районной библиотеке. Только там, в маках, торчала белокурая голова девчушки лет шести, наверное, дочки фотографа. Она тоже была в светлом платье. И на маковом фоне это было стильно, сногсшибательно — ухх как, закачаешься!

2

В данный момент Игорь был в рейсе. Тоня его ждала, предаваясь своим грезам. Они оговорили, что позовут на свадьбу, которая состоится через три недели, минимум гостей. У Игоря родители жили на далеком севере — в Ухте, десять с лишним часов лету, и Тоне казалось, не иначе как в круглой юрте с меховыми стенами, а вокруг мертвые поля снегов, тишина, и только шум оленьих да собачьих упряжек. Игорь, выросший в таких условиях, не может быть слабаком. Наверняка рукаст и закален. И находчив. Тоня вообще была фантазеркой. Ей было достаточно небольшого факта, зацепки, чтобы воображение накрутило в голове снежный ком, и уже было неважно, так ли это на самом деле. Если верится, то почти так.

Так вот, родители, конечно, не прилетят — дорого. У самой Тони папы не было, ушел из семьи в ее младенчестве, а мама, милая мамочка, два года назад умерла. Ей еще и шестидесяти не исполнилось. Инфаркт. Стало плохо с сердцем без видимой причины, губы посинели, за грудиной возникло адское пламя, и пока ждали «Скорую» — стало поздно.

Тоня уже наведалась на кладбище, к маминой могилке, рассказала о грядущих переменах в жизни и всплакнула, думая о том, как бы мама порадовалась за нее, как вместе выбирали бы платье, фату, как восхищенно разглядывала бы она фото в маках долгими вечерами зимой. И Игорь обязательно бы ей понравился. Конечно! Мужчина в доме. Ох, сколько мужской работы накопилось, делать — не переделать, вздохнула Тоня.

Так вот, на свадьбе будет мамина старшая сестра Тася, она из местных, «зацэ*шных*» — сухая бабулька с аккуратной завивкой и живыми молодыми глазами. Ей чуть за семьдесят, лицо давно похоже на неровную курагу, а тело юркое и ноги быстрые — даст фору кому хочешь. Потом три школьные подружки. Пока холостые. Одна семейная пара с малышом. И со стороны Игоря — вроде тоже двое-трое ребят. Вот и все.

В загс пойдут пешком, по центральной улице, благо близко, минут пятнадцать ходу — да и пусть другие полюбуются. А отметят в тетиной однушке. Ей, как ветерану, пять лет назад дали квартиру в пятиэтажке, недалеко от Тони. Комната большая, светлая. И солнцем залита — с часу дня и до самой ночи. В такой приятно веселиться, она будто создана для праздников. Стол раздвинут на всю длину — вот и делов-то, всем места хватит. А что на стол поставить — найдут, справят.

На свадьбу Игорь взял кредит. Двести тысяч. По-другому никак. Свадьба — дело такое. Кольца, наряды. Большую часть суммы Тоня собиралась потратить на себя, чтобы выглядеть конфеткой. Как с обложки журнала. Разве будет в жизни еще раз такая возможность? Вряд ли. А если невеста довольна, то и всем будет хорошо. При этом ей хотелось произвести впечатление на Игоря — чтобы обалдел просто! И произвести фурор среди сонного царства зацэ*шников*. Да, и фото — само собой.

Тоня работала продавцом в обычном продуктовом магазине. Даже супермаркетом его не назовешь. Только самое необходимое и продается: хлеб, молоко, кефир, колбаса, сыр, фрукты, овощи да всякие вафельки-печеньки. И так ей надоело это унылое стояние за прилавком, это захолустье, эта вечная экономия, эта серость — хоть плачь.

3

Однажды Тоня, как обычно, ровно в восемь, выскочила из дома и бодрой походкой направилась на работу. Путь всегда был один и тот же. Сначала по улице вдоль пяти таких же покосившихся домов, как у нее, потом по проселочной неширокой дороге метров пятьсот до поворота, и налево, пожалуйста, деревянная, свежевыкрашенная в зеленый цвет постройка с пластиковой, местами побитой надписью «Продукты» и вечной кучкой слегка нетрезвых зац*эшных* сограждан, скорее собутыльников.

Тоня быстро шла, слегка размахивая сетчатой зеленой авоськой для продуктов, и думала о том, что не сегодня завтра поедет в районный центр за платьем. И от этих мыслей у нее захватывало дух, как на качелях, и что-то вступало в голову, как будто она выпила, не закусив. Она даже не заметила, откуда взялась на дороге, прямо перед ней, смуглая, с курчавыми, убранными в кичку волосами, женщина средних лет в цветастой длинной юбке и замшевой кофте-тужурке, каких не носили в Зацэ. Тоня хотела проскочить мимо, но женщина легко тронула ее за локоть и, глядя прямо в глаза, спросила:

— Эй, милая, погоди, как пройти на проспект Ленина?

Тоня остановилась и махнула рукой:

— Вам в обратную сторону. Возвращайтесь по дороге до магазина и оттуда прямо вдоль домов. Недалеко. Минут пятнадцать.

— Погоди, погоди. Недалеко, говоришь? А чего в глазах у тебя — думка? О платье думаешь, о свадебном?

Тоня опешила.

— Погоди, погоди, девонька. Дай-ка ручку, все тебе расскажу, что ждет впереди да как быть тебе.

Тоня растерялась, вроде и знать ничего не хочет, и любопытство разбирает — как там Игорь в рейсе и гладко ли пройдет свадьба? Она, не очень осознавая себя, молча протянула руку незнакомке.

— Ой, рученька-то махонькая, как у ребенка. Ну что, девонька, платье-то ты купишь завтра, красоты необыкновенной будет. Ой-ой, а вот суженый твой — на больших дорогах сейчас, далеко отсюда.

На этих словах Тоня встрепенулась, поразившись прозорливости смуглянки, и спросила:

— А как он, все в порядке с ним?

— Ой-ой, девонька, вижу знак беды неминуемой. О чем мечтаешь ты — не сбудется, не выйдет. Не сможет он, но не по своей воле.

Тоня забыла, что торопилась, и задохнулась от этих слов:

— Вы что, что такое говорите? Что за знак?

— Ой-ой, милая, отмолить его надо, отмолить, чтобы беду отвести. Я могу помочь тебе. Но ты должна принести жертву.

— Жертву? Как это? — не поняла Тоня. По спине у нее пробежал холодок, а руки, наоборот, взмокли.

— Дай денег, это самое верное, самое простое. Я на эти деньги куплю свечи да во всех церквах в округе поставлю, и в монастыри поеду. И отведем беду вместе — ты да я. Деньги — меньшая жертва. Не скупись. Не жалей на любимого. Ой-ой, вижу знак беды, вижу, прости, девонька. Солгать не могу, нет.

Тут Тоня выдернула руку и вспомнила, что бежит на работу.

— Я не могу сейчас, мне на работу. Меня ждут. Не могу.

— А давай в обед, есть у тебя перерыв? На этом месте.

Тоня поморщилась от лавины тревожных мыслей, захвативших ее, кивнула и побежала дальше. Она немного опоздала к открытию, и у прилавка толпилось несколько человек. Магазин открыла Светка из соседнего отдела, недовольно и презрительно окинув ее при появлении.

Тоня начала паковать и отпускать товар, не в силах сосредоточиться, и заметила, что ее руки дрожат. Когда очередь рассосалась, она присела на табурет в крайнем беспокойстве и наконец прокрутила заново в голове весь разговор со странной женщиной. Господи, как беда — не может быть — что с Игорем — а свадьба — свадьба же? Надо отмолить — надо, конечно, дать деньги — дать, это главное. А то ничего не будет. Нет, нет. Как же. Она совершенно утратила способность рассуждать трезво, поддавшись гипнозу смуглянки, откуда-то знавшей и про свадьбу, и про платье, и про Игоря. Взволнованная Тоня с трудом дождалась обеда и пулей выскочила на дорогу.

В два раза быстрее минуя обычное расстояние, она ворвалась в свою комнату, подбежала к кровати и аккуратно вытащила из специального кармана, нашитого на чехол матраса, деньги. Села на пол, не переводя дух, пересчитала, взяла сто тысяч, перетянула их резинкой, сунула в карман и снова выбежала.

Она увидела эту женщину издалека. Та стояла спиной к дороге и задумчиво смотрела вдаль, упираясь взглядом в частокол леса. Но когда Тоня приблизилась, она, словно чувствуя это, сразу обернулась.

— Принесла. Давай. Это малая жертва. Малая. Отмолю сокола.

— А как я узнаю, как? — вдруг очнулась Тоня.

— Давай, давай, — мягко приговаривала она, глядя прямо в глаза, — сейчас скажу.

Тоня безропотно вытащила из кармана перетянутую резинкой пачку пятитысячных и подала ей.

— Все сделаю, все сделаю, милая. Отмолю, но свадьба твоя по судьбе назначена с другим.

Тоня пришибленно молчала. А женщина как ни в чем не бывало развернулась и пошла прочь — спокойно так, не спеша, с достоинством, качая бедрами. Тоня двинулась за ней, не в силах ничего понять и осмыслить. Как сдутый воздушный шарик, безвольный и никому не нужный, еле волочащийся за «веревочкой».

Но она шла медленней, и когда дошла до магазина, спина незнакомки маячила уже далеко впереди. Тоня остановилась, помотала головой, стряхивая наваждение, и вдруг в голове зашевелились здравые мысли: она произнесла — скажет, как найти ее? А не сказала. Кто она? А если это обман? А деньги? Это ж Игорь принес, из банка, на свадьбу. Тоне стало страшно и обидно. Она заскочила в магазин, выкрикнув на ходу:

— Светка, выручай, у меня проблемы! Я скоро вернусь!

И, не дожидаясь ответа, оставив возмущенную напарницу с недоумением на лице, побежала по дороге в направлении к центру, туда, куда удалилась гадалка.

4

Она бежала очень быстро и наконец на подходе к центру, у гаражей, увидела знакомую фигуру. Тоня вся поджалась пружиной и кинулась к ней:

— Женщина, я передумала, отдайте деньги, отдайте. Умоляю.

Смуглянка повернула лицо:

— Ты что, сбрендила? Знать тебя не знаю, — и быстрым шагом пошла не к проспекту, а к безлюдным гаражам.

Тоня припустила за ней и завопила в голос:

— Люди, помогите, обобрали! Воровка, деньги украла!

Женщина побежала вперед, видимо надеясь затеряться среди гаражей и уйти от погони.

Рядом с Тоней вдруг оказался крепкий лысоватый мужчина невысокого роста, с выправкой, как у военного.

— Девушка, что вы кричите? Что случилось? — схватил он ее за руку.

— Там... она... с деньгами моими... отняла... — захрипела Тоня.

— Бежим, — крикнул мужик, и они вместе метнулись к гаражам. Тоня не могла соображать, они стали бегать по рядам, и тут она заметила край той самой цветастой юбки в кустах. Тоня молча дернула мужика за рубашку, и они приблизились к тому месту.

Гадалка стояла в кустах, затаившись и прислушиваясь. Вдруг мужик подскочил к ней и резко вывернул руку за спину.

— Давай деньги, гадина. Зачем девчонку обижаешь?

— Вы что, с ума сошли, нет у меня никаких денег.

Мужик больнее завел руку.

— Будешь так стоять, пока не вспомнишь. А ты чего спишь — зови полицию.

Тоня отошла на шаг и закричала:

— Полиция! Воры! Помогите!

На ее крик вдалеке, за гаражами, стали оборачиваться люди, которые шли в центр. И она заголосила снова.

Воровка зашевелилась, но вырваться не получалось. Крепкий мужик держал цепко и умеючи.

— Да пропади все пропадом, — она сунула другую руку за пазуху и вытащила Тонину пачку денег откуда-то из-под грудей.

Мужик схватил деньги и затряс перед Тоней:

— Твои?

Она закивала. Мужчина отпустил смуглянку, и та, бормоча что-то под нос, ретировалась.

Тоня не верила произошедшему. Сердце колотилось так сильно, словно она пробежала стометровку на время. Она бросилась мужчине на шею:

— Спасибо, спасибо. Бог вас послал, — и залилась слезами, не выдержав напряжения.

— Ладно, ладно, не плачь, — смутился тот, — да будь внимательней. Повезло тебе.

А гадалка, отойдя на безопасное расстояние, обернулась и бросила с ненавистью:

— Жди беды, девонька. Жди беды…

5

Тоня обладала легким характером, и уже наутро умылась святой водой, перекрестилась, да и выкинула неожиданное, крайне неприятное происшествие из головы. Тем более у нее был выходной, и она поехала в райцентр, за платьем.

Спасенные деньги закутала в мешок и бережно спрятала в потайное отделение сумочки.

— Девушка, вам идет. Принцесса, — умильно сложив руки лодочкой у лица, говорила Тоне продавец свадебного салона, забавно хлопая ресницами. Она была молоденькой и восторженной.

Тоня стояла на небольшом круглом подиуме перед зеркальной стеной и видела немножко испуганную, слегка растрепанную невесту. В пышном платье с верхом по фигуре и узкими рукавами из прозрачной сетки. В нем было красиво очерчено декольте, но выше него до самой шеи — тоже сетка. Это выглядело нежно и утонченно. Тоня видела такое платье в специализированном журнале, и с тех пор оно не выходило у нее из головы.

— Беру, я беру это платье, — сказала она.

— Ничего больше не примерите? — спросила продавщица.

— Нет, нет. Только это. Беру.

Тоня с сожалением сняла платье, переоделась, заплатила и вышла на улицу. «Ну вот, главное дело сделано. Теперь надо покраситься. Сделать цвет, как в журнале, у той модели в этом платье. Такой платиновый, не соломенный, не белый, а именно платиновый», — с замиранием сердца рассуждала Тоня.

Она поболталась по центру, окутанному облачками тополиного пуха, незаметно оседающего в самых неподходящих местах. Съела мороженое — вафельный стаканчик, немного кривой и смятый, и забрела на окраину, сама не зная зачем. Когда она увидела невдалеке расщелину оврага, сразу разрезавшего маковое поле, которое тянулось от районного центра до поселка, то поняла, почему зашла сюда — хотела проверить, пришло ли время цветения мака. До свадьбы остается две недели. Пора бы. Подошла ближе, и в глаза бросились пока еще редкие среди зелени алые огонечки. Они были яркими, веселыми, зовущими. «Зацветет. Зацветет. Будет красиво», — успокоилась Тоня и пошла прочь.

6

Еще через неделю, в следующий выходной, она шла по главному проспекту Ленина в самый престижный по местным меркам салон-парикмахерскую. Из сумочки торчал журнал мод, свернутый трубочкой. Тоня подготовилась — выпросила журнал в библиотеке, где впервые и увидела образ своей мечты, чтобы показать мастеру.

В салоне никого не было. То ли из-за того, что лето — все на дачах да в отпусках, то ли из-за высоких цен. Но Тоню это не смущало. Администратора нигде не было видно, а в центре зала на крутящемся кресле сидела очень молоденькая девушка в короткой юбочке, на каблуках, а главное — с длинными, до лопаток, светлыми, струящимися по спине волосами. Окно было открыто, и немного сквозило, от этого ее волосы шевелились, как живые.

— Добрый день! Можно к вам? — спросила Тоня.

— Что вы хотели? — не поворачивая головы, произнесла девушка.

— Я хочу волосы покрасить. К свадьбе. Как в журнале, — ответила Тоня.

Девушка нехотя указала рукой на соседнее кресло.

— Присаживайтесь. Покажите, — она взглянула на нее.

Тоня вытащила журнал и открыла на нужной странице.

— Вот. Я бы хотела такой цвет, а прическу потом решим.

— Платина? Вы же брюнетка.

— А что, не получится?

— Нет, почему же. Получится. Только дорого. Краска у нас импортная.

— У меня есть деньги, это не проблема.

Девушка подошла к Тоне, коснулась волос и потрогала их.

— Красились уже?

— Нет, ни разу.

— Ну давайте. Платина так платина.

Тоня опустилась в кресло в предвкушении чего-то волнующего, праздничного. Девушка тем временем деловито брала какие-то тюбики, выдавливала краску, что-то смешивала, рвала фольгу и производила какие-то другие, только ей понятные манипуляции.

Тоня плыла в своих фантазиях, полностью отдаваясь во власть порхающих движений рук мастера.

— Будете чай-кофе? — очнулась она от вопроса.

— Да, можно чай. Спасибо, — Тоня обалдела от такого сервиса — ведь ни разу в жизни она не бывала ни в каких салонах и никто не приносил ей чашку чаю. Только она сама у себя дома, когда заскакивала подружка или заходила соседка.

Тоня с удовольствием выпила ароматный чай, показавшийся ей особенно вкусным, и теперь с удивлением поглядывала на свою голову с вавилонской башней из фольги.

Прошло еще какое-то время, и Тоня заскучала, стала листать журнал, потом долго смотрела в зеркало и думала о том, какой станет ее внешность после покраски и что на это скажет Игорь.

Девушка куда-то вышла, а в салоне по-прежнему было пусто. Тоня встала, немного прошлась, снова села. Вышла в туалет, а потом ощутила, что голову перестало приятно холодить, напротив — кожу у основания волос стало щипать, сначала немного, еле ощутимо, потом сильней, острей, а потом и вовсе стало нестерпимо жечь. Она выглянула на улицу — длинноногая девушка сидела поблизости на лавочке и, беспечно болтая ногой, болтала по телефону, растягивая слова.

— Девушка, у меня вся голова горит, это нормально? — спросила Тоня.

Та едва повернула голову к ней и раздраженно ответила:

— А что вы хотели? И будет жечь. Из брюнетки в блондинку. Хм.

Тоня вернулась на свое место немного разочарованная. Очарование момента улетучилось, и стало тревожно. Через какое-то время девушка вернулась, и она прошли к мойке смывать краску. Недовольная девушка, словно оторванная от важных дел, буквально срывала с нее фольгу, ничуть не заботясь о Тонином комфорте. Помыла ей голову, это было приятно и несколько успокаивающе, завернула мокрые волосы чалмой в полотенце.

Когда она начала их сушить, в отражении зеркала Тоня уловила, что девушка нервничает. Движения ее рук стали резкими и неуверенными. Сначала она не поняла, от чего. Высушенные места были непривычного, почти белого цвета и очень похожи на цвет волос красотки из журнала. Но когда она закончила, Тоня вдруг с ужасом заметила, что в некоторых местах волосы обломались и торчали распушенными концами, а когда посмотрела на пол — на нем валялись целые пряди ее волос.

Тоня молча смотрела в зеркало и видела новую себя: лицо отдельно, волосы отдельно. Красивый белый тон выглядел свежо и стильно, но совершенно не шел к ее оливковой коже, хотелось снять волосы как парик и исправить ошибку — немедленно вернуть природный шатен. К тому же волосы стали какими-то рыхлыми, неровными и пушистой массой небрежно наваливались на плечи, к тому же кое-где длины не хватало, и это было слишком заметно.

— Как это? Что это? — выдохнула Тоня.

— Ничего не знаю. У вас волосы плохие изначально были. А что вы хотели — вот так прямо, из брюнетки в блондинку?! — ничуть не смутилась девушка.

— Но они же отрастут не скоро. Свадьба же через неделю.

— Но вы же в прическу уберете. Нормально будет. Цвет отличный получился, как просили.

Тоня даже не нашлась, что ответить на такую наглость. Она покрутила головой, пытаясь оценить ущерб, не понимая, хорошо это или плохо, безропотно заплатила, причем немалые деньги, и вышла из салона. Она шла к остановке, глотая слезы и не веря своим глазам, видела, как на ветру новые пряди отламывались и безжизненно падали на землю, смешиваясь с пылью и тополиным пухом. Волнующее предвкушение, радость оказались там же в пыли, под ногами. Это было отвратительное зрелище, неестественное и обесценивающее усилия Тони.

7

В этот же вечер, наплакавшись, расчесавшись и оставив на щетке целые пучки пережженных волос, она завязала голову платком и побежала к Валентине. Та, как многодетная мать, не работала и, нигде не учась, по наитию, всегда хорошо стригла и детей, и взрослых. Тоня взмолилась:

— Валя, Валечка, смотри, как меня покрасили. Волосы летят листопадом.

— Ох, Тоня, а белая-то какая! Сама так попросила? Непривычно что-то.

— Да, Валюша, хотела как в журнале, а вот что вышло, — со слезами ответила Тоня. — Что теперь делать-то?

— А чего делать? Стрижка — один выход у тебя. У тебя полный разброд на голове, все разной длины. Пережгла она тебя, краску передержала. В райцентр ездила?

— Нет, Валюша, у нас, в самом лучшем салоне… Ну стриги, что делать. Не ходить же так, — тяжело вздохнула Тоня.

И Валя ловко взялась за дело. Тоня, чтобы не видеть, как ее оболванивают, закрыла глаза, покорившись. Буквально через пятнадцать минут она не узнала себя — как ни странно, с короткой стрижкой она стала выглядеть лучше, цвет заиграл, волосы не пушились, и ситуация стала намного лучше.

— Ну иностранка ты, Тонька, глянь на себя! Совсем другая, ну надо же, — удивлялась и сама Валя своей работе.

Тоня почувствовала себя гораздо лучше. Конечно, она не готова была к стрижке и к таким резким переменам в облике за одни только сутки, но поскольку выбора не было, — нужно привыкать.

— Валя, Валюша, тебе правда нравится? Неплохо? — спросила Тоня.

— Да супер! Сама не ожидала. Думала, сиротку увижу с тонкой шейкой, а тут заморская красавица.

Они посмеялись, выпили по рюмке самогонки, и Тоня, почти довольная, ушла к себе. Дома она не удержалась и померила свадебное платье с «новой головой». Она выглядела такой необычной, интересной, действительно иноземкой, не «зацэшной», что только дивись! Тоня с жадным любопытством рассмотрела свою тонкую шею, задорную платиновую стрижку, длинную челку набок, смуглую кожу, таинственно проглядывающую через сетку рукавов и верха декольте, и удовлетворенно разоблачилась. Она легла спать очень уставшая, но успокоенная, что новый образ не так уж плох и в новом образе ее ждет по-настоящему новая жизнь. Вот только что на это скажет Игорь?

8

Оставалось шесть дней до свадьбы. Через три дня Игорь должен был вернуться из рейса. На работе Тоня то и дело ловила заинтересованные и даже завистливые взгляды знакомых и просто покупателей. Не зная подноготной ее стрижки, многие удивлялись яркости образа и смелости перемен. Тоне понравилась реакция людей, она укрепилась в мысли — все к лучшему! К тому же это давало надежду, что Игорю понравится тоже.

На следующий день ситуация резко поменялась. Соседи, заходившие в магазин, глядели сочувственно и прятали глаза. Особенно те, кто был в курсе предстоящей свадьбы и кого Тоня знала лично. Ближе к обеду она не выдержала и спросила у Марины, своей ровесницы, которая как раз зашла в магазин за продуктами:

— Ты не знаешь, в чем дело? Вчера все на стрижку пялились, а сегодня глаза прячут.

— Сочувствуют тебе, Тонь, — тихонько ответила Марина.

— В смысле?

— Ну жалко тебя. Парня накануне свадьбы потеряла.

— Как потеряла? Ты что? С чего ты взяла? — вскинулась Тоня.

— Так объявление висит. Витька сказал, как в Болгарии. Там тоже так вешают, он в прошлом году был, видел. Говорит, вспомен называется. Мы думали, у жениха родители оттуда, поэтому вы и повесили.

— Что повесили? Что? Покажи, — Тоню затрясло.

Она махнула Светке — мол, присмотри, и выбежала за Мариной.

Через пять минут они уже стояли у доски объявлений рядом с библиотекой, где Тоня совсем недавно выпросила свадебный журнал. Прямо на нее с обычного листа А4 смотрел Игорь с увеличенной черно-белой фотографии, внизу было написано: «Горский Игорь, 14.10.93–14.06.17 г. Светлая память!» Тоня смотрела невидящими глазами, а сзади них с Мариной уже образовалась небольшая компания. Кто-то вздыхал, кто-то топтался на месте, кто-то ждал, что Тоня скажет. Но все молчали. Наконец девушка резко сорвала бумагу с доски, скомкала и бросила на землю:

— Неправда это! Неправда!

И бегом вернулась за прилавок. До вечера ее колотило. Щеки пылали, а душу разрывал вопрос: кто это сделал? И для чего? Она работала на полном автомате, еле дотянув до вечера, измученная, дотащилась до дома и свалилась в кровать. Игорь должен вернуться через два дня. Как пережить эти двое суток? Связи с ним нет. Мобильный телефон в дороге не помощник, в далеких городах в роуминге не наговоришься, без штанов останешься. Тоня встала, выпила настойки пиона пополам с валерианой и рухнула обратно в кровать. Только она провалилась в сон, как перед ней, как наяву, возник образ чернявой гадалки в цветастой юбке с ее последними словами: «Жди беды, девонька, жди беды…»

9

Наутро Тоня первым делом полезла в сумочку, где в боковом прозрачном кармашке для проездного носила фото Игоря. Она усмехнулась и, пряча улыбку, вспомнила, как стащила это фото у него в одну из самых первых встреч, не уверенная, что он сам ей подарит. Игорь зашел к ней после получения нового удостоверения механика, и, как это обычно бывает, несколько фото остались про запас. Фото не было! Обронила — тогда, в кустах, когда ловили гадалку с деньгами, сообразила Тоня. Значит, она вернулась и подобрала — другого объяснения нет, думала она.

Эти два дня она проходила, словно снова нырнув в сон, — ничего не могла есть, ослабела и ощущала только безотчетную тоску и тревогу. Гадалка задумала ей вредить. Мстит за отобранные деньги. Узнала как-то дату рождения Игоря и дату свадьбы. А ведь нигде поблизости больше Тоня ее не видела. Странно все это. Очень странно.

Чтобы забыться, накануне приезда Игоря Тоня снарядила подруг помочь принести продукты из магазина, те, что не портятся, в квартиру тети — переживания давят, а дела делать надо. Бывшие одноклассницы, ничего не знавшие про страшное объявление, щебетали, радовались, обсуждали новую Тонину стрижку, разглядывая ее со всех сторон. Они дружно подхватили собранные заранее сумки с продуктами и потащили. Раньше Тоня думала, что Игорь приедет и все вместе сделают, но теперь противный страх гнал ее впереди паровоза, и хотелось что-то делать, чтобы не сидеть одной и не гонять неприятное в голове.

Тетя Тася — Тоня звала ее просто «ба» — впустила девчат в квартиру, сказала: «Хозяйничайте» — выдала ключи и удалилась с ночевкой к подруге.

Девочки разобрали сумки, разложили по полкам в холодильнике, кое-что вынесли на балкон и уселись пить чай. Их интересовало платье, сам жених, как познакомились и прочие моменты, каким подружки придают первостепенное значение в своих девичьих разговорах. Тоня прекрасно провела вечер в их компании, отвлеклась, подзарядилась позитивом, сама говорила только о хорошем, даже и не думая делиться тем, что произошло за время отсутствия Игоря. Она припрятала свою боль подальше, отодвинула, надеясь таким образом притушить остроту и заглушить хлопотами и приготовлениями к торжеству.

Проводив девочек, она села за стол и стала составлять меню на свадьбу, подробно прописывая, для каких блюд какие требуются продукты и в каком количестве. Отдельно выписав то, чего недостает, что надо докупить и уже принести вместе с Игорем, она поняла, что глаза слипаются, и рухнула в Тасину кровать.

10

С утра Тоня принялась за уборку. Ба хоть и была быстрой, но в силу возраста убиралась только по верхам и некачественно. По углам накопилось много пыли, и Тоня изрядно попыхтела, чтобы натереть и надраить все до блеска. От усердия она немного вспотела, включила старый радиоприемник и даже подпевала несущимся оттуда хитам.

Сегодня вечером должен приехать Игорь. Тоня увидит его, кинется на шею и ощутит себя вне страхов, сомнений и тревог. Все неурядицы отступят, и плохое навсегда останется в прошлом. Словно в подтвержение ее слов, бокалы в серванте поймали солнышко, и цветные солнечные зайчики забегали по стене.

Днем Тоня ушла к себе, по-быстрому навела порядок и дома, приготовила ужин. Она дождется Тасю у нее в квартире, отдаст ключи и уйдет к себе поджидать Игоря.

Ближе к пяти часам вечера она отправилась на квартиру тети. «Боже, какая удушливая жара. А ведь только начало лета!» — думала Тоня дорогой. День выдался и правда какой-то тяжелый. Солнце ленивым огненным диском висело в прозрачном, без единого облачка, небе. Воздух совсем не двигался, застыл, стал плотным и ватным. У Тони внезапно разболелась голова. «Наверное, к грозе», — подумала она.

У Таси она выпила таблетку, прилегла на минутку отдохнуть и отключилась. Ей приснилось, что стоит она совсем одна в пылающем маками поле, а по рукам течет что-то горячее. Она опускает глаза — на ладошках кровь. Тоня наклоняется к макам, пытаясь отереть кровь о нежные лепестки, но у нее ничего не выходит — ладошки остаются испачканными…

От ужаса Тоня проснулась с тяжелой головой, посмотрела на часы — скоро должна прийти Тася. И тут послышались первые раскаты грома. Сначала они были редкие и далекие, потом звук стал нарастать, как будто в горах случился камнепад.

Тоня инстинктивно зашла в санузел — он у Таси был совмещенный — чтобы спрятаться от несусветного шума и снять с веревки выстиранную скатерть. «Может, успею еще погладить до прихода ба?» — думала она.

Тоня подошла к ванне и потянулась рукой к веревке. Вдруг на фоне доносящейся грозы чуткое ухо уловило нечто похожее на всплеск воды. Что-то заставило Тоню мгновенно обернуться.

Прямо из круглого отверстия унитаза, наполненного водой, показалась мокрая щетинистая спинка коренастого зверька, который вывернулся с новым всплеском, как ни в чем не бывало стряхнул с себя воду и, упираясь лапками, попытался вылезть наверх, в чашу. Тоня увидела отвратительную острую серую мордочку с глазками-бусинками, острыми резцами и длиннющим голым хвостом. Крыса!

Тоня вскрикнула от накатившего ужаса, и крыса то ли сорвалась, то ли испугалась и снова пропала в сливном отверстии, как будто ее и не было.

В этот момент раздался звонок. Тоня открыла трясущимися руками дверь и уставилась на ба широко распахнутыми глазами. Но прежде чем она сумела рассказать ей о том, что только что произошло, что-то остановило ее в Тасином лице. Оно было чем-то пораженным и сочувствующим одновременно. «Беда», — промелькнуло у Тони в голове.

Тася вошла, приобняла ее, и вместе они прошли к дивану.

— Тонечка, детка, — начала она, но тут в дверь снова позвонили.

Тася не бросилась открывать, а накрыла своей рукой Тонину дрожащую руку.

— Это полиция. Я сейчас открою. Тонечка. С Игорем беда. Он разбился. Держись, деточка, — и она прижала Тонину голову к своей груди, обхватив покрепче, словно это могло если не защитить от неизбежного, то хоть отсрочить и смягчить.

Тоня молча подняла на нее глаза — в дверь звонили, а с улицы неслись страшные раскаты. Светопреставление, не иначе.

— Ба, я ничего не понимаю. У тебя в туалете крыса.

— А? — ничуть не удивилась Тася. — Ловец душ, вестник беды, — произнесла она глухо.

Она осторожно отняла от себя Тоню и пошла открывать. Тоня повалилась на бок, как кукла.

Вошел полицейский, с ног до головы мокрый, что-то говорил, записывал, выяснял. Тоня так и продолжала лежать, отвечала Тася.

Потом она услышала:

— Девочка, ты полежи. Я выйду кое-что уладить.

Но как только они вышли, Тоня судорожно вскочила и бросилась за дверь. На улице уже реже, но по-прежнему грохотало, лупил дождь, словно небеса прорвало из-за гнева богов. Тоня, уловив что-то смутное из разговора полицейского и ба, выскочила из квартиры и понеслась на окраину.

Уже через минуту платье облепило ее мокрой тряпкой, тапки намокли, и она сбросила их, побежав босиком.

Минут через двадцать дождь так же внезапно прекратился, как начался. Тоня в каком-то безумном порыве, повинуясь внутреннему знанию, оказалась на маковом поле. Она бежала, не чувствуя боли, — ноги были сбиты в кровь. И вот бежать становилось все трудней, мокрая трава обнимала ноги, путалась, тормозила ее.

Маковое поле выглядело жалко. Оно, словно обрыдавшись от потоков небесных слез, потемнело от гнева, превратилось из алого и зовущего в бордовое и мрачное. Замедлившись, Тоня еле одолела половину, но этого оказалось достаточно, чтобы на дне оврага увидеть бесконечно длинную перевернутую машину Игоря. С открытыми дверцами и смятым в гармошку боком. Рядом никого не было. Девушка резко остановилась, вскинула руки в беззвучном плаче и рухнула в мокрые маки. От макового поля поднимался теплый туман, словно испарина от пылающего лица, и плыл невозможный одуряющий запах.

11

Через год, как только Тоня поставила памятник на могиле Игоря, почти рядом с могилкой мамы, она продала старенький домик родителей каким-то переселенцам и собралась уезжать в райцентр — на эти деньги удалось купить комнату. Тоня решила учиться, поступив в техникум на бухгалтера.

После аварии она долго пролежала в больнице — простыла под дождем, и это вылилось в воспаление легких, да и психику надо было восстанавливать.

Волосы за год отросли, и Тоня вернула себе прежний природный цвет. Свадебное платье она отдала той самой многодетной Вале, что сделала ей стрижку. Ее сожитель неожиданно предложил жениться, несмотря на наличие троих детей, и ей платье пришлось весьма кстати.

Перед отъездом они спустились с Тасей в овраг — пора маков уже миновала, и поле выглядело буднично и уныло. Там, где разбился Игорь, стоял крест. Гадалка не ошиблась. Он разбился того самого, 14 числа.

Тоня принесла цветы, поставила их в бутылку. Погладила рукой фотографию, прощаясь — пока неясно, когда снова вырвется. В голове вереницей пронеслись мысли, связанные с Игорем, оставшимся ее женихом навсегда. Господи, о каких глупостях она мечтала — платиновые волосы, фото в маках! Ба стояла рядом молча, но Тоня чувствовала ее безмолвную поддержку.

И тут в свежем воздухе утра раздался звонкий детский плач. Коляску с сыном Тоня оставила наверху оврага, в няньках была опытная Валентина.

— Тонечка, пойдем, детка, Игорек зовет.

И они стали карабкаться наверх. Навстречу к маленькому Игорьку — крепкому малышу, с карими глазами, как у папы.

Тоня и ее близкие уходили, — чтобы навсегда оставить это проклятое маковое поле, жадно поглотившее народную легенду и личную Тонину беду. Обманчиво роскошный шелковый муар цветка навсегда стал для нее символом горя, сна и забвения. Тоне хотелось, чтобы никому в мире больше не принес этот вызывающе яркий цвет мака слез и тоски, и чтобы сгорали в его огненном цветущем костре любые нелепые предсказания дурных людей.

«Красота мака лжива и преходяща», — думала Тоня. Навсегда она вычеркнула из жизни в любых проявлениях этот удушающий маков цвет.

ОЛЬГА ТОРОЩИНА

«Платье — на счастье!»

Наташуля была натура утонченная, нежная и романтичная. Уж в кого она такая вышла, непонятно. Родители трудились на стройке, папа клал кирпичи, мама махала малярной кистью. А Наташа смотрела на недостроенные блочные коробки и представляла себе дворцы с колоннами, хрустальными крышами и золотыми балконами. И вот стоит она на одном из них, прижав к груди роскошный букет орхидей, и смотрит вдаль. А по широкой дороге на гнедом жеребце скачет к ней юный принц! Он прекрасен, бесстрашен и влюблен! Опускается на колено, клянется в вечной любви и делает предложение руки и сердца. Ну а потом, естественно, бал и свадьба…

О свадьбе Наташуля грезила с самого раннего детства. Но утопая в фантазиях о дворцах, балах и принцах, она имела самую сладкую мечту —

свадебное платье! Какое оно будет?! Как у Золушки или как у Снежной Королевы? Чтобы белый плотный шелк струился по телу, как ледяная вода, и превращался в водопад бесконечного шлейфа. Или нет! Узкий корсет усыпан бриллиантами звезд, а пышная юбка на кринолине легка и невесома, словно крылья бабочки. В ночной тишине, представляя все это, Наташа дрожала и почти задыхалась от восторга. И ничего удивительного в этом нет, любая девочка мечтает хоть раз в жизни побывать принцессой и нарядиться в сказочное свадебное платье.

Но Наташины мечты приобрели вполне реальную форму: окончив школу, она поступила в театральный институт. Вот уж где можно было сколько угодно примерять на себя самые разные образы и костюмы. Экзамены, первый курс, веселая «картошка»... Встреча с «королевичем» — Вадиком из славного города Владика. Любовь, первый поцелуй и первое ФСЁ остальное! Телеграмма домой: «Мама, я влюбилась и выхожу замуж!» Дружный и категоричный ответ родителей с обеих сторон: «НЕТ!» Оно и понятно, жениху и невесте по восемнадцать лет, ни кола ни двора, а впереди четыре года учебы... С ума сошли, какая свадьба?

Наташуля горько рыдала, сидя в комнате общежития. А Вадик, как умел, пытался ее успокоить:

— Ну и подумаешь, предки денег не дали!!!! Фигня! Заявление-то мы все равно подали, а стипендию получим, талоны отоварим и поженимся!

На дворе стоял развеселый 1991 год, полки в магазинах пустовали, недавно ввели продуктовые талоны, а рубль скакал вприсядку под залихватский мотивчик «Павловская денежная реформа». Наташуля, хоть и жила частично на облаке, но все же была уже юная женщина, хранительница семейного очага. Она принялась составлять план свадьбы. Стало ясно, гостей будет много, водки и закуски на всех не хватит. Ну ничего, со своим придут! Стипендия у всего института в один день! Провести мероприятие на сцене учебного театра не выйдет, в этот день у четвертого курса дипломный спектакль. Значит, остается только «красный уголок» в общежитии. В загс поедут на трамвае, благо тут рядом, пара остановок. Украсить транспортное средство, конечно, не получится, но однокурсники обещали в цыганский табор обрядиться. С песнями и плясками до места сопроводить. Однозначно: эффектно выйдет! Оставался только один, но наиважнейший вопрос: «Где взять платье?»

— Да что ты паришься! Пойди в костюмерке возьми что-нибудь, костюм Мальвины или Красной Шапочки. Прикольно будет, — посоветовал будущий муж.

— Ты совсем дурак? Лучше подумай, в чем сам пойдешь! — возмущенно возопила Наташа.

— Да как обычно. Джинсы и футболку постираю, и все дела, — миролюбиво отозвался жених. А потом рванул струны гитары и с чувством заголосил: «Группа крови на рукаве, мой порядковый номер на рукаве...» Земные и мелкие бытовые проблемы его совершенно не интересовали.

Чтоб сгоряча не пришибить любимого и не стать вдовой прежде, чем женой, Наташа быстренько собралась и отправилась в институт. В костюмерке учебного театра правила бал Софья Петровна. Злые языки утверждали, что, будучи молоденькой балериной Императорской сцены, она крутила роман с самим цесаревичем Михаилом. Определить возраст пергаментной старушки было невозможно, а еще она была глуховата и слеповата, но необычайно разговорчива.

— Ах, свадьба — это charmant! Такое счастье, такой восторг! От всей души поздравляю!!! — возбужденно щебетала она. — Деточка, непременно что-нибудь подберем!

Платья, в которых студентки играли Шекспира и Чехова, были не так уж и плохи. Но воняло от них дустом, нафталином и хозяйственным мылом. Все в целях гигиены! Наташуля была готова рыдать.

— Не нравится? — опечалилась Софья Петровна. — Подожди, есть у меня кое-что специально для тебя!

Она испарилась в глубинах склада, а потом появилась с большой круглой коробкой. Осторожно развязала тесемку-бантик и открыла крышку. А затем двумя пальчиками, почти не дыша, извлекла на белый свет всего лишь платье. Но какое это было платье!!! Тончайшая кисея наверняка когда-то была белоснежной, но пожелтела от времени. Зато аристократичные кружева ручной работы разместились по подолу, на рукавах и манжетах. А в складочках на кокетке стыдливо прятались крохотные жемчужинки, но при этом ухитрялись игриво подмигивать.

— Это мое венчальное, еще maman шила, — вздохнула Софья Петровна. — Боже, какой светлый и радостный был день! Мы с Николя были влюблены как сумасшедшие! И жили счастливо!

Старушка вытащила из коробки что-то прозрачное и невесомое.

— А это вуаль с флердоранжем! Примерь, детка...

Наташа подошла к большому трюмо. И на нее глянула юная барышня из девятнадцатого века в изысканных кружевах и в фате с засохшими цветочками апельсина. Она задохнулась от восторга и почти автоматически спросила:

— А где сейчас ваш Николай? Жив?

— Нет. В тридцать седьмом расстреляли, — ели слышно прошелестела Софья Петровна. — Родители в блокаду погибли. А наш театр на Урал вывезли, вот так я и выжила...

И вдруг по мутной поверхности зеркального стекла побежали видения: революция, кровь, война, голод, холод, отчаянье и страх. Наташе сделалось дурно, горючие слезы навернулись на глаза, но будущая актриса, приложив все свое мужество, сдержалась. А потом горячо благодарила старушку. И долго извинялась, что не сможет платье взять, под мышками жмет, порвать боится...

Наташуля в растрепанных чувствах влетела в женский туалет, там расслабленно курили старшекурсницы. Вообще-то это было запрещено, но почти «дембелям» — можно.

— Эй, невеста, что такая несчастная? Передумала? — весело приветствовали ее.

Наташа плюхнулась на подоконник, закрыла лицо руками и простонала:

— Платья, платья нет... Хоть голой на свадьбу иди!!!

Девчонки долго смеялись.

— Хочешь, я тебе свое выпускное дам? Оно, правда, уже не модное, но белое и с оборками, все как полагается, — предложила одна.

— А у меня подруга недавно замуж за бандита вышла, то есть за бизнесмена. Он ей шикарное платье из самого Парижа привез! — сказала вторая. — Она теперь его всем напрокат дает. Могу договориться.

— Да как же вы не понимаете! — отчаянно воскликнула Наташа. — Я так не хочу! Не хочу чужое платье и воспоминания, счастье и несчастья на себя надевать! Это моя свадьба, и только моя!!!

— Ой, оставь эту интермедию для благодарных зрителей! — резко одернула ее третья. — Хочешь свое? Пойди материю купи и сшей…

Наташуля решительно шагала по улице. Рядом с их общежитием находилось здание городской филармонии, где она по утрам до начала лекций ежедневно мыла полы. Она осторожно поскреблась в кабинет директора, потянула на себя дверь и сдавленно пискнула: «Можно?»

— Что тебе? — «поздоровался» директор и спешно принялся прятать в ящик стола бутылочку коньяка и стаканы.

Монолог Наташа обдумала и прорепетировала заранее. Там было все: ее пунктуальность и ответственность, сложное финансовое положение студентов, жестокие родители, неземная любовь и свадьба, как самый неповторимый день в жизни!

— Ну, с последним ты загнула, — иронически хмыкнул директор. — Жениться и разводиться можно до бесконечности, дело дурное и нехитрое… Я не понял, тебе-то чего надо?

— Дайте зарплату за месяц вперед! — дрожа от ужаса, выпалила Наташа. — Я все честно отработаю!

Наташуля тоскливо бродила по отделу тканей центрального универмага. Текстильное царство не пустовало, были очень даже симпатичные и красивые тряпочки, но стоили они, как гобелены из Лувра. На свои кровные Наташа могла прикупить лишь отрез на носовой платок. Уже ни на что не надеясь, она заглянула в отдел для рукоделия. Пуговицы, крючки, «молнии», тесемки, атласные ленты… «СТОП!» — вдруг засияла и замигала красным надпись на Наташином внутреннем экране. Она вспомнила, что когда была совсем маленькая, то куклам из таких ленточек платья мастерила. Что ж, куклам можно, а ей нельзя? Наташа на всю сумму накупила разноцветных лент и почти скачками понеслась в общежитие. Творить…

Разноцветные атласные змейки струились и расползались по кровати и по полу. Словно живые, выскальзывали из рук, спешили спрятаться, капризничали и издевались. Наташа ловила их по углам, сматывала в клубки, но что делать дальше — не знала. Вдохновение не приходило, концепция не рождалась! «Значит, так, ростом я метр семьдесят… Можно нарезать их по полтора метра и сшить в длину. Будет веселенький полосатый сарафанчик на лямочках. Или горизонтально? Тогда это будет короткое и широкое платьице с пояском», — размышляла Наташа, горько всхлипывала, чертыхалась и в сердцах бросала ножницы на пол. Да и было от чего психовать! Полосатое платье на свадьбе! Отличный зэковский вариант, лучше не придумать! Наташа без сил рухнула на кровать, прямо поверх разноцветных лент, и зарылась лицом в подушку. Что-то остренькое кольнуло ее в нос, Наташа смачно чихнула. Маленькое перышко воспарило вверх и стало медленно опускаться… Наташуля вытянула руку и поймала его, вспомнила, как в детстве также ловила белые зонтики одуванчиков и всегда повторяла стишоксчиталку про: лети, лети, лепесток, через запад на восток…

Наташа вскрикнула и вскочила, схватилась за ленты и спешно пересчитала, сколько цветов в ее распоряжении: желтый, красный, зеленый, синий, оранжевый, фиолетовый и голубой. Все правильно, все верно!!!! У нее будет платье — ЦВЕТОК! Нет, волшебный Цветик-семицветик!!!! Наташа стащила с подушки наволочку, приложила к груди, по длине будет коротковато и несколько вызывающе, ну да ладно!!! За красоту, молодость и длинные ноги этот недостаток простят! Наволочка в мгновение ока превратилась в основу под платье, стираный-перестираный ситец послушно обтянул фигуру. Выпоротая из спортивной сумки «молния» органично примостилась на спинке, а железные цепочки, срезанные с куртки жениха-рокера, превратились в бретельки. Но теперь самое главное! Наташуля, вооружившись иголкой с ниткой, принялась сосредоточенно сборить ленты. А параллельно шептала, шаманила и колдовала: «Лети, лети лепесток, через запад на восток, через север, через юг… Возвращайся, сделав круг! Желтый — чтоб завтрашняя свадьба была прекрасной и веселой!

Красный — чтоб Вадик не просто любил, а еще и лучшим другом был!

Зеленый — чтоб я навсегда осталась красивой и стройной!

Синий — чтоб карьера актерская состоялась, а с ней пришли успех и слава!

Оранжевый — чтоб весь мир объехать и посмотреть!

Фиолетовый — чтоб мама и папа жили долго-долго!

Голубой — чтоб обязательно у нас дочка родилась, а лучше две!»

Наташа спешила, магия ждать не будет!!! Иголка, словно заведенная, ныряла и выныривала из ткани, а оборки из атласных лент аккуратными колбасками ложились одна на другую. Все!!! Наташа вскочила, подняла над головой готовое платье, зажмурилась и громко крикнула: «Лишь коснешься ты земли, быть по-моему вели!!!» И только потом подумала, что надо было бы еще загадать — «Мир во всем мире», все же она родилась и выросла в СССР и была честная пионерка и комсомолка. Но, как всем известно, у волшебного цветочка было всего семь лепестков…

Наталья Геннадьевна, заслуженная артистка РФ, сидела у себя в гримерке и готовилась к вечернему спектаклю. Сегодня в театре давали Шекспира, «Укрощение строптивой», где она исполняла роль Катарины. Вдоль стены костюмеры заботливо развесили платья. Все очень красивые, из добротных тканей и богато декорированы. Но свадебное из второго акта было лучше всех! А Наталья Геннадьевна вдруг вспомнила свое смешное свадебное платьице из атласных ленточек. Помнится, кто-то из подружек-завистниц сказал, что она в нем похожа на полосатую гусеницу, которая никак не может стать бабочкой. Все смеялись, а Наташа даже не обиделась… Ведь она-то знала, платье волшебное! И этот свой секрет никому и никогда не раскрыла. И все сбылось! Свадьба получилась отличной, правда, развелись они с Вадиком сразу после окончания института. Он уехал в родной Владивосток, а Наташа отправилась покорять Москву. Но друзьями на всю жизнь остались. Яркая актерская судьба сложилась, с гастролями и кинофестивалями полмира объехала, отражение в зеркале по-прежнему радует. Родители, слава богу, живы и здоровы! Удачно замуж вышла, две чудесные дочки подрастают. Чего же боле? На тумбочке в углу гримерки примостился небольшой телевизор, звук был приглушен, но по экрану мелькали кадры вечерних новостей. И муторно, неспокойно как-то на душе от всего этого было…

«Что-то важное я тогда загадать забыла? Но что?» — подумала Наталья Геннадьевна. Однако вспомнить не успела. Нетерпеливо задребезжал третий звонок, и радио строгим голосом помрежа произнесло: «Актеры, занятые в первом акте, срочно пройдите на сцену!»

ЭЛЕОНОРА ПАХОМОВА

Замечательная квартира

Викентий Петрович Полежайло, коренной москвич средних лет, на правах владельца проживал в замечательной трехкомнатной квартире. Замечательна она была прежде всего тем, что находилась в самом центре столицы, страшно сказать, в Малом Харитоньевском переулке, то есть в непосредственной близости от Чистых прудов. По всему выходило, что имея в собственности такой актив, тишайший Викентий Петрович мог по праву претендовать на статус долларового миллионера. Хотя человеку случайному, не посвященному в нюансы, при виде Викентия Петровича такое предположение в голову бы не пришло. С чего вдруг? Вид у Полежайло был среднестатистический, по меркам современной Москвы даже затрапезный. В демисезонье он обряжался в старомодный плащ того светло-коричневого картонного цвета, который был особо почитаем технологами советской текстильной промышленности, зимой кутался в черную неприметную дубленку, летом и вовсе сливался с толпой, теряя хоть какую-то выразительность образа. В общем, Полежайло казался человеком совершенно обычным, и воображение прохожих, случайно задержавших на нем взгляд, автоматом приписывало ему такую же обычную, среднестатистическую жизнь. А в обычной жизни среднестатистического мужчины средних лет что — наверняка жена, первая, а может, и какая-нибудь n-ная по счету, детишки, сколько бог послал, и прочая бытовуха. Но в жизни Викентия Петровича ничего этого в помине не было, в ней была лишь квартира (в непосредственной близости от Чистых прудов!) и одиночество.

И квартирой и одиночеством Полежайло был обязан главным образом своей маме, Ираиде Яковлевне (вот уж у кого все было, так это у нее). Квартирой — во-первых, потому, что наследство, а во-вторых, поскольку только благодаря прозорливости Ираиды Яковлевны бесценное имущество удалось-таки уберечь от посягательств потенциальных жен мягкотелого Викентия Петровича. Одиночество же стало следствием неусыпной бдительности этой благородной валькирии в материнском обличье.

Что и говорить, держать оборону Ираида Яковлевна умела не хуже мифологической воительницы — лишь только за дверью замечательной квартиры опрометчиво разлетится звонкими осколками девичий смех, послышится смущенный шепот Викентия Петровича, тихонько зашевелится ключ в замочной скважине, Ираида Яковлевна уже на пороге. И вроде держится она приветливо в своей интеллигентской манере, и тонкие губы ее вроде растянуты в подобие улыбки, вот только мимические морщинки расходятся по лицу как-то странно, не весело, а глаза, почти скрытые за складками пожухлых век, поблескивают вовсе не теплыми очаговыми всполохами, но холодными клинковыми бликами.

— Мама, это Зиночка/Леночка/Катюша, — всякий раз робея, представлял Викентий Петрович своих избранниц. — Я обещал вас познакомить.

— Добрый день, очень рада знакомству, — с достоинством произносила Ираида Яковлевна, удерживая гримасу, и томным жестом указывала в сторону гостиной: — Проходите, милая, располагайтесь.

На белой скатерти, свисающей с круглого стола расшитыми уголками, оказывался фарфоровый сервиз (тот самый, что в благородном семействе Ираиды Яковлевны передавался в поколениях!) и хрустальная вазочка с конфетами и печеньем. Чайник блестел крутым боком, вызывая на себя солнечный свет из больших окон самой просторной комнаты замечательной квартиры. Из него по кокетливым чашкам разливался замечательный чай. Но несмотря на то что чай был горяч и ароматен, печенье хрустко и свежо, а комната светла, от гостеприимства Ираиды Яковлевны веяло стылой моросью. Спутницы Викентия Петровича, еще совсем недавно бывшие воздушными и радужными, как облачка сахарной ваты из парка аттракционов, будто тяжелели и индевели, наливаясь этой влагой.

— А кем вы работаете, Зиночка/Леночка/Катенька? — спрашивала Ираида Яковлевна, шире растягивая улыбку.

«Формовщицей на хлебокомбинате», — отвечала Зиночка. «Портнихой в ателье», — щебетала Леночка. «Продавщицей мороженого», — сладко улыбалась Катюша.

— А у Викеши папа, знаете ли, дипломат. А я вот бывшая балерина, заслуженная артистка СССР. А кто ваши родители?

Родители без пяти минут невест, как назло, оказывались профессий сугубо пролетарских, на что Ираида Яковлевна понимающе кивала и цедила задумчиво: «Ну да, конечно...»

— А проживать вы с Викешей где планируете?

— Мама! — только и восклицал Викентий Петрович тихонько и жалобно.

Покидая замечательную квартиру, избранницы его выглядели стушевавшимися. При прощании они бросали на него взгляды хоть и печальные, но все же не остывшие — в глазах их взволнованно колыхалось слабеющее пламя надежды: «Может, обойдется?» Когда же Викентий Петрович оставался с матерью наедине, становилось понятно — нет, не обойдется.

— Викентий, дело, конечно, твое. Я, как мать, желаю тебе только счастья. Но неужели ты сам не видишь, кого ты привел в дом? Ведь совершенно ясно, что эта девица увидела в тебе выгодную партию и водит за нос. Какая любовь, о чем ты говоришь, мой наивный мальчик? Хочешь знать, что будет после вашей свадьбы?

И Ираида Яковлевна начинала вдохновенно живописать, как эта хищница сначала сживет со свету ее саму (но это, конечно, не главное), хуже, что потом она возьмется за Викешу и превратит его жизнь в ад, ибо что ей может быть от него нужно, если не замечательная трехкомнатная квартира в центре Москвы. Ну не он же, в самом деле?

Конечно, мысли и чувства Викентия Петровича мятежно метались под натиском материнских разоблачений и пророчеств. Особым протестом отзывалось в нем заявление о том, что сам по себе он интереса не представляет. Он был молод, статен, вполне хорош собой, приятен в общении. В лице его, как ни странно, преобладали мужественные черты — волевой подбородок, выразительные линии скул, он даже не раз удостаивался сравнения с актером Вячеславом Тихоновым. Ссылаясь на эти факты, он пытался было возражать. Но так уж повелось, что спорить с матерью у него получалось лишь неуверенным шепотом. Ираида Яковлевна с раннего детства имела над ним особую неодолимую власть — хотел ли того Викентий Петрович или нет, но всякое слово, сказанное ею, достигало в нем самого потаенного дна. Даже если слово это было шершавым и неудобным, оно проваливалось внутрь, царапая нежное нутро. А под этой все растущей и тяжелеющей насыпью постепенно затихало и упокаивалось все, что было у Полежайло от себя самого.

Приветственная материнская гримаса со временем стала знакома Викентию Петровичу не просто до боли, но до боли ноющей, отзывающейся внутри промозглым холодом безысходности и тоски о несбыточном. Чем чаще он видел материнское отражение на радужках влажных от счастливого предвкушения девичьих глаз, тем явственней различал в нем образ валькирии. Два аккуратных куделька над макушкой, венчающих старомодную прическу, походили на крылышки валькириевского шлема. Увесистые бусы бликовали, как доспехи. Подол длинной юбки, взволнованный сквозняком от входной двери, колыхался, как одеяние воительницы. Когда же в руке у Ираиды Яковлевны в силу возраста появилась элегантная трость, сходство стало полным, и Викентий Петрович сдался окончательно.

В непроглядную пропасть черных предчувствий Ираиды Яковлевны канули все: и Зиночка, от которой так непривычно по-домашнему пахло теплым хлебом, и Леночка, юркая и бойкая, как портновские ножницы, и Катенька, на губах которой Полежайло неизменно угадывал десертную сладость. Другие соискательницы на его трепетные руку и сердце с годами находились все реже, а позже и вовсе исчезли. Потому, видимо, с чувством выполненного долга Ираида Яковлевна отдала богу душу на восьмом десятке лет.

С тех пор, как она умерла, замечательная квартира стала стремительно ветшать, приходить в запустение, а вместе с ней и сам Викентий Петрович, да и его как бы жизнь тоже. «Как бы» — потому как разве это жизнь? Одиночество в замечательной квартире было вязким и удушливым, как трясина. Оно затягивало Полежайло в бытие беспросветное и однообразное. Несмотря на то что когда-то будущность его была полна чудесных перспектив, все они исчезли с горизонта, словно миражи, развеянные злым ветром перестройки. Из его прошлой советской жизни в нынешнюю перекочевали лишь знание четырех языков и квартира (и то и другое — наследие отца-дипломата).

В этой жизни Полежайло, которому уже перевалило за пятьдесят, был простым переводчиком, работая на дому за гонорары. Он брался переводить разные тексты, но основной доход ему приносила художественная литература.

Устроившись за круглым столом в самой просторной комнате замечательной квартиры, Викентий Петрович вчитывался в страницы лирических повествований. Перед его мысленном взором представало так много жизней, событий, эмоций, чувств, что на этом пестром фоне он с обжигающей ясностью видел, как пусто и блекло его собственное существование. По роду деятельности он дни напролет проводил в замечательной квартире, тихой и пустой. Покидал он ее лишь с целью похода в магазин, поездки за гонораром или одиноких вечерних прогулок, во время которых Викентий Петрович заглядывался на окна квартир и ему навязчиво казалось, что светятся они теплей и уютней, чем окна его собственной.

Иногда щемящее, тоскливое чувство побуждало Полежайло задаваться вопросом — кто он есть и зачем он нужен на этом свете? Чаще всего размышлять об этом ему доводилось, когда вечерами он прокладывал себе путь по центральным бульварам средь разномастной людской толпы, чувствуя свое одиночество особенно остро. Со временем Викентию Петровичу явился такой ответ на этот вопрос, который отзывался в нем болезненно, и это наводило на мысль, что он подбирается к истине. Ответ этот заключался в том, что он не человек вовсе, а тряпичная кукла, а Ираида Яковлевна была рукой, на которой держалась его бесформенная оболочка. Нужен же он был на этом свете лишь для того, чтобы Ираиде Яковлевне не скучно было в просторной замечательной квартире и она могла развлекать себя кукольным театром. Не стало руки, и оболочка обмякла, скольнула вниз текучей материей. Полежайло и впрямь ощущал себя пустым, как полый аквариум, на дне которого толстым слоем уложен грунт материнских слов.

Как будто в насмешку над его одинокой долей, судьба распорядилась так, что прямо напротив окон замечательной квартиры расположился Дворец бракосочетаний. Обстоятельство это было для Полежайло мучительным. Неугомонная свадебная кутерьма, конечно, отвлекала его от работы. Но хуже всего было то, что необходимость ежедневно наблюдать храм семьи рождала в Викентии Петровиче тревожную догадку: «Может быть, это укор судьбы, своего рода пытка?» Словно судьба упрекала его в том, что он когда-то не решился на важный шаг, по глупости или трусости изменив предначертанное свыше, и теперь должен всегда помнить об этом и каяться, а может, и переиначить то, что уже сделано.

Бывало, Викентий Петрович приникал к окну, рассматривая свадебные кортежи. Он жадно вглядывался в лица брачующихся и гадал, что ждет этих людей там, за порогом Дворца бракосочетаний, в семейной жизни, не прикрытой праздничным антуражем. Чаще всего ему представлялись теплые прикосновения, которыми обмениваются родные люди, улыбки или незначительные ссоры с последующими скорыми примирениями, общие радости и печали, сквозь которые так явственно различим хитрый прищур самой жизни. Тогда в груди у него тянуло, пекло, и Викентий Петрович безотчетно начинал искать в лицах или повадках молодоженов нечто такое, что могло бы навести на прогнозы пессимистичные. Такие, которые с особым чувством, словно приговор, могла бы озвучить Ираида Яковлевна. Случалось, что он и впрямь будто слышал в голове материнский голос, изобличающий корыстные намерения той или иной невесты, несовместимую со счастьем деспотичность жениха. Раздражающее жжение в груди тут же превращалось во врачующий теплый бальзам. Но не успев еще вполне насладиться этим приятным чувством, Викентий Петрович изобличал сам себя. «Это зависть, Кеша. Примитивная, пошлейшая зависть!» — сурово выговаривал он себе. Все же он был человек неглупый, в силу перманентного одиночества привыкший вести диалог сам с собой. В этом диалоге из-под спуда материнских слов пробивался порой и его собственный голос.

Иногда звон свадебных колокольцев и бубенцов, гипнотические танцы органзы и габардина на ветру увлекали фантазию Викентия Петровича в альтернативную реальность, где его холостяцкая кухня вдруг преображалась. На ней хозяйничала Зиночка (Леночка или Катюша), а пространство квартиры чудесным образом наливалось сочными красками (которые в действительности давно поблекли в отсутствие ремонта), замечательная квартира оживала голосами и звуками большой семьи, а сам Викентий Петрович в одночасье будто стряхивал с себя многолетнюю пыль, покрывавшую его тусклым налетом, и становился по-настоящему живым.

Но потом разыгравшаяся фантазия вдруг выкидывала фортель — Зиночка (Леночка или Катюша), стоящая на преображенной кухне у плиты, разворачивалась к Викентию Петровичу, и он вздрагивал. Всегда милое лицо супруги было перекошено брезгливостью и злобой: «Я подаю на развод, Викентий. А ты можешь катиться отсюда на все четыре стороны. Я отдала тебе, ничтожеству, лучшие годы жизни. Уж не думаешь ли ты, что это было просто так? Теперь эта замечательная квартира по праву моя!» В следующем эпизоде своих фантазий Полежайло брел, сутулясь, по центральным бульварам, подавленный и жалкий, сжимая под мышкой чемодан. А потом он оказывался на кладбище, перед могилой Ираиды Яковлевны, осторожно поправлял венки, убирал с надгробья сухие листочки и винился: «Прости меня, мама, ты была права. Как всегда, права...»

Пережив очередное подобное видение, Викентий Петрович подолгу не мог успокоиться. Нервно заваривал чай, садился на стул, вцепившись в чашку, будто грея об нее дрожащие руки, и смотрел в окно. В такие моменты он ловил себя на том, что испытывает нехарактерное для его натуры раздражение, как человек, вынужденный в сотый раз штурмовать неподдающуюся преграду. Со стороны могло показаться, что Полежайло затих у окна в приступе бездумной апатии, как вдруг лицо его оживало взволнованной мимикой. «Да какая, в сущности, разница, что будет потом в их жизни! Что было бы в моей! Важно, что они живут, здесь и сейчас, в этот момент с ними случается жизнь, которая со мной не случается вовсе! — чуть слышно шептал он. А потом добавлял со злобным присвистом: — Да пропала бы она пропадом, эта чертова квартира. Ведь и нажили мы ее не в совместное имущество, она досталась мне задолго до брака...»

Приступы подобного вольнодумия с момента ухода Ираиды Яковлевны в лучший мир случались с Викентием Петровичем все чаще. Размышляя о своей странной, будто несуществующей жизни, он все пытался сообразить, как это он, мыслящий, вменяемый, дееспособный человек, не находит в себе силы шагнуть за черту колдовского круга, очерченного вокруг него заговоренным материнским мелком, преодолеть столь эфемерный барьер. Особенно неудобно эта вольная мысль шевелилась в его сознании, когда в замечательной квартире появлялась приходящая домработница Тамара.

Сорокапятилетняя Тамара была женщиной спокойной и домовитой, приехавшей в столицу из провинциальной глубинки. Дочка ее поступила в московский вуз, а Тамара не решилась отпустить ее одну в неласковую столицу, ведь неизвестно, как эта столица примет. Учительница русского и литературы не нашла здесь себе лучшего применения, чем работа по дому, и так случилось, что однажды она перешагнула порог замечательной квартиры. С тех пор скудная палитра эмоций Викентия Петровича пополнилась новой краской. Присутствие Тамары в доме отзывалось в нем наслаждением и мукой одновременно. Полежайло никак не мог сообразить, как обращаться с этим противоречивым чувством. Но несмотря на то что чувство было своенравным, неудобным и явно доминировало над волей Викентия Петровича, избавляться от него он не хотел, даже наоборот. Поэтому с появлением Тамары замечательная квартира стала подвергаться генеральной уборке не раз в месяц, как было раньше, а чаще — поначалу раз в две недели, а затем и вовсе раз в семь дней, от чего скромный бюджет Викентия Петровича затрещал по всем швам. Но отказать себе в удовольствии наблюдать и слышать, как Тамара хозяйничает в доме, Полежайло уже не мог.

День ее прихода стал особенным. На сером безликом фоне других шести дней в неделе он выделялся переливчатым мягким свечением, как забытая на грязном снегу елочная игрушка, и Викентий Петрович в радостном предвкушении стремился ему соответствовать. Он тщательно следил за тем, чтобы воротничок рубашки в этот день был свеж, брюки выглажены, да и сам он будто становился выше, осанистей, моложе, забывая про груз прожитых, налитых унынием лет.

Полежайло не был уверен, кажется ли ему или на самом деле так, но иногда во взгляде Тамары ему виделась нежность, на которую отзывалось все его существо, отчего ему делалось удивительно хорошо. Когда Тамара заканчивала работу по дому, Викентий Петрович настаивал на чаепитии, и на круглом столе в гостиной возникал фарфоровый сервиз. Они разговаривали о литературе, о жизни, о новостях. Викентию Петровичу был не так уж важен предмет беседы, главное, что он видел перед собой Тамару, которая по-хозяйски подливала ему чай, оправляла скатерть и улыбалась ему мягко и ласково. Так продолжалось больше года, и Викентий Петрович приноровился выдавать желаемое за действительное. Конечно, такая жизнь все еще была далека от его потаенной мечты о полноценной семье, но в конце концов один день из семи, в котором хоть не в полной мере, но все же воплощается иллюзия счастья — уже немало. «Пусть так и будет, — думал он, чувствуя, что заколдованный круг все равно не выпустит его за свои пределы. — Пусть будет хоть так…»

В тот день он тоже гладко выбрился, надел свежую рубашку, отутюженные брюки. Тамара должна была прийти в одиннадцать. От этого момента

Викентия Петровича отделял томительный час. Он сел за рабочее место, в художественном беспорядке разложил на столе листы, включил ноутбук, но сосредоточиться, конечно, не смог, так и просидел, разглядывая за окном свадебную кутерьму. Наконец дверной звонок ожил. Викентий Петрович встрепенулся, неловко встал, сбросив со стола несколько бумаг, хотел было поднять, но побоялся затягивать время, и поспешил открывать.

Тамара улыбнулась, поздоровалась, взялась за работу по привычному алгоритму. Но Викентий Петрович почувствовал, что что-то не так. В ее движениях, в обычном уютном излучении ощущалась посторонняя напряженность, которая мешала ему насладиться моментом в полной мере. Когда Тамара закончила дела и настало время традиционного чаепития, Викентий Петрович аккуратно спросил:

— Что-то случилось? Вы как будто чем-то расстроены сегодня.

Она замялась, опустила взгляд на донышко фарфоровой чашки.

— Мы с вами последний раз, наверное, видимся, вот не знала, как сказать. Я решила вернуться домой.

В груди у Полежайло нехорошо сжалось.

— То есть как? Почему?

— Ксюша, похоже, освоилась, больше мне здесь делать нечего. А дома и стены греют, — улыбнулась она виновато.

— Когда?

— На следующей неделе.

Викентий Петрович хоть и старался удержать лицо, но чувствовал, что получается это у него скверно. Внутри прокатилась ледяная волна, обморозив внутренности, и ему казалось, что он застыл в вечной мерзлоте. Какие-то важные слова требовали выхода, но он никак не мог сообразить, какие именно. Он так и просидел, вцепившись в чашку, машинально проговаривая дежурные, ничего не значащие фразы, пока Тамара не засобиралась уходить.

Он проводил ее до порога все в том же цепенящем холоде, но когда за ней закрылась входная дверь, холод сменился жаром. Викентий Петрович сам не понял, что вдруг произошло. Будто бы в его внутреннюю пустоту ворвался кто-то, кого он не знал. Этот кто-то сделал так, что Викентий Петрович рывком распахнул входную дверь и бросился вниз по ступенькам, чтобы перехватить лифт. Когда стальные двери разъехались в стороны, явив светлую грусть на лице Тамары, Викентий Петрович неожиданно для самого себя выпалил: «Тома, я прошу вас стать моей женой!» Она сначала испугалась, потом растерялась, а потом согласилась. Полежайло выдохнул и вдохнул снова так, будто это был первый сознательный вдох в его жизни, глубокий, заполняющий внутреннее пространство живительным воздухом, и ему стало легко и радостно, как никогда прежде. Радость почти тут же обернулась эйфорией. Не теряя времени, словно боясь утратить над собой власть этого чувства, он в тот же день отвел Тамару в загс, где они подали заявление. Распрощались они поздним вечером у дома Тамары. Викентий Петрович все никак не мог отпустить ее руку.

— Значит, завтра в три я приеду и увезу тебя с вещами к себе? — в очередной раз сверил он планы напоследок.

Тамара кивнула, легко коснулась губами его щеки и скрылась в подъезде. Окрыленный Викентий Петрович возвращался домой, не помня себя от счастья. Шагая по центральным бульварам, он уже не сутулился, прокладывая себе путь в людской толпе, не чувствовал себя отщепенцем, а свет в окнах квартир казался ему самым обычным, таким же, как свет окон собственных. Но стоило ему шагнуть за порог отчего дома, как замечательная квартира дыхнула на него отрезвляющим холодком сквозняка от открытой фрамуги. Викентий Петрович ступил на дубовый паркет, уложенный здесь еще при отце. Рассохшееся дерево отозвалось привычным скрипом, и Полежайло показалось, что где-то в глубине квартиры он слышит материнские шаги. В одной из комнат шумно хлопнула дверь. «Мама?» — прошептал Викентий Петрович, но быстро опомнился и закрыл входную дверь, остановив порывы сквозняка. Казалось, замечательная квартира встречает его напряженно и настороженно, как когда-то встречала Ираида Яковлевна несостоявшихся невест. Неласковый прием оказался сильней эйфории, она скукожилась до размеров сливовой косточки и во вновь образовавшейся пустоте провалилась вниз. Викентию Петровичу стало не по себе. Будто упавший вниз груз потревожил камешки материнских слов, которые покоились в нем, они ожили, заскрежетали. «А не слишком ли быстро она согласилась на твое предложение, Викеша, эта лимитчица? — разобрал Викентий Петрович в этом скрежете. — С чего бы ей вдруг так рваться за тебя замуж? Уж не ради ли того, чтобы ее Ксюша могла жить в центре Москвы в замечательной трехкомнатной квартире?» Викентий Петрович поежился, непослушными руками включил чайник, но чай пить не стал, так и просидел напротив плиты недвижимо, не замечая пронзительного завывания свистка на колпачке. В конце концов он решил, что ему необходимо заснуть, чтобы избавиться от наваждения. Он лег в постель и затих, но камни упорно скрежетали, не давая уснуть.

Он еще долго таращился застывшим, немигающим взглядом в темноту, пока на стене не стал различим фотографический портрет матери в золотистой металлической рамке. Взгляд Ираиды Яковлевны был красноречив, она смотрела на сына с укором и сожалением. «Я понял, мама, понял. Конечно, ты права. Как всегда», — наконец прошептал Полежайло непослушными губами в пустоту комнаты, не выдержав материнского взгляда.

P. S. Викентий Полежайло женился на Тамаре через год, после прохождения курса психотерапии. На общении с психотерапевтом настояла Тамара.

САША РЕЗИНА

Обязанный украсть

переодеты утром будем — по моде и погоде,
и по советам свит...
перетасованные люди у ангела в колоде,
у ангела любви.

1. Настя

— Садитесь, — сказал Артем, опустив стекло, и она сейчас же запрыгнула на заднее сиденье, едва не прищемив взбитый, как утренние сливки, подол подвенечного платья. — Ну вот, я и украл вас, — криво улыбнулся Артем, трогаясь. Почему-то возникло ощущение, что надо начать какой-нибудь непринужденный диалог.

— Поздравляю, — донесся до него неожиданно тяжелый и низкий для такого небесного ангела в сливочном платье и, как показалось, даже прокуренный голос, не обещающий никакого дружелюбия. Артем не уловил в нем ни толики игривости, ни полнотки свадебного счастья, которое, само собой, подразумевалось у той, что сегодня обязана торжествовать — довела-таки мужчину своей мечты до обетованного загса. Но «прокуренный» голос белоснежной невесты, больше походившей на черную вдову, источал лишь презрение, усталость и обреченность. Артем отвлекся от дороги и уставился в зеркало заднего вида, чтобы получше рассмотреть не ясно почему враждебно настроенную молодоженку. «Клубничка» напомаженных губок съежена в полнейшем расстройстве, два голубых шарика глаз под щедро намазанным тушью «лесом» ресниц устремлены вбок, на трассу, и не предвещают ничего хорошего... Брови живут отдельной жизнью и непрерывно вздрагивают. То же самое происходит с бровями сестры Артема Аленки в преддверии большого водопада — всякий раз, когда у нее что-то не складывается с очередным ухажером... И Артем уже научился успокаивать ее еще на этом, «бровном», этапе, не дожидаясь безудержных рыданий. Поэтому и тут он, не мешкая, отреагировал, придав тону максимальную мягкость:

— Вы чем-то огорчены?

Когда два «голубых шарика» гневно сфокусировались на отражении Артема в зеркале заднего вида, он невольно усмехнулся, испытав приступ умиления. Если Аленка злится на себя и ту дурацкую ситуацию, в которую опять попала, то в точности так же и немедленно переключает свою ярость на первую попавшуюся «жертву», готовую с ней говорить, то есть на него, на Артема... Но это лучше, чем «большой водопад». Спасибо, сестренка, теперь я женский психотерапевт со стажем...

— Огорчена?! — ощетинилась девушка и угрожающе перекинула ногу на ногу. — Нет, что вы!..

У меня все как нельзя превосходно!.. Не считая того, что мама решила выдать меня замуж за тупой мешок с деньгами, и если забыть о том, что меня все кругом считают бесправным котенком и переходящим знаменем…

Переходящее знамя бесправного котенка, хм… А Артем думал, что на подобное сочетание образов способна только Алена…

— Постойте, — Артем перебил воинственный поток жалости к себе и начал парковаться вблизи россыпи столичных бутиков. — Александр уверял, что у вас с женихом любовь-морковь и вы сами будете рады нашему приключению с кражей…

Девушка вышла из роли обиженной невинности, и ее раскрашенное лицо приобрело будничное выражение:

— Какой Александр?

Мотор затих, и Артем резко развернулся к странной собеседнице:

— Вы же Людмила?

— Почему Людмила?.. Я Настя, — ответила невеста. Выходит, совсем не та, за похищение которой Артем получил от парня по имени Александр внушительный задаток.

Договоренность состояла в том, что Александр выведет невесту из загса, а Артем будет ждать ее на некотором отдалении, чтобы отвезти к ресторану, где предполагается свадебное застолье. К тому времени «выкуп» случится, и Людмила торжественно явится перед гостями.

Артем шумно выдохнул:

— А что вы тогда делали на улице одна?

— Да ничего я там не делала… Я сбежала с собственной свадьбы, — ответила Настя…

2. Люда

Сейчас начнется, поняла Люда, завидев белый «Пежо» у обочины. Если бы отец взялся за такое масштабное мероприятие, то наверняка устроил бы целое костюмированное представление. С разбойниками, живыми лошадьми и бутафорскими саблями… Но важна же сама романтика кражи!.. Похититель на белом «Пежо», может, и не настолько гламурно, как разбойник на вороном коне, но тоже волнительно — слабо утешила себя Люда и тяжело вздохнула. А что это он там встал как вкопанный?! Долго еще ждать, собирая любопытные взгляды?..

Люда подождала-подождала, поигрывая подолом пышного платья, да и подошла к автомобилю. Постучала в окошко достаточно требовательно:

— Молодой человек, вы обо мне не забыли?..

Принцесса, которая сама просит себя украсть, немножечко чересчур!.. И все-таки Люда придала голосу некоторую непринужденность, хотя очень злилась. Не было у нее навыков проявлять прямую агрессию. Для того чтобы отстаивать Людины права, в отчем доме имелась армия телохранителей, среди которых она и нашла себе супруга назло деспотичному отцу и в угоду будущей «независимости».

Водитель, между тем… спал. Кое-как продрав глаза и не удостоив Людмилу ни единым взором, он открыл переднюю дверь и произнес, мягко говоря, без должного почтения к новобрачной:

— Да, проходите… Опаздываете, леди…

— Я?! — От такой наглости у Люды аж перехватило дыхание… А ленивый вор, не удосужившийся подъехать к ценному «трофею», наконец-то повернулся к невесте и... поперхнулся. Откашлялся и зычно рассмеялся самым неприличным образом, невежливо разглядывая побагровевшую от негодования Люду.

— Я, конечно, ожидал чего-то экстравагантного, но не до такой же степени!..

На Люду накатила новая волна неловкости, залив щеки еще более густым лиловым разочарованием. Прав был папа, когда говорил, что вся ее «самостоятельность» ограничивается ювелирным салоном... И мешать он ей не собирается, потому что в самые кратчайшие сроки и без его помощи Люда ощутит все прелести «независимой» мытищинской жизни...

— Да ладно вам, не тушуйтесь!.. — продолжал веселиться непосредственный простолюдин и — о, ужас! — по-дружески потрепал Люду по оголенному плечику!.. — Где наша не пропадала, *пральна грю*?.. Айда по месту назначения, авось еще и успеете!..

Авось еще и успею...

— Притомилась, видать? — и не подумал замолчать классический «мытищинский хам», теперь уже бесцеремонно «тыкая» Людмиле, доселе слышавшей «ты» только от родителей, жениха и подруг.

Зарычал двигатель, и они стартанули, как показалось, совсем не в том направлении, где был заказан ресторан.

— Пожалуй, устала немного... — Люда подняла на обидчика воспаленные глаза. — А вы уверены, что мы правильно едем?

— Не боись!.. Сейчас дворами-дворами, вмиг домчим!.. Отстреляешься, заметить не успеешь... Против эдакой красотки никто не устоит!..

— В каком смысле «отстреляюсь», прошу прощения? — еле выдавила из себя Людмила.

— В каком, в каком… Попочкой покрутишь, ресничками помашешь… Только пусть попробует не взять!.. *Пральна грю*?..

Он опять нехорошо и громко засмеялся, невероятно довольный собственными остротами, а Люда подавилась комом в горле и закашлялась — точно как ее попутчик в самом начале их знакомства.

— Будьте добры, остановите машину, — прошептала она почти в обмороке.

Но он в ответ лишь прибавил скорости:

— Да подожди ты, приехали уж, считай!.. Сейчас, с ветерком!.. Ну вот, красавица… Прямиком к двери доставил, в целости и сохранности…

Люда было нашла в себе силы возмущенно воскликнуть, что «довольно сальностей!», но вдруг прочла крупными буквами над крыльцом здания, к которому «доставил» ее хамоватый тип: «Модный дом Никольского». Она повернулась к водителю. Тот улыбался до того бесхитростно и невозмутимо, что Люда впервые заподозрила неладное:

— А зачем мне нужно в Дом моды? — спросила она и чуть не добавила: «Я что, плохо выгляжу?», но воздержалась.

— Как зачем? — удивился странный человек, и вынул из бардачка смартфон. — Ё-п-р-с-т… Зарядка кончилась… Не беда, у меня где-то здесь на бумажке записано… Вы, как там… Петренко Зоя… Витальевна… *пральна*?..

— Не «пральна»! — само слетело у Люды с языка. Картина начала проясняться…

— Я Андрей, новый личный водитель Нины Владленовны... — объявил мужчина с видом, как будто его имя проливало яркий свет на случившееся недоразумение.

— Кто такая Нина Владленовна? — все сильнее распалялась Люда, почему-то больше не мучаясь неловкостью.

— Владелица мод... модельного агентства... — Теперь настал его черед мямлить и запинаться. — Как там его... неважно... ну, и она попросила меня забрать на 3-й Тверской-Ямской свою манекенщицу с показа и срочно отвезти на просмотр... тут где-то у меня эта, как его, ваше, то бишь ее... портфелио... портфолио... мол, клиент — бомба, надо незамедлительно... сказала, вы, то есть она... короче, сама найдет мою машину... правда, мы договаривались на двадцать минут раньше, чем вы подошли... но я подумал... решил, что припозднились... ай, да елки колючие!.. моя ж, Зоя эта... Витальевна... небось прискакала, ждет... а у меня телефон отключился... А вы *чо* ко мне залезли *ваще*?... — насупился под конец личный водитель Нины Владленовны, миновав прежде несколько других противоречивых эмоций — от страха потерять только что найденную работу до детской растерянности...

Не дожидаясь от Люды ответа, Андрей подключил зарядное устройство, и посыпались вызовы. Личный водитель испуганно слушал выговоры от теперь уже бывшей начальницы...

Неожиданно Люде стало его жалко. Никакой он не грубиян, и дело вовсе не в отсутствии воспитания... Он простой и честный работяга. Не руководствуется светскими манерами, зато не равнодушный и никогда не лжет. В чем определенно есть особое обаяние... Захотелось его ободрить.

— Андрей, не расстраивайтесь... — мягко сказала Люда. — Все образуется... А пока давайте съездим по одному адресу, я покажу...

3. Зоя

Артем дозвонился до своих заказчиков, чтобы рассказать о практически комедийной причине опоздания в ресторан на свадебное пиршество, вкратце обрисовал ситуацию и еще долго молчал, прижимая трубку к уху. Настя догадалась, что на том конце провода тоже не дураки бросаться бранными словами... Наслушавшись оскорблений, вспотевший Артем зачастил:

— Александр, не надо так нервничать!.. Я все исправлю!.. Мы здесь недалеко... С минуты на минуту заберем вашу Людмилу... Да, я помню, что при ней нет даже телефона... Забыла, бывает... Надеюсь, дождалась, да... Отбой.

— Вы и попали, конечно, — решила рассеять напряжение сбежавшая из-под венца попутчица. От ее тоски и досады на разрушенную личную жизнь не осталось и следа. И было до дрожи интересно посмотреть, чем же закончится фарс с украденными невестами. Артем почему-то и не гнал ее из машины...

Издалека они увидели поразительно высокую девушку в ультракоротеньком белом платьице. Она непрерывно двигалась, перебирая неправдоподобно длинными ногами. Свадебной прически у этой невесты не было. На бесконечной шее лебедя-переростка крутилась лысая голова в серебряной диадеме.

Даже на расстоянии угадывалось, что дива метала гром и молнии.

Теперь никакой ошибки, облегченно подумал Артем. Так сердиться может лишь невеста, которую выгнали с бракосочетания на улицу, а потом забыли подобрать и вернуть на долгожданный пир…

— Честно говоря, вас, Настя, и впрямь легче было принять за цель моего приезда, если судить по наряду…

— Нынче модно рушить стереотипы, — ответила Настя, непроизвольно хихикнув, — одна моя знакомая вообще выходила замуж в иссиня-черном…

— О времена, о нравы, — ухмыльнулся в ответ Артем, останавливаясь.

Выбежав из «Пежо», он подобострастно наклонился навстречу покинутой невесте и пажом отворил переднюю дверцу автомобиля, не прекращая кланяться:

— Простите, ради всего святого, что вам пришлось так долго ждать… Присаживаетесь, пожалуйста!.. Не знаю, как загладить вину… Но вы никуда не опоздали, не беспокойтесь, вас ждут с нетерпением, я звонил… Вы ведь Лю?..

— Заводи, не болтай! — прогорланило лысое чудо природы и с немалым трудом упаковало все свои необъятные конечности в маленькую легковушку. — Очень тебе не завидую, если у меня что-нибудь сорвется!.. Ох, не завидую… А она что здесь делает? — в «партере» великанша приметила Настю, которой для довершения образа не хватало разве что коробки с попкорном.

— Не обращайте внимания, прошу вас… Сперва мы быстрее ветра донесем вас к вашему счастью, а потом я девушку подвезу, не возражаете?..

— Да плевать мне, честное слово!.. — заявила неучтивая прелестница, не демонстрируя ни грамма выдержки. — Сегодня главный день моей жизни!.. Такой шанс!..

Заверещал хит: «Я знаю пароль, я вижу арИнтир…», и особа, возбужденная ускользающим от нее редким шансом выскочить замуж, молниеносно достала из миниатюрного клатча поющий гаджет. После чего затараторила:

— Нина Владленовна, я простояла там битый час!.. Клянусь, в этом нет моей вины!.. Как звонил Никольский?!. Как просмотр окончен?!. Нет, попросите его… минут через двадцать максимум!..

У Артема засосало под ложечкой… Телефона при Людмиле не предполагалось…

А еще одна не-Людмила тем временем, прокричав в свою трубку последнее умоляющее «Нина Владленовна!!!», размахнулась и расшибла свой телефон о лобовое стекло. То треснуло.

— Все пропало!!! — зарыдала модница. — Мэтр больше не пригласит меня!.. Никогда!..

Пять лет Зоя непрерывно бегала по кастингам, мечтая о Настоящем Предложении от Настоящего Великого Дизайнера… Какой идиотский финал!..

И они подъехали к ресторану, где с нетерпением ожидали невесту по имени Люда.

…Александр поджидал их около дороги, куря, несомненно, не первую и не вторую сигарету… Вмиг он подлетел к машине и засунул в нее разгоряченную голову:

— Живо, живо давайте, Димка места себе не находит…

Осекся и уставился на красавиц в белом. Зоя билась в истерике, Настя смотрела с любопытством.

— Это как понимать?! Людка где, придурок?! — наконец вскричал он, оправившись от шока.

Артем вытер ладонью лицо. Он и сам не понимал, как ему удалось привезти двух невест, и ни одной Людмилы…

4. Алена и другие

Нет, она же должна была так поступить!.. Именно так… Понять, что вышла не за того, раскаяться и вернуться к всесильному папеньке… Кто он, Димка из Мытищ?! И кто она, наследница Рублевки?! Не успеешь оглянуться, папочка оформит им развод через свои связи или же и вовсе аннулирует брак. Всесильный…

Дима подошел к барной стойке и упер в нее свою непутевую и крайне неудачливую голову.

— Водки хотите? — спросил кто-то волшебным, юным, весенним девичьим голоском. Так поет соловей откуда-то сверху, когда ты глубоко в яме…

— Хочу, — ответил Дима и приподнялся. Девочка лет восемнадцати протягивала ему рюмку с другой стороны бара и смотрела с неподдельным сочувствием…

* * *

…Воспользовавшись всеобщим замешательством, Настя достала свой телефон из кружевной сумочки, висевшей на поясе свадебного платья, и включила его. Нажала на контакт под названием «Немуж» и сказала:

— Прости меня. Не по-человечески мы расстаемся, Вадим… Подъезжай к ресторану, адрес вышлю.

Зоя выскочила из машины, а Артем, так и не определившийся, как именно ему выпутываться из возникшей фантасмагории, лежал лицом на руле. Настя положила ему руку на плечо:

— Пойдемте. Мы объясним жениху, что произошло, и инцидент будет исчерпан. Он поймет, что его невеста ни при чем, и все посмеются… А она найдется, никуда не денется…

Он собирался согласиться и вдруг увидел, что на бешеной скорости на парковку влетел… такой же белый «Пежо», как и его собственный. Из него выпорхнула третья, на сей раз, очевидно, «нужная» невеста, следом шофер, и они вместе поспешили ко входу в ресторан.

— Ну, и мы вперед, Настасья, — сказал он и почувствовал, как на него наступает неуместный припадок хохота…

…В зале царило смятение. Пожилая женщина плакала и причитала в углу, а над ней кружили утешающие ее родственники. У барной стойки вдребезги пьяный жених целовался взасос с официанткой. Несколько мужчин старались его отодрать, но он крыл матом то их, то кинувшую его невесту, и неизменно возвращался в пламенные объятия новой подруги. Официантка тоже не выглядела эталоном трезвости и на попытки персонала отцепить ее от чужого мужа реагировала без соблюдения субординации…

— Никогда не думал, что за один день может произойти сразу столько совпадений, — вздохнул

Артем, — вон та официантка — моя сестра, представляете, Настя?.. Ее позавчера парень бросил. На самолюбии вон того жениха тоже вроде как невеста попрыгала, не явившись на банкет после бракосочетания... Видать, доутешали друг дружку... Аленка-Аленка... Что ж тебя заносит-то постоянно?.. На рабочем месте!.. Ай-ай-ай!..

— Меня тоже постоянно заносит, как видите, — ответила Настя и машинально взяла Артема за руку.

...А Людмила стояла посреди банкетного зала в легкой прострации. Но лицезреть супружескую измену она предпочла недолго. Моргнула раз, другой, третий... Прошептала:

— Всегда знала, что он не верит в мою любовь... И правильно делает...

Обернулась на бывшего шофера Нины Владленовны, Андрея, который недавно казался хамом, обзывающим «эдакой красоткой», и, к изумлению окружающих, впилась в его губы губами...

Тоже простой парень, конечно, и не принц на блестящем «Лексусе», но теперь хотя бы отношения начнут развиваться не ради того, чтобы не нравиться папе.

— Занавес, — произнес Артем. — Видимо, Настенька, объяснять никому ничего не придется...

Внезапно кто-то резко оттолкнул от него Настю: явился несостоявшийся Настин муж, Вадим. Час от часу не легче...

— Что за выкрутасы, моя дорогая? — прогремел он, перекрывая возникшее молчание. — Решила меня перед всем обществом опозорить?!

— Тебя только общество волнует? — дерзко спросила Настя, избавляясь от последних угрызений совести. — Найди тогда себе другую дурочку на роль куклы…

— Растворился ёжиком в тумане!.. — прошипел Артем, заметив, что уязвленный «мешок с деньгами» готов приступить к рукоприкладству. И встал между горе-молодоженами.

Нам только драки здесь не хватало, подумал Александр и поспешил за охраной…

* * *

Зоя сняла диадему с эпатажно выбритой головы и села прямо на бордюр парковки. От того, подпишет ли она договор с элитным модным домом, зависело слишком многое — сможет ли она вылезти из долгов, сумеет ли выплатить кредит за квартиру, будет ли у нее то будущее, какого она считала себя достойной… И Нинка разорвала с ней контракт…

— Да катись все!.. — Диадема полетела в сторону, а девушка уткнулась носом в колени…

— Тоже облом века? — раздался тут над ее ухом хриплый голос.

Зоя подняла голову. Над нею, слегка покачиваясь, стоял мужчина с разбитой губой и в очень дорогом костюме. В правой руке он держал початую бутылку тоже очень дорогого коньяка.

Не без усилий усевшись рядом с длинноногой красавицей на бордюр, Вадим поделился с ней выпивкой, а потом спросил:

— А вы случайно не хотите стать моей *дурочкой* и *куклой*?..

НАТАЛИЯ МИРОНИНА

Свадьба до мажор

Костю Ласточкина женили так, словно выдавали замуж дворянскую барышню — по сговору.

— А что ты хочешь? — спросил его отец, — мать жалуется, что у тебя сплошь «флейты-пикколо»[1]. Все — «фью-фью-фью». Ничего серьезного. А пора семью заводить. Лет тебе тоже, знаешь ли… Мать переживает.

— А чего — лет-то? — удивился Костя. — Лет всего-то двадцать семь.

— Между прочим, когда нам было двадцать семь — ты в школу пошел, — отец назидательно поднял палец, — и мы были уже женаты восемь лет.

[1] Флейта-пикколо — малая флейта, деревянный духовой музыкальный инструмент, обладающий пронзительным свистящим тембром.

— Это не помешало вам благополучно развестись!

— Развелись мы, когда тебе стукнуло двенадцать, — отец недовольно опрокинул стопку водки и подцепил вилкой ролл с тунцом.

Для того, чтобы сообщить сыну о своем волевом решении и уточнить дату встречи с будущими родственниками, Петр Алексеевич приехал в суши-бар, где часто бывал Костик. «Привычная обстановка поможет ему переварить новость», — рассуждал Петр Алексеевич. Сейчас, глядя на Костю, он так и не понял, что чувствует сын. Тот был так же задумчив, так же ловко орудовал палочками, окуная роллы в соевый соус.

«А Марго права, — вздохнув, подумал Петр Алексеевич. — Сына надо женить срочно, иначе его охмурит какая-нибудь из этих «фью-фью». Так что лучше мы сами, на милой девушке, дочери старых знакомых. Господи, в кого он такой малахольный?!»

Ласточкины были семьей музыкальной. Петр Алексеевич играл на тромбоне в симфоническом оркестре. Там же когда-то служила второй скрипкой Маргарита Яновна — прелестная миниатюрная блондинка с гибким станом и тонкими руками. Каким же удовольствием было смотреть на то, как грациозно она изгибает шею, как ласково прижимает к щеке скрипку! Хотелось тут же стать музыкальным инструментом, а вид смычка в ее изящных пальцах вообще уводил в область непристойной эротики.

Помнится, Петр Алексеевич потерял голову, молниеносно сделал предложение и все двенадцать лет семейной жизни гордился своим выбором. Но вот потом… Ну кто знал, что мощь, сила, а также сороковой размер обуви могут быть такими же обольстительными, как и грация с нежностью?!

Маргарита потребовала развода и уволилась из оркестра, когда пошли слухи о тайном романе Ласточкина с высокой и молчаливой контрабаситской Авериной. Аверину звали Алей, но этим именем никто не пользовался, даже она сама. Уж больно оно не подходило ей и ее очень мужскому занятию.

Вообще тогда коллектив оркестра отлично развлекся за счет Ласточкиных и этой самой Авериной. Первые скрипки по-королевски делали вид, что ничего не происходит. Вторые скрипки шушукались и почти вслух жалели Маргариту. Альты бесчинствовали. Они, выросшие из скрипок и не достигшие параметров виолончелей, вообще привыкли вести себя дерзко. Даже, можно сказать, вызывающе. Во время репетиций и в перерывах они напоминали пчел, которые сами себя покусали. Виолончели хранили молчание, как и первые скрипки, с той только разницей, что Аверина-разлучница сидела близко от них и ее можно было уничтожить взглядом. Пять контрабасистов-мужчин пожимали плечами: мол, вот что происходит, когда баба начинает лезть в мужское дело. Женщина, играющая на контрабасе, — это не контрабасист, это женщина, у которой хватает сил таскать тяжести. «Сами видите, как мы правы. У баб одно на уме!» — говорил сам вид контрабасистов, и казалось, что между ними и Авериной пролегла большая паркетная пропасть.

Духовые — и медные, и деревянные — пытались соблюдать нейтралитет. Все-таки Петр Ласточкин был одним из них, а Маргарита Ласточкина была очень красивой. Но нейтралитет духовикам плохо удавался. Уж больно интересно было наблюдать за развитием драмы. Ну какой нейтралитет, если градус любопытства зашкаливает?!

А ударные — эта уважаемая периферия симфонического оркестра — заключали пари и делали ставки на скорость официального развода.

Оставались еще арфа, челеста[1] и рояль. Эти — симфоническое одиночество — пользовались моментом, чтобы лишний раз потрепаться с коллегами, благо появилась острая тема.

Над всеми парил дирижер Собакин. За событиями он наблюдал мрачно, молча, не осуждая и не принимая ничьей стороны. У него были основания для такой скорбной отстраненности. Лет пять назад его увела из семьи очаровательно молодая флейта-пикколо. Да, да, из тех самых флейт, которые нежно «фью-фью-фью», но держат мертвой хваткой.

Маргарита сумела сохранить достоинство в сложившейся ситуации — и развод, и уход из оркестра выглядели ее победой. Ласточкин оставался вместе со своим «подлым» поступком и Авериной. Впрочем, очарование монументальностью быстро исчезло. И на место ему пришли неловкость, угрызения совести, сожаление, что из-за минутной слабости вся жизнь пошла кувырком.

С тех пор минуло пятнадцать лет. Маргарита Яновна жила с сыном в прежней квартире. Замуж она не вышла. Говорит, что не было времени — гастрольная жизнь. Ласточкин поскитался

---

[1] Челеста — небольшой клавишно-ударный инструмент, похожий на пианино.

по съемным углам, потом купил себе и Авериной «однушку». Вселились они туда с помпой — на новоселье гулял весь коллектив, который давно уже забыл, что приключилось. Жизнь стала напоминать арпеджированные[1] аккорды — что-то «ломаное, раздробленное, разбитое на звуковые группы».

Аверина, молчаливая, суровая, не обращающая внимания на сплетни, до смерти влюбленная, осталась в оркестре, и Ласточкин теперь покорно таскал на себе ее контрабас.

«Это тебе не скрипочку носить под мышкой!» — язвили неугомонные альты.

Маргарита Яновна и Петр Алексеевич не встречались. Вообще. Сначала Ласточкин чувствовал свою вину, оправданий себе не находил, а потому на глаза бывшей не лез. Затем он попытался навести мосты — сын же был общий. Но бывшая жена не ругалась, не кричала, не выясняла отношения и не пеняла на недостойное поведение Ласточкина. Она просто-напросто оборвала все нити, которые могли их связать и дать повод увидеться. С сыном Ласточкин встречался на стороне. Петр Алексеевич удивлялся Маргарите — столько твердости — ни разу, нигде они не пересеклись. Потом ему надоело удивляться, и в этой ситуации он нашел положительную сторону — ведь так потихоньку исчезало чувство вины.

Впрочем, проблемы, связанные с сыном Костей, бывшие супруги регулярно обсуждали по телефону. Результатом такого обсуждения и было решение женить его на Любе Табунцовой, дочери

[1] Арпеджированные аккорды — звуковые группы, происходящие от раздробления аккордов.

видного деятеля металлургической отрасли, который был их давним общим другом. «Петр, — сказала тогда Маргарита Яновна бывшему мужу, — Костя никогда не женится. У него сквозь пальцы просачиваются хорошие девушки, деньги и время. Надо что-то делать! Я звонила Зое, их тоже волнует Любочка. Ты меня понимаешь?» О да, Ласточкин все понимал.

Табунцовы обрадовались идее. Справедливости ради надо сказать, идея была старая. Когда-то давно и Ласточкины и Табунцовы мечтали породниться — дети были умненькие, хорошенькие, и дружили семьи давно. Потом жизнь как-то их отвлекла, развела, но… Но тут выяснилось, что дочь засиделась в девицах, на свидания почти не ходила, все больше дома с книжками. Люба Табунцова была очень красивой и очень толстенькой. Костя даже попробовал надуться — мол, что это отец подсовывает ему! А потом, разговорившись с Любой, вдруг увидел прелестную девушку, которая ужасно хотела сбежать из отцовского дома, и замужество ей казалось отличным решением проблемы.

— Понимаешь, надо жить отдельно. Вот как только человек остается один, он сразу понимает, что к чему. Он и мозги включает, и планы строить начинает. А так все за тебя родители пытаются сделать. Никакой свободы! — поделилась она своими соображениями с другом детства, а теперь и женихом.

Костя счел возможным согласиться. Жизнь с Маргаритой Яновной, любящей и беспокойной мамой, в тридцать лет была наказанием. «А ведь и правда! Поженимся, будем жить отдельно, там и разберемся! Она очень даже ничего. Приятная.

А похудеть можно. Хотя так тоже очень неплохо…» — так думал Костя, прикидывая их совместное с Любой будущее.

Брак обещал быть добротным. Табунцовы дарили молодым квартиру, Маргарита Яновна и Ласточкин — новую хорошую машину. И еще много всяких полезных и красивых предметов, которые собираются матерями почти с младенческого возраста отпрысков.

Само торжество договорились отметить в ресторане «Пекин».

— Ты же понимаешь, Петр, — сказал Борис Борисович Табунцов, — такое дело раз в жизни, можно сказать…

— Ну да. Ну да, — закашлялся Ласточкин.

Он некстати вспомнил, как Аверина пыталась затащить его в загс. Впрочем, безуспешно.

Огромный зал ресторана был оформлен в стиле «Версальского парка». Гирлянды цветов, подобие беседок, фигурки золоченых купидонов со стрелами, картины, изображающие амуров и психей, апельсиновые и лимонные деревца в кадках. Столы, составленные буквой «П», были застелены белыми скатертями с нежной цветочной вышивкой. И опять гирлянды роз соединяли их, переплетаясь темной зеленью стеблей. Ласточкин, который не был так богат, как «видный деятель металлургической промышленности» Табунцов, сначала судорожно подсчитывал затраты. Но в какой-то момент чуткий Борис Борисович сказал:

— Петя, я понимаю, что вся эта «хохлома», — тут он указал на копию картины Франсуа Буше, яркого представителя стиля рококо, — нужна только Любочке. Ну, дочь-то одна. Я решил не мелочиться!

У Ласточкина отлегло от сердца. Последние подсчеты показали, что послесвадебный баланс может оказаться нулевым.

Меню утверждала сама Зоя Ивановна Табунцова.

— Я не потерплю всякие там «жульены»! — провозгласила она метрдотелю.

Ласточкин, присутствующий при этом, вздохнул. Жюльен ему казался деликатесом. Дома его кормили сытно, но просто. Мясо в бульоне, курица там же, пельмени из пачки. Аверина не была кулинаркой вообще.

— Стол должен быть изысканным! — продолжила Зоя Ивановна — и тут же посыпались элегантные гастрономические термины.

Метрдотель и вызванный на подмогу шеф-повар внимали с почтением. Свадебный банкет обещал быть мероприятием неприлично дорогим, ради этого можно было бы освоить и «сюпрем де воляй а блан», и «фейет де фюр-де-мер».

— Петр Алексеевич, как ты считаешь, «э пинар о бер нуазет» — это не очень сытно, да? Все-таки будут мужчины, они пьют крепкие напитки? — советовалась с Ласточкиным Зоя Ивановна, щеголяя знаниями.

Впрочем, Табунцовы, несмотря на некоторую фанаберию, были людьми милыми и добрыми. Благодаря взятому ими темпу свадьбу можно уже было гулять через три недели после встречи Кости и Любы в качестве жениха и невесты.

— Петр, дети наши, как сказали бы у тебя в оркестре, «не сыгрались», но мы с тобой знаем друг друга сто лет. Так что затягивать не будем, — торопил Табунцов и интересовался: — Что это Маргарита не показывается?

— Она платье шьет себе, костюм Косте ищет, подарки готовит. Да, и гастроли. У нее же небольшой контракт в Испании. В одном из тамошних оркестров. Не волнуйся, на свадьбе ее увидишь! — объяснил Ласточкин.

Его бывшая жена действительно общалась со всеми по телефону и выбралась за это время в Москву только на один день. Потом опять улетела концертировать. Ласточкин даже решил воспользоваться этим обстоятельством, позвонил Маргарите и свысока попенял:

— Слушай, все на мне! Ты бы в Москву уже прилетела! Сын женится все-таки!

— Ах, у меня еще два концерта здесь! Но потом сразу в Москву, на свадебный пир успею! — виновато отвечала Маргарита. Вины, впрочем, особо никакой не чувствуя.

Знаменательный день был солнечным и бодрым. Можно даже сказать, «allegro di molto», то есть «очень бодрым и веселым» был и темп, которому подчинялась вся эта история. Загс, прогулка в лимузинах по Москве, памятная фотография на фоне новодельной краснокирпичной стены в Царицыне и наконец — ресторан. Любочка Табунцова, успешно похудевшая перед свадьбой, была хороша. «Красивую жену мы сыну устроили!» — одобрительно крякнул про себя Ласточкин. «Хорошенькая! Как я раньше не замечал!» — подумал Костя, и уши его подозрительно покраснели. Общение с невестой ограничивалось только частыми и невинными культурными прогулками. Первая брачная ночь обещала быть волнующей.

Посреди этого торжества было только одно обстоятельство, смущающее Ласточкина и Табунцовых. До сих пор не появилась Маргарита Яновна.

— Где твоя мама? — волновалась Любочка.

— Она звонила, только-только самолет приземлился. Вылет задержали. А уехать раньше не могла — концерты же.

— Ах да, конечно! Это так тяжело — работать и жить на две страны, — успокоилась молодая жена.

Маргарита Яновна появилась ровно в тот момент, когда все гости уже расселись за столы, когда стих шепот удивления и восхищения убранством и яствами, когда приглашенный тамада уже привстал, чтобы произнести первые слова. Именно в этом момент распахнулась дверь и в зал вошла Маргарита Яновна. Присутствующие бросили на нее взгляд, да так и не смогли его отвести — вошедшая была красива, словно фея.

Тамада сбился с мысли и, недолго думая, игриво произнес:

— Нас посетила королева соседнего государства?

— Мама! Ты прилетела?! — по-детски воскликнул Костя, и тут все вдруг зашумели и даже захлопали. Табунцов выскочил из-за стола, подбежал к Маргарите Яновне, подал руку и галантно сопроводил к столу.

— Ну наконец-то! Вот, прошу любить и жаловать! — пробасил он на весь зал. — Талантливая скрипачка, изумительная женщина, красавица, мама нашего Кости!

Тут уж захлопали все по-настоящему, по-концертному.

— Марго, я думала, ты вообще не прилетишь! Ласточкин с «этойсамой» явился! — шепнула Зоя Ивановна приятельнице, а теперь еще и сватье.

— Он на меня смотрит?! — словно разведчик, осведомилась Маргарита Яновна у подруги.

— Кто? — не поняла та.

— Ласточкин! — рассердилась Маргарита Яновна.

— А! Да, глаз не сводит! А «этасамая» дергает его за рукав.

— Хорошо, — удовлетворенно улыбнулась мать жениха, — очень хорошо!

— Ты что задумала? — Зоя Ивановна пригляделась к подруге.

— Ничего не задумала. Просто мне надо выглядеть на все «сто».

— Ты выглядишь намного дороже, — съязвила Табунцова, — но вообще-то у нас свадьба!

— Зоя, все нормально, — улыбнулась Маргарита Яновна, взяла бокал с шампанским и поднялась.

— Дорогие дети! — произнесла она звонким молодым голосом. — Дорогие Люба и Костя!

Гости притихли, прислушались и уже через мгновение были увлечены витиеватой трогательной мелодией. Голос Маргариты Яновны звучал так нежно, так переливисто, что можно было подумать, что она не говорит, а выводит скрипичную мелодию. Ласточкин слушал вместе со всеми и ничего не понимал. Он свою бывшую жену не видел почти пятнадцать лет. И теперь перед ним была незнакомая знакомая женщина. Когда она прошла мимо, пахнуло духами, которые он помнил. Когда она улыбнулась, у него запершило в горле. Когда она поцеловала сына и его невесту, Ласточкин полез за платком. Теперь он слушал и гадал, что было такое в жене или что появилось в Маргарите, отчего ему так вдруг стало слезливо, так мягко и так душевно.

— ...Петя, передай мне рыбу, — откуда сбоку послышался женский бас. Ласточкин опомнился — Аверина сидела рядом. Светлое с зеленой отделкой платье делало ее сейчас похожей на ротонду из Нескучного сада. Большие ступни Авериной в широких балетках неловко расположились вокруг ножек стула. Ласточкин старался не смотреть на спутницу, проявляя вместе с тем чудеса заботы.

— Тебе какой? Белой? Красной? Может, и той, и другой? А вот еще, смотри, есть салат? Он тоже с рыбой! Давай тебе и салатика положу?

Ласточкин, не обращая внимания на услужливых официантов, завалил тарелку Авериной снедью. Словно ему хотелось, чтобы та занялась делом и не трогала его, не мешала разглядывать бывшую жену, не мешала вспоминать и переживать.

А свадьба понеслась, помчалась! Протанцевала невеста с отцом, Костя оттоптал ноги своей маме, потом молодые сделали тур вальса, и все остальные гости осмелились выйти в круг.

— Ну, уж мы тоже должны станцевать! — Ласточкин улучил момент и подошел к бывшей жене.

— Конечно, конечно, Петя! — улыбнулась своей самой лучшей улыбкой. — Я так рада тебя видеть!

Ласточкин покраснел и, держа Маргариту под локоть, вывел ее на середину зала.

— Ты отлично выглядишь, — сказала бывшая жена.

— Это ты отлично выглядишь, — ответил Ласточкин, обнимая ее за талию.

Маргарита машинальным жестом поправила его левую руку, и Ласточкин почувствовал, что почва уходит из-под ног. Он вспомнил этот жест. На боку у жены была родинка, которая вечно ее беспокоила, и когда Ласточкин ее обнимал, она обязательно опускала его ладонь. От этого старого пустяка у него защемило сердце.

— Родинка? — улыбнулся он.

— Она, — ответила Марго и прижалась к бывшему мужу.

— Она тебя так волновала. Сколько я тебя помню… Ты как поживаешь?

— Хорошо.

— Я рад. Действительно рад. Ты изменилась. Ты стала еще красивее.

— Глупый. Нам лет-то сколько?

— При чем тут это?! — искренне удивился Петр, а сам подумал: «Да ей от силы сорок лет дашь! А то и меньше!»

— Не скажи.

— Поверь, ты — шикарная женщина! А духи у тебя те же. Никогда не знал, как они называются, но я их помню.

— Я пользуюсь только ими. Они мне напоминают, как хорошо мы с тобой жили, — просто ответила Маргарита.

Ласточкина бросило в жар. Ему показалось, что в его жизни ничего не происходило, что не было этих лет в разлуке. И вообще не было ничего — ни Авериной, ни развода, ни этой неуютной и вечно тесной «однушки», в которой жизнь его текла так, что и привычками он не обзавелся за эти пятнадцать лет. А вот тогда, в том доме, с ней, Маргаритой, и маленьким Костей — там был целый мир. Их мир, его мир! И сейчас повеяло тем воздухом.

— Проводи меня. На нас смотрят, — дернула

его за рукав Маргарита Яновна, и Ласточкин очнулся.

Музыка смолкла, танцующие вернулись за стол, бразды правления опять оказались в руках тамады. «Внимание-внимание!» — прокричал он, и фортиссимо[1] зазвучала главная тема — тема счастья, плодородия и долголетия. И гости опять соревновались в эпитетах и пожеланиях, в подарках и намеках. Молодые, разумно веселые, словно сговорившиеся, только теперь тайно от своих сговорившихся родителей, наслаждались едой, вином и поздравлениями. Собравшиеся шумели, иногда что-то выкрикивали, и тогда опять поверх этих звуков гремел голос тамады:

— Внимание-внимание!

И всем казалось, что они очутились на перроне вокзала.

Ласточкин сидел подле Авериной, что-то машинально говорил, передавал угощение, о чем-то спрашивал, но ничего не слышал. Он был весь в прошлом. Это прошлое сидело подле Зои Ивановны и бросало на него милые смущенные взгляды. Ласточкин терялся от этой откровенности бывшей жены. Он вспоминал эти движения рук — подчеркнуто грациозные. Он видел этот разворот плеч — так Маргарита сидела на своем месте в оркестре, и глаз нельзя было отвести от фигуры. Ласточкин видел, как она взяла бокал — опять знакомый жест. Бокал Маргарита всегда держала всей ладонью, нежно сжав пальцы. Так держат воробья, готового улететь. «Может, я выпил слишком много? Может, мне все это чудится?» — спросил себя Ласточкин и тут же встре-

[1] Фортиссимо — очень громко (*итал.*).

тился глазами с Маргаритой. В ее глазах был вопрос, на губах улыбка, а зале опять заиграла музыка. Ласточкин кинулся к бывшей жене.

— Приглашаю, — выпалил он ей, а изумленной Зое Ивановне пояснил. — Мы ведь сто лет не танцевали!

О чем они говорил на этот раз? Ласточкин не помнил. Только Маргарита вдруг в конце танца сказала ему:

— Ты должен обязательно приехать к нам. Мне очень приятно будет.

— Я приеду, конечно, приеду! — заторопился Ласточкин с ответом.

— Я тебе ключи от дома дам. Прямо сегодня. Ну, вдруг я задержусь. Чтобы ты не ждал.

— Если ты считаешь нужным, — деликатно отреагировал Ласточкин.

В груди его что-то екнуло. Он перевел дух и продолжил:

— Ты такая… Ты родная и незнакомая одновременно! Ты — загадка.

Маргарита ничего не ответила, только сжала его руку.

… — Петр, ты бы поел, — сказал Аверина, когда Ласточкин вернулся за стол.

— Не хочу, — отмахнулся он, но тут же спохватился: — Я что-то так перенервничал за эти дни. Просто нет аппетита.

— Жаль, очень вкусные салаты, — ровно произнесла Аверина. Она все так же прочно и спокойно сидела на стуле, словно и не прошло четырех часов. Ласточкин положил себе для вида колбасы и, не удержавшись, посмотрел в сторону Маргариты. Та с готовностью, еле заметно кивнула ему. Ласточкин покраснел, закашлялся, скосил глаза на Аверину. Та невозмутимо жевала мясо.

— Что-то очень жарко, — пробормотал Ласточкин, — надо проветриться.

— Осторожней, не простудись, — Аверина кивнула в сторону раскрытого окна.

— А я на улицу выйду. Тут как раз сквозняк, а на улице ровная прохлада, — громко ответил Ласточкин. Он понял, что Марго его услышала. «Интересно, выйдет она за мной? Или нет? Если выйдет, то...» — Ласточкин не додумал. Он уже вышел из зала и наблюдал, как бывшая жена что-то объясняет гостям, потом она встала, прошла вдоль столов, с кем-то заговорила, с кем-то посмеялась и в конце концов оказалась близко к дверям. Ласточкин следил за ней и думал: «А ведь это все ради меня! Вот, все это! И платье, и прическа, и эти туфли на высоком каблуке. А серьги?! Огромные! Она же терпеть не могла сережки — и не носила. Ради меня она сегодня такая. Нет, конечно, свадьба Костика все-таки. Но как она на меня смотрит! Какие у нее глаза! Столько лет прошло — и она наконец простила. Опять же ради Костика, может быть. Или ради нас с ней? Она пригласила меня. Как же я хочу вернуться в нашу квартиру! Столько лет жил и даже не понимал, как мне все это нужно!»

Ласточкин очнулся, когда его окликнула Маргарита.

— Сбежал?

— Мы оба сбежали, тебе не кажется? — Ласточкин взял ее за руку.

— Я так счастлива сегодня, — сказала Маргарита.

— Сын женился, — согласился Ласточкин.

— Не только поэтому.

— А почему еще?

— Приезжай к нам, — не ответила на вопрос Марго. Она сказал «к нам», но Ласточкин-то уже знал, что из ресторана молодые поедут в свою новую квартиру. И завтра, как и потом, дома никого, кроме бывшей жены, не будет.

— Конечно. Обязательно.

«Она все это сделала ради меня!» — подумал еще раз польщенный Ласточкин.

Петр Алексеевич был добрым человеком, он не искал в хорошем сомнительное. Ему не могло прийти в голову, что бывшая жена могла утомиться одиночеством, что она отчаялась найти мужа — подрастающий сын, вероятно, пугал возможных претендентов. И он не знал, что, разглядывая этих нечастых своих попутчиков, Маргарита Яновна про себя вздыхала: «Нет, это — не Ласточкин. К этому надо привыкать, и черт знает, что под этой любезностью может быть!» Ласточкин не думал о том, что впервые за эти пятнадцать лет Маргарита по-настоящему боится. Возвращаться с гастролей в пустой дом, откуда она выгнала мужа и откуда уехал к своей жене сын, страшно.

А еще Ласточкин не мог знать, что бывшая жена уже давно ругала себя за свою неуместную принципиальность, за то, что не простила мужу эту нелепую Аверину. В конце концов, закончилась бы история, но осталась бы семья. И тогда они вдвоем, Ласточкин и она, коротали бы вечера, встречали бы друг друга с гастролей, а то и ездили бы вместе. И делами сына так было удобно заниматься! Все это Ласточкину в голову не приходило. Он только видел родную похорошевшую Маргариту, вспоминал, и от этого голова шла кругом, хотелось бежать в сторону прошлого. А в прошлом было так всего много — маленький сын, хлопоты, завтраки втроем, прогулки, ссоры, после которых мирились быстро и легко. В этом прошлом был он сам — молодой, успешный, талантливый, с безупречной репутацией серьезного музыканта. Казалось, прежний Ласточкин так и жил там, в той жизни, а в этой существовало то немногое, что осталось от него. Не очень молодой тромбонист с нелепым адюльтером за плечами, скучным равновесием в карьере, неуютным домом, где вся жизнь схвачена на «живую нитку», наспех, без будущего, да и без особого настоящего.

— Так ты приедешь завтра? — повторила Маргарита. Ее рука была в его руке. Они уже вошли в зал.

— Конечно, — улыбнулся Ласточкин, — конечно.

— Я буду так рада видеть тебя! — ласково сказала бывшая жена и тут же была перехвачена кем-то из знакомых.

Ласточкин посмотрел вслед ей. Маргарита Яновна шла уверенно, поступью легкой, но чеканной. Ласточкин знал эту ее походку, походку победительницы. «Ах, черт!» — чуть ли не щелкнул он пальцами, и в это время ему на глаза попалась Аверина. Она наконец покинула свое место и теперь стояла у раскрытого окна, куда подбегали недисциплинированные курильщики сделать тайком пару затяжек. Аверина стояла лицом к залу с сигаретой в руках и, не стесняясь, курила. В этом жесте была вся она — упрямая, спокойная, не придающая значения окружающим. Ее длинное светлое платье с зеленой отделкой теперь так подчеркивало формы, что Аверина смахивала на небольшую садовую скульптуру. Ласточкин видел, как Аверина проводила взглядом Марго, заметил, как Аверина вздохнула, слегка наклонив голову. «Вот, только теперь разговоров всяких не хватало», — с досадой подумал Петр Алексеевич. Ему ужасно не хотелось, чтобы две части его жизни пересеклись и родили новое противостояние. «Да, Маргарита выглядит отлично. Хотя ей сорок семь. Она старше Авериной на семь лет», — подумал Ласточкин, против воли внимательно приглядываясь к стоящей у окна контрабасистке. Авериной было сорок, и выглядела она на сорок, но это были ее сорок лет, настоящие. Петр Алексеевич зачем-то отступил за колонну и уже оттуда наблюдал. Они жили вместе пятнадцать лет, но все это время она была той самой тенью — постоянной и безликой. К тому же Ласточкин так боялся обнаружить свое разочарование их отношениями, так боялся обидеть Аверину и так не хотел каких-либо выяснений, что, наверное, за все время ни разу внимательно не посмотрел ей в глаза. И вот сейчас, стоя в укрытии, он обнаружил в глазах, больших и зеленых, усталость и безнадежность, похожую на боль. «Да что же она так смотрит! Нельзя же так! Неудобно! Заметно же! Неужели ей так плохо!?» — подумал Ласточкин с жалостью. Большая, статная Аверина вдруг представилась ему памятником. Памятником ошибкам, любви, терпению и прощению. «И что же делать?! — в ужасе спросил себя Ласточкин. — Я же сам виноват! Во всем. И в том, что живем так «скудно», не по-настоящему. Я же никогда не давал ей возможности поверить. Она же столько лет существует за счет своей любви!»

Ласточкин вдруг вспомнил, как Аверину травили в оркестре. Игнорировали, не разговаривали, на репетициях нарочно придирались, не приглашали на посиделки. Хуже всего ей приходилось на гастролях. Там она всегда была одна. Он, Ласточкин, тоже хорош! Никого не одернул, не поставил на место. Делал вид, что ничего не происходит, а ведь жили они уже вместе. Аверина ни разу не пожаловалась. Она ни разу не поставила его перед выбором, она сделала все, чтобы он сохранил отношения в оркестре. Она сумела дать ему свободу и при этом не разлюбила его. «Зачем я сейчас об этом думаю?» — поморщился Ласточкин и тут же некстати вспомнил другую историю. Когда-то давно Аверина вдруг заговорила о детях. Ласточкин разговор не поддержал и даже не поинтересовался, почему всплыла эта тема. У него рос Костя, любимый сын. И никого больше ему не хотелось. Аверина с тех пор ни разу об этом не заикалась. Была ли у нее веская причина заводить тот разговор, он так и не узнал.

«Ах ты господи! Да за что же так?» — то ли себя, то ли Аверину пожалел Ласточкин. И как никогда остро осознал, что из-за той давней ошибки не будет его жизнь похожа на стройную мелодию. Жизнь так и останется арпеджированной гаммой. И будет он извлекать из этой жизни звуки отдельные, нестройные, тусклые. «Мне скоро пятьдесят. Сын — взрослый мужик. У него дети скоро свои будут. Мои внуки...» — перечислял в уме Ласточкин, и ему захотелось стукнуть кулаком по столу. Захотелось по-мужски, по-хозяйски заорать на собственную жизнь и заставить быть ее правильной. «Что это я как дерьмо в проруби!» — спросил он сам себя и ослабил ворот рубашки.

А тем временем Аверина докурила, мужским движением бросила окурок в окно и направилась к своему месту. Она шла среди танцующих, и никто ее не окликнул, не позвал, не пригласил танцевать. Она шла к столу, но казалось, что идет в никуда, где ничего не останется — ни Ласточкина, ни жизни, ни ее самой. И, самое страшное, она, Аверина, уже знает об этом.

Она шла, невидимая, безымянная, имеющая только большой рост и фамилию. Ласточкин все это видел и понимал, а еще он заметил торжествующую улыбку Маргариты и усмешку Зои Табунцовой. Тогда Ласточкин вышел из своего укрытия.

— Аля! Аля! — Его голос перекричал гул толпы и музыку.

Аверина остановилась не сразу.

— Алечка! Родная! Что же ты?! — так же громко спросил Ласточкин. — Я тебя зову, ты не откликаешься! Давай потанцуем и отправимся домой? Домой очень хочется!

ГАЛИНА ВРУБЛЕВСКАЯ

Дом мечты и смежные комнаты

В дальнем углу комнаты на журнальном столике возвышался метровой высоты кукольный дом, или — как его называли коллекционеры — «Викторианский Дом мечты». Лариса Петровна, опираясь рукой о столешницу, грузно опустилась на низенькую табуретку, и теперь крыша с остроугольными башенками оказалась на уровне глаз женщины. Домик, изготовленный из прочного цветного картона, представлял собой миниатюрную копию настоящего. Передняя стена его распахивалась, как створка окна. Рука женщины отвела мешающий обзору фасад в сторону, и стали видны все три этажа: спальни, гостиные и подсобные помещения, оформленные в старинном английском стиле. На кухне стояла печь с дровяной плитой, в комнате гигиены — ванна с позолоченными ножками, а в гостиной можно было разглядеть игрушечную фарфоровую посуду, отмеченную родовым гербом предполагаемых обитателей домика.

Знакомые и муж Ларисы Петровны относились с мягким снисхождением к этой причуде пожилой женщины, тратящей столько времени и денег на пустое дело. Однако они догадывались об истоках ее хобби. Несколько лет назад сын Ларисы Петровны с семьей уехал жить и работать в Австралию, а с мужем, обитающим в соседней комнате, отношения ограничивались лишь хозяйственными заботами. Ощущая опустошенность в душе, продвинутая пенсионерка и начала выстраивать этот игрушечный дом — «Дом мечты». Всерьез о таком доме она, разумеется, не мечтала, но узнала о нем в Интернете, где нашла подруг по увлечению — ему предавались преимущественно женщины, не имеющие детей, или те, чьи дети уже выросли.

Заскрежетал ключ в замке входной двери — от тяжелых шагов заскрипел рассохшийся паркет в прихожей — это вернулся из магазина муж Ларисы Петровны. Вскоре он появился на пороге комнаты, где медитировала у своего Викторианского домика супруга. Комнаты были смежными, и, проходя в свою, дальнюю комнату, хозяин всегда топал через комнату жены. Лариса Петровна отвернулась от домика и обратила лицо к мужу, но осталась сидеть на своей низенькой табуретке: подниматься из «низкого старта» ей было все труднее, в последние годы донимал суставной артрит. Она только посмотрела на мужа снизу вверх, он ей показался стариком-великаном тоже из каких-то сказок: он и в самом деле был высок!

Великан выглядел неряшливо, его возраст выдавали неопрятная седая борода и седые клочья волос, уползающие к затылку. А густые, будто запыленные брови и вовсе походили на брови Деда Мороза — в былые времена, когда сын еще был маленьким, папа всегда исполнял роль этого волшебника под Новый год.

— Что, Циолковский, уже вернулся? Купил, что я просила?

Именем затворника-ученого хозяина дома прозвали давным-давно, еще сокурсники по институту, именно за его неряшливую бороду, отпущенную им с той поры, как она начала у него расти. Правда, тогда борода была не седая, а цвета ржавчины; шевелюра и вовсе густая и пышная. Ну и замкнутость, конечно, добавляла сходства.

— Вот твои лекарства, — Циолковский, шаркая тапками, подошел ближе и выложил из полиэтиленового мешочка на край стола, перед игрушечным зданием, несколько картонных упаковок и таблеток в блистерах. Рядом с домиком они смотрелись как крупногабаритный груз, выгруженный из фургона.

— Не надо ничего класть на этот столик! Я уже устала напоминать об этом! — Лариса Петровна резко вскочила со скамеечки — ее движение отозвалось болью в коленках. Владелица домика сгребла лекарства двумя руками и переложила их на комод.

— Да ладно, — супруг виновато спрятал пальцы в бороду. — Я же на минутку, чтобы ты посмотрела.

— Посмотрела, посмотрела! — Лариса Петровна отошла к окну и взглянула во двор, затем резко обернулась: — А партворк ты мне купил?

Лариса Петровна боялась пропустить очередной выпуск специализированного издания «Дом мечты», где в каждом номере журнала — в партворке — не только печатались прекрасные картинки и статьи об предметах коллекционной утвари для английского дома, но прилагались в целлофановой упаковке пластмассовые или картонные детали, из которых требовалось собрать и склеить очередной предмет обихода волшебного дома.

— Партворк? Нет... Забыл. Но я завтра... — Циолковский, спасаясь от ворчания жены, попятился из ее комнаты в свою смежную и плотно закрыл за собой дверь.

Вслед ему донеслось:

— Ты все забываешь, что тебе неинтересно. Хоть бы раз подумал о жене, а не только о себе!

Лариса Петровна была явно несправедлива к мужу: лекарства-то он ей купил в аптеке. Но из-за журнала она не на шутку расстроилась, потому что в ближайшем, юбилейном выпуске журнала издатель анонсировал читателям атрибуты викторианской свадьбы: свадебные цветочные конструкции, электрические свечи, высокий торт из картона. И вряд ли Лариса Петровна так негодовала бы, пропусти она другой партворк, если бы свадебная тема не затрагивала ее в реальной жизни и не была бы столь болезненна. Если бы не обострение артрита, она бы сейчас сама выбежала на улицу за журналом.

Сила вспыхнувшего недовольства никак не соответствовала степени провинности мужа: подумаешь, забыл купить журнал для кукольного дома! Однако за выраженной досадой бессознательно крылась большая обида на жизнь и на супруга.

Лариса Петровна не могла простить мужу то, что месяц назад совершенно бездарно и незаметно промелькнул их юбилей. Золотая свадьба. Да, по обоюдному согласию они договорились не затевать шумного торжества: сын и другие близкие далеко, а кое-кого из друзей уже и в живых нет. Знакомые же последних лет не знали их молодыми. Поэтому юбиляры не видели смысла устраивать недешевый вечер с приглашением гостей, а решили посидеть вдвоем за столиком в ресторане. Но накануне памятной даты у мужа обострилась язва, а Ларисе Петровне при ее диабете и так приходилось ограничивать себя в еде. В общем, отказались и от этой затеи и остались дома. Однако позже они зашли в собес и заявили о своем юбилее, поскольку слышали от кого-то, что в таких случаях государство выплачивает кругленькую сумму.

Деньги им перевели на счет быстро, и супруги почувствовали себя богачами. Тут же и приоделись: мужу купили приличный костюм, а жене платье. Вообще-то Циолковский не рассчитывал носить костюм постоянно, но решили, что пусть будет (и также молчаливо подразумевая, что костюм может пригодиться и для проводов в последний путь); а в шкафу хозяйки появилось платье кофейного цвета из тонкого трикотажа, с розочкой у ворота и сборками ниже талии, маскирующими несовершенство располневшей фигуры. Платье Надежда Петровна надеялась обновить еще в земной жизни, но повода пока не представлялось.

И когда стал уже забываться незадавшийся юбилей, позвонили представители из районной администрации — в базах данных остались данные получателей субсидии — и пригласили супругов в Дворец новобрачных на чествование золотых юбиляров муниципального округа.

Лариса Петровна сразу согласилась: наконец-то она выгуляет свое новое платье! Но муж неожиданно заупрямился и сказал, что не хочет государственного участия в личной жизни — не хочет, и точка! Уговоры на него не подействовали, и тут у женщины обострился дремлющий артрит: ведь если нет настроения, иммунитет сразу падает.

Раздумывая над своей печальной участью жить с мужем-бирюком, Лариса Петровна вдруг вспомнила, что когда сообщала ему о приглашении от муниципалов, то не сказала, что всем участникам обещан и драгоценный подарок! А подарки он, при всем безразличии к суетным мероприятиям, любил, как вообще любил все материально-осязаемое. Лариса Петровна порой выбрасывала всякий хлам из квартиры, и тогда разыгрывались нешуточные сражения. Муж отчаянно сражался за каждую коробочку, каждую баночку, за любую упаковку от продуктов. Оправдывался тем, что та коробочка ему нужна для гвоздей, эта для каких-то непонятных штучек, а третья пусть будет про запас. Со временем в его комнате скопилась гора ненужных предметов.

Лариса Петровна выскользнула из своей комнаты, прошаркала тапками по тусклому паркету с остатками старого лака, толкнула плечом дверь мужниной комнаты: та поддалась не сразу. Все двери в доме рассохлись и закрывались плохо, но у мужа хватало сил вбить кулаком свою дверь на место — он предпочитал находиться в закрытом пространстве. Когда супруга пробила себе вход и вошла в комнату мужа, Циолковский сидел в кресле перед экраном телевизора, наблюдая за конными соревнованиями. Его телевизор постоянно был настроен только на спортивный канал, и все свободное время супруг проводил, пялясь на экран. Он не только был отчаянным болельщиком футбола и хоккея, но смотрел все подряд: баскетбол, гольф, теннис. И с особенной сосредоточенностью наблюдал соревнования по выездке, разбирался во всех аллюрах, тогда как сама Лариса Петровна с трудом отличала рысь от галопа. А иногда, глядя на мужа, на его полуоткрытый рот, раздвигающий седую бороду, начинала подозревать, что стройные наездницы с непременными котелками на голове нравятся ему больше, чем лощеные породистые лошади. Безусловно, пристрастия Циолковского к телевизору она не разделяла и жаловалась при случае подругам, что с возрастом он превратился в законченного домоседа: супруг давно отказался ходить с ней в театры и на концерты. Да и не было у него времени, поскольку он еще работал.

Пробраться по узкой тропинке среди лежащих вповалку коробок, пакетов и газет поближе к мужу, пристроившемуся перед телевизором, было решительно невозможно, поэтому Лариса Петровна остановилась на пороге.

— Ты что-то хотела? — Хозяин комнаты встряхнул всклоченной бородой и уменьшил звук телеприемника.

— Послушай, Циолковский. Я тебе не все сказала об этом мероприятии для юбиляров. Муниципалы обещали вручить ценные подарки!

В равнодушном взгляде Циолковского вспыхнул огонек, то ли вызванный словами жены, то ли увиденным на экране: одна из лошадей снесла барьер и скинула всадницу.

— Вот черт! — с досадой воскликнул он. — Ты говоришь «подарок»?! Какие у них могут быть подарки — одеяла, покрывала? У нас этого тряпья навалом.

Муж снова зацепился взглядом за экран, поддерживая мимикой следующую наездницу, теперь на белой кобыле, а супруга с досадой, сквозь сжатые губы процедила:

— Что заранее гадать: сходим и узнаем. Кстати, и покрывало бы тебе новое не помешало. Посмотри на свое: совсем изгваздал, сколько раз говорила, чтобы не тащил из кухни еду в свою комнату!

— Ладно, подумаю. — Циолковский не дал жене согласия пойти с ней туда, куда ей хотелось, но и надежду отнимать не стал.

Лариса Петровна сжала губы: думать он, видите ли, собирается! Неделю думал, не додумался! Она резко повернулась на том пороге, где стояла, и направилась в кухню, чтобы заняться ужином.

На кухне настроение хозяйки пришло в некоторое равновесие. Ее неизменно радовало и успокаивало это просторное, сияющее чистотой, заново отремонтированное помещение — лучшее место в квартире. Блестела черным стеклом керамическая поверхность плиты; настраивали на порядок и благоразумие ряд кухонных столов и тумбочек под общей столешницей, имитирующей мрамор; обещали надежность и покой солнечные дверцы шкафчиков из натуральной древесины, покрытой лаком.

На другой стороне кухни, напротив плиты, помещался вместительный угловой диван с обивкой из тисненого бежевого флока — и бархатистого на ощупь, и практичного, хорошо моющегося. Весь дизайн кухни настраивал на оптимистичный лад и неуловимым образом гармонизировал отношения супругов, если им доводилось оказаться здесь вдвоем за обедом или ужином. Тогда они мирно беседовали о бытовых делах, о сыне, внуке. И ссорились на кухне очень редко.

Однако бывали они здесь вместе нечасто. Циолковский еще с утра отправлялся на работу, где обычно и обедал, а вечером и выходными днями предпочитал, забрав тарелку с едой, уединиться в своей комнате. Ежедневно по телевизору транслировались такие интересные соревнования, которые он никак не мог пропустить. Телевизор имелся и в кухне, но располагался высоко, на холодильнике, и чтобы смотреть его, приходилось неловко запрокидывать голову. Никто там и не смотрел.

У Ларисы Петровны в комнате тоже имелся телевизор, она включала его редко, а на кухне у нее обычно бормотал радиоприемник, скорее для фона, чем для получения информации. Почистив картошку и поставив кастрюлю на плиту, она и вовсе выключила бубнящее радио, потому что посторонние звуки мешали ей переживать свою печаль.

Когда нет возможности что-то изменить, надо научиться умело горевать, чтобы в печали растворить свои беды. Лариса Петровна усилием воли остановила еще недавно нараставшее возмущение, постаралась заморозить обиду, отстраниться от текущей ситуации. Ну да, придется смириться с тем, что на праздничный вечер они с Циолковским не пойдут — тяжел он на подъем. И если его давно уже не вытащить ни в театры, ни на концерты, то тем более он не пожелает идти туда, где на них будут глазеть чужие люди. Хозяйка двинулась от раковины к обеденному столу, чтобы протереть его после кулинарных дел, но остановилась на полпути с тряпкой в руках.

Она вдруг скользнула взглядом по стене и увидела давний семейный портрет. Потускневшая черно-белая картинка, висящая над диваном, выпадала из нарядного дизайна современной кухни. Она почти не замечалась хозяйкой, так как та обычно сидела к портрету или боком, или затылком. А сейчас, застыв в раздумье посреди кухни, будто увидела его впервые. Это была первая совместная фотография влюбленных, сделанная за несколько месяцев до свадьбы. Юноша и девушка, запечатленные на нем, были так не похожи на нынешних хозяев этой квартиры, что любой человек, впервые попав в эту кухню, неизменно интересовался: кто на фотографии?

Узнав, что это хозяева, гость, чувствуя неловкость от своего вопроса, притворно восклицал, что они почти не изменились, что если присмотреться, то вот и глаза те же: у девушки — крупные, выразительные, а у парня — глубоко задумчивые. Волосы у обоих пышные, темные, а у нее еще и с модным для давнего времени начесом, облаком приподнимающим их над головой. Да и губы… И ямочки на ее щеках, а у него такая же улыбка, теряющаяся в тогда еще маленькой темной бородке и усах.

Лариса Петровна придвинула стул, села напротив портрета и еще раз пристально посмотрела на того, за кого она тогда вышла замуж. Она всегда помнила, что в тот год замуж за Циолковского не собиралась, да и в целом были сомнения, продолжать ли с ним встречаться. А сфотографировались они вдвоем для хохмы, чтобы проверить народную примету: дескать, если сфотографироваться до свадьбы, то это к расставанию.

Они начали общаться с Циолковским в конце первого курса, учились на одном потоке в Холодильном институте, хотя и в разных группах. В ту пору в этот институт конкурс был невелик, институт считался «непристижным», так что крепкие выпускники редко обращали на него внимание. Циолковский оказался в «холодильнике» потому, что годом ранее, приехав в Северную столицу из отдаленного райцентра, провалил экзамены в авиационный: слишком скромными оказались его знания, полученные в своей школе.

Поэтому на второй попытке не стал рисковать, найдя институт с самым низким конкурсом. А у Ларисы, с детства живущей в этом городе, и школа была известная, и учителя сильные. Только прилежание у школьницы отсутствовало, так что и ее аттестат выглядел очень скромно.

Да и то сказать, росла Лара без отца, воспитывали ее одни женщины — мама с бабушкой, и они внушали девочке, что главное — это успешно выйти замуж. Поэтому бабушка научила внучку всякому полезному рукоделию: шитью, вязанию, вышиванию. В те времена тотального дефицита навыки эти были весьма полезны для девушки, потому Ларочка, многое что умея сделать своими руками, всегда выглядела привлекательно, модно, нарядно.

Познакомились Лариса и ее будущий муж не сразу. Первокурсник из провинции весь первый семестр был так поглощен учебой, что в сторону девушек даже не смотрел. Он не только исправно посещал все лекции, но и ночами в общежитии корпел над учебниками, что позволяло ему позже на практических занятиях отвечать хоть и не с блеском, но достойно. Тогда сокурсники и прозвали его Циолковским: и за эту неуемную старательность, и за лохматые волосы, и за неряшливую, куцую бородку, только-только пошедшую тогда в рост. Вообще-то у этого парня было имя Виктор — Виктор Викторович, — но так его называли очень редко.

Когда первая сессия осталась позади, он слегка расслабился, как-то внезапно обнаружив, что на факультете девушки составляют большинство. Их было втрое больше, чем парней; особенно это становилось заметным на совместных лекциях для всего потока.

Торопясь обменяться последними новостями перед тем, как прозвучит звонок, студентки щебетали и мельтешили перед глазами, заполняя собой просторную аудиторию. Поначалу эта бестолковая суета, раскатистый смех и даже взвизгивания возбуждали в робком первокурснике лишь неопределенное чувство восторга. Все девушки казались ему одинаково замечательными. Но ближе к весне взор Виктора чаще выделял из общей стайки именно Ларису: у нее была ладная фигурка спортсменки, с небольшими, но упругими грудями, стройные крепкие ножки. И одевалась девушка нарядно, ярко, напоминая дорогую куклу. Лариса часто появлялась на лекциях в широкой плиссированной юбке, в белой блузке с воланчиками, а к волнистым взбитым волосам прикалывала на затылок огромный капроновый бант, и если добавить, что глаза ее всегда были широко распахнуты, то возникало сходство с героинями мультфильмов.

Заметив на переменке, на какое место Лариса положила сумку с тетрадками, Виктор как бы ненароком бросал на соседний стул свой портфель. А когда звенел звонок на лекцию и студенты заполняли аудиторию, то молодые люди оказывались рядом.

Лара не только заметила эту хитрость взлохмаченного нелюдима, но уже и сама, если входила в аудиторию, выискивала глазами коричневый прямоугольник его портфеля и садилась рядом. И не то чтобы этот долговязый парень в неаккуратном растянутом свитере нравился больше других парней, просто этих «других» было на факультете слишком мало. Следующий этап — провожание Виктором Ларисы до дома и ненасытные поцелуи в ее подъезде — наступил очень быстро, но потом все затормозилось. Она еще не успела провалиться в бессознательность любовных чувств, и потому ее внутренний цензор зорко подмечал даже мелкие изъяны в поведении друга. Виктор был немногословен, а если высказывался вдруг, то с дикими ошибками в ударении, путал слова. Лариса взялась обучать его языку питерской интеллигенции. Также он ел неаккуратно, и порой следы сметаны или кетчупа оставались на его усиках. Лариса убеждала Виктора сбрить его бороденку и усы, но он упирался, говорил, что в общежитии нет горячей воды, а на сухую бриться несподручно. И даже высокий рост Виктора, что давало ему некоторое преимущество в глазах девчонок, не мог компенсировать минусов в характере ее друга. Ниточка Амура, связующая пару, становилась все тоньше: чередование ссор, обид и поучений с обеих сторон делали ее почти невидимой. Тогда Лариса и предложила сфотографироваться вместе, чтобы проверить примету, с прицелом на перспективу.

К тому же в тот год они оба заканчивали только первый курс, и какой нормальный человек станет думать в этом возрасте о браке! Хотя Лариса уже начала смотреть по сторонам в поисках более достойного кандидата на роль жениха: более культурного, талантливого, аккуратного. И Виктор в ту пору жениться не планировал, отнеся мысль об этом куда-либо к пятому курсу, когда наступит время распределения и неплохо будет обрести ленинградскую прописку. Хотя Лариска парню нравилась, ближайшей его целью было одно желание: вбить колышек на территорию, которую он уже считал почти своей.

При этом Виктор вдруг заметил, что на курсе есть и другие девчонки, которые стараются обратить его внимание на себя. В их заигрываниях ему виделось определенно обещание пустить его в «свой сад». И вскоре Циолковский, подчиняясь призывному взгляду одной из девушек, начал встречаться одновременно и с ней. Однокурсницы почти сразу сообщили об этом Ларисе, как бы сочувственно, но и с тайным злорадством, поскольку парень нравился им самим.

Ларисой овладела ревность: выходит, она любила Циолковского? Ревность яростная и беспощадная, похожая на холодный душ, обжигающий и освежающий одновременно. В таких случаях или выцарапывают соперницам глаза, или бесповоротно уходят прочь! Лариса дала себе слово вычеркнуть неверного кавалера из своей жизни!

Однако сжигание мостов отодвинулось на неопределенное время, поскольку с Ларисой случилась беда, заставившая ее забыть о любовных играх.

Только-только закончилась весенняя сессия, и она в составе сборной института по гимнастике собиралась ехать на летние студенческие игры. Но на медосмотре у нее вдруг заподозрили серьезное заболевание! И хотя оно успешно излечивалось и в то время, Лариса — вчера еще жизнерадостная спортсменка и комсомолка — впала в панику и приготовилась к худшему. В этот момент уже не думалось о Викторе, да и зачем она ему — такая больная. Она не стала ничего сообщать ему о болезни, о том, что ложится в больницу, тем более что иногородние студенты после окончания сессии уже разъезжались по домам.

Но в один из свежих июньских дней Лариса увидела своего Витьку на песчаной дорожке больничного парка. Держалась она отчужденно, будто они едва знакомы — однако совершив прогулочным шагом круг по малолюдной больничной аллее, они отыскали в зарослях кустов и вовсе уединенное место — скамейку, самовольно перетащенную больными с дорожки. Потом сидели, прижавшись друг к другу. Оба впервые в жизни столкнулись с таким серьезным испытанием, впервые держали экзамен на зрелость. Она плакала, уткнувшись в его плечо, страшилась будущего. Он вытирал ей слезы своим несвежим платком и угощал черными семечками подсолнуха, вынув горстку из кармана. Заверял, что не оставит ее. В этот момент он понял, что любит только ее. И тут же сделал робкое предложение:

— Может, поженимся?!

Возникла пауза. Свежие, едва распустившиеся листья на кустах акации над их головами готовились вот-вот зацвести мелкими желтыми цветочками. Предложение стало неожиданностью и для того, кто сделал его, и для той, кому адресовалось. Виктор смутно понимал, что прежде никогда не сделал бы предложения этой куколке. Хотя благодаря своему трудолюбию он вырулил на уровень хорошиста и самооценка его резко подскочила, он не смог бы перенести отказа. Но сейчас все изменилось: Лара напугана диагнозом, даже ее курносый нос вытянулся от тревоги, и она наверняка согласится без всяких условий. К тому же он после женитьбы съедет из общаги, будет жить как белый человек. А болезнь Ларки — это ерунда, девчонки всегда накручивают себе. Виктор, выросший в сельской местности, в хорошей экологии, вообще не представлял себе, что существуют смертельные болезни, кроме старческих. Молодые всегда выздоравливают!

Нежное июньское солнце спряталось за тучу, и на скамейку, скрытую кустами от посторонних глаз, наползла густая тень. Лариса ощутила поясницей холодок, тянущий от земли сквозь деревянные рейки лавки, и несмело переместилась на колени к возлюбленному, заметив ему, что боится простудить некоторые органы. И уже в этом положении, ощущая бедром тепло его живота, задумалась. Выйти замуж сейчас? А почему бы и нет? Если она через полгода умрет, не все ли равно, с кем ощутить себя живой! А если и выздоровеет, тоже хорошо: вон он какой надежный! Виктор все сильнее прижимал к себе обмякшее тело любимой, положив крепкую ладонь на ее ягодицу.

И уже в осеннем семестре, в конце октября, они снова сидели рядом на лекциях, но теперь на их безымянных пальцах поблескивали золотом обручальные кольца.

...Заверещал таймер на плите. Лариса Петровна вздрогнула и выскочила из прошлого, успев все же подумать про примету, связанную с преждевременным фотографированием. Примета наполовину сработала: фотография, сделанная до брака, чуть не разлучила их с Витей, но ведь они до сих пор вместе.

Хозяйка взяла длинный нож и потыкала картошку, проверяя ее готовность — кажется, сварилась.

На кухню вышел глава семьи:

— Ужинать скоро будем, Ларис? Что у тебя тут варится? Не чую мяса!

— Мясо только подогреть, а сейчас гарнир надо сделать. Картошка почти готова. Натри, пожалуйста, редьку.

Виктор Викторович сел под их семейным портретом, как обычно, тоже не замечая его. Жена выставила перед ним терку и очищенную редьку:

— Натри на мелкой терке. И осторожней, Витюша, не порань пальцы!

Он заметил трогательную заботу в ее словах. Столько десятилетий он трет морковь, редьку, яблоки на терке, но только в последнее время Лариса обеспокоенно и заботливо напоминала об осторожности. Неужто и впрямь стареем?! Виктор Викторович вывернул голову набок и начал водить по терке белесый шар: вверх-вниз, вверх-вниз. И вдруг спросил:

— Слушай, Лар! А кого ты еще хочешь позвать? Своих подруженций?

— Позвать куда?

— Ну во Дворец бракосочетания, на муниципальный праздник.

— Да никого я не позову. Мы будем вдвоем, не считая других пар. А сколько их будет, не знаю. Значит, решился, пойдешь? Я тогда завтра отзвонюсь им, чтобы включили нас в список тех, кому подарки будут делать. Через неделю, ровно в пять часов вечера. Только ты в парикмахерскую сходи, совсем оброс.

— Ну нет! В парикмахерскую я не ходок. Они меня, как новорожденного, голеньким выпустят: бороду сбреют, остатки волос сметут. Давай уж ты меня как-нибудь подровняешь! О черт! Зацепил пальцем по острому краю! Потому что ты под руку стала говорить!

Слово за слово, снова на пустом месте разгоралась ссора, в которой припоминалось все, имеющее и не имеющее отношения к случившемуся. Наконец Лариса Петровна пустила в ход тяжелую артиллерию:

— Ты сорвал нашу серебряную свадьбу, лишил меня тогда радостного юбилея!

— Вспомнила тоже! Годовщину все равно ведь отгуляли, несмотря на непредвиденные обстоятельства.

— И ты называешь то безобразие обстоятельствами! — Лариса Петровна отшвырнула ножик, которым нарезала картошку, чтобы обжарить ее в масле. Ополоснула руки и вышла из кухни.

И только вернувшись в свою комнату и снова открыв, как окно в другую жизнь, створку игрушечного дома, она начала успокаиваться. Перекладывала с места на место малюсеньких пластмассовых кошек, которых даже ногтем с трудом удавалось подцепить, и размышляла, не завести ли ей настоящую живую кошку. Хватит ей уже воспитывать своего Циолковского!

Виктор Викторович, оставшись один в кухне, в облаке пара от сваренной картошки, облизнул пораненный палец и продолжил тереть редьку. Высказанный Ларисой упрек обратил и его к воспоминаниям. Серебряную свадьбу он помнил прекрасно. Вернее, не саму свадьбу, а женщину, из-за которой серебряный юбилей с Ларисой чуть не оказался последним. Любимая была моложе Ларисы на десять лет, и характер ее являл полную противоположность характеру жены. Она никогда не иронизировала над Виктором, не поддевала, и даже никогда не называла его Циолковским и не требовала, чтобы он сбрил бороду и усы или постригся коротко. Эта женщина любила его безоговорочно, принимала таким, как есть, и они могли бы быть счастливы вдвоем. Он сделал тогда ей предложение, она приняла его — оставалось только устроить совместную жизнь, но тому препятствовали опять-таки обстоятельства.

Любовникам приходилось всячески исхитряться, чтобы хоть изредка провести время наедине. И однажды летом, за месяц до серебряного юбилея, когда сын уехал на студенческие заработки, а жена отправилась навестить своих родителей и сказала, что останется там, Виктор пригласил новую подругу к себе в квартиру. Но жена вернулась раньше времени, поскольку к родителям внезапно приехали дальние родственники, как это нередко случается в пору отпусков, и все спальные места оказались заняты. Ларисе пришлось возвратиться домой. Она вертела ключом в замочной скважине, однако дверь не поддавалась, поскольку изнутри была заперта на задвижку. Лариса, стоя за дверью, решила, что муж заснул, машинально повернув задвижку. Когда он наконец открыл дверь, любовники уже были в пристойном виде — и она, увидев в прихожей постороннюю женщину, потеряла дар речи. Женщина, взяв свой плащик с вешалки, молча вышла мимо хозяйки квартиры на лестницу.

— Это кто? — оправившись от шока, спросила Лариса.

Виктор не стал отпираться и, потупя глаза, признался во всем жене и попросил его отпустить. Та выслушала молча. Да, он был уверен, что гордячка Лариса не станет кидаться ему в ноги, упрашивать не разрушать семью. Лицо жены окаменело, а из глаз выкатились слезы.

— Хорошо, Витя, — она назвала его уменьшительным именем, как называла нечасто. — Оставляю тебе в полное распоряжение нашу двухспальную тахту: я уже никогда не смогу лечь там, где ты, где ты с ней… Ладно. Поговорим завтра.

Лариса Петровна достала из шкафа чистое постельное белье и постелила его в смежной комнате, в комнате сына.

Спустя несколько дней трудный разговор продолжился.

Сказала, им все же надо сыграть серебряную свадьбу, чтобы не расстраивать ни сына — он должен быть вернуться к назначенной дате, ни тогда еще живых ее родителей. Пиршество устроили богатое, сняли дорогой ресторан. Серебряные юбиляры выглядели прекрасно, особенно Лариса, в ту пору еще сохранившая фигуру гимнастки. Все пили, ели, веселились, не догадываясь, что отмечают не свадьбу, а поминки по семье.

На общую двухспальную тахту Лариса больше не вернулась. Сыну объяснили, что папа храпит и мешает маме спать, так что она пока останется здесь, а он будет расставлять на ночь раскладушку. Разменять же малогабаритную двушку так, чтобы все трое оказались в нормальных условиях, было невозможно. Но такая неудобная ситуация должна была вскоре закончиться, поскольку мальчик заканчивал институт и уже знал, куда он поедет по распределению.

Виктор и вступил бы в кооператив, если бы в стране все оставалось по-прежнему, но в ней началась перестройка, стали закрывать предприятия, а на мясокомбинате, где Виктор работал начальником холодильного участка и где познакомился со своей любимой, уже не платили зарплату. Встречаться на территории дамы сердца или уйти к ней тоже не было возможности. Верная подруга жила в однокомнатной квартире с больной матерью, не встающей с кровати. В общем, обстоятельства были против создания новой семьи.

Тут еще и распределение отменили, и сын начал искать работу за границей, так что опять все затянулось. Но вскоре у обаятельной и сравнительно еще молодой невесты умерла мать, однако оказалось, что и пылкая любовь у Циолковского куда-то испарилась, и женщина, измученная многолетним уходом за больным человеком, не стремится впрягаться в ярмо семейной жизни.

А когда и сын отбыл в далекую заграницу и Лариса и Виктор остались вдвоем, то отношения их стали постепенно улучшаться. Они уже привыкли жить в разных комнатах, но Виктор стал наведываться к ней «в гости» в полуночный час, и она принимала его. А вскоре супруги, скучающие по сыну, надумали отремонтировать опустевшее гнездо и по выходным ходили по магазинам, вместе выбирая обои и кафельную плитку.

После оформления пенсии Лариса Петровна уже не искала работы, поскольку в ту пору все старые мясные и молочные комбинаты были выведены за черту города, а на новые предприятия технолога по холодильным установкам в возрасте никто не брал. Виктор Викторович подсуетился при первых звоночках, предвещающих закрытие предприятия, его поспешность объяснялась и тем, что решил закрыть страницу своего загула «налево». Он устроился слесарем-наладчиком кондиционеров в небольшой фирме, задвинув инженерный диплом в архив ненужных документов. Поменяв несколько мест работы, теперь он трудился на полставки в магазинчике рядом с домом и не желал большего. Да и возраст уже не позволял трудиться в полную силу.

Виктор Викторович натер полную миску редьки и покинул кухню, не собираясь рапортовать супруге о сделанном. Каждой даже небольшой ссоре следовало отмолчаться, выстояться, как вымачиваются порой грибы перед засолкой. После чего ссора как бы консервировалась до следующего случая, пока снова по какому-нибудь поводу не придется пускать в ход прежние аргументы.

После очередной стычки супруг направился прямиком в свою комнату, чтобы сразу оказаться на собственном островке, отдельном от моря семейной жизни и житейских забот. Но проходя маленьким коридорчиком, отгороженным книжным стеллажом от остальной части смежной комнаты, где располагалась его жена, он остановился. Виктора Викторовича насторожили непонятные звуки, доносящиеся из-за стеллажа. Он сделал еще шаг и заглянул в открытый проем: жена, как всегда, сидела к двери спиной перед своим кукольным домиком. Она обхватила голову руками, а ее округлые плечи в какой-то странной гимнастике двигались вверх-вниз под неясные звуки, похожие не то на смех, не то на плач. Виктор, чувствуя себя, как слон в посудной лавке, сделал несколько неуверенных шагов, приближаясь к Ларисе. Обогнул журнальный столик с Викторианским домом и посмотрел жене в лицо: так и есть — воспаленные от слез глаза, отечные глазницы.

Виктор придвинул свободный стул и сел напротив жены, примостившейся на своей маленькой скамеечке. Он возвышался над ней, как взрослый над ребенком, и жалел ее сейчас как ребенка:

— Что ты, Лара, в самом деле, расклеилась! Ну, пойдем, сходим на это общественное торжество, раз тебе так хочется.

— И бороду подровняешь? И волосы?

— Ладно, если ты так хочешь.

В назначенный день торжества, утром, супруги отправились в ближайшую парикмахерскую, где имелись и мужской и женские залы, и доверили себя мастерам.

Прошел час. Виктора Викторовича обновили первым. Он ожидал жену, сидя на мягком красном диване в небольшом вестибюле, и с любопытством рассматривал свое отражение в зеркальной стене. Вроде он и не он. Бородка, как у писателя-разночинца, маленькая и аккуратная, большая часть щек чисто выбрита и благоухает дорогим лосьоном с запахом миндаля. Правда, резче выступили носогубные складки и морщины у глаз, особенно на переносице, но тут уж ничего не поделаешь — как-никак почти семьдесят годков. Голову ему постригли, как он и опасался, машинкой, «под ноль», зато теперь он выглядел гораздо мужественнее, как генерал в отставке. Сизый «ежик» зрительно затушевал все залысины, и крупная голова новоявленного генерала подпиралась еще крепкой для его возраста шеей. Свободную поросль бровей также укротили ножницами.

Пока посвежевший супруг сидел в вестибюле салона, разглядывая себя в зеркале напротив, мимо него упитанной уточкой дважды просеменила Ларочка. Один раз она вышла от маникюрши, другой — из кабинета косметолога, превратившей ее густые сросшиеся брови в узкие ниточки. Наконец женщина предстала перед мужем в полном параде: ее волнистые с чередующимися серебристыми прядями волосы, обрызганные фиксирующим лаком, вздымались, как в юности, облаком над головой.

— А чего ты седину-то не закрасила? — спросил Виктор Викторович. И тут же, приподняв голову, похвастался своим бравым видом: — Оцени, хорош?

Лариса Петровна только кивнула, но парикмахерша, вышедшая из рабочего зала проводить клиентку до кассы, не могла оставить незамеченным вопрос пожилого мужчины к его жене:

— Ваша жена так упряма. Я предлагала ей выкраситься в шоколадный каштан, убрать седину, а она, представляете себе, велела еще сильнее посеребрить седые пряди! Впрочем, так ей тоже идет!

— Английская аристократка! — подмигнул Виктор Викторович. — Спасибо, девушка!

Супруги вышли на улицу. Погода для октября стояла теплая: яркое солнце, лазурное небо и желто-бурые пятна от листьев, упавших на тротуар с тополей. Виктор Викторович взял жену под руку, ощутив своей ладонью теплую кожу ее черного осеннего полупальто. До дома они дошли пешком, хотя от парикмахерской можно и подъехать остановку на автобусе. Но войдя в квартиру, оба ощутили, как устали и от этой прогулки, и вообще от всех манипуляций с ними в парикмахерской. До вечернего выхода в свет еще оставалось время, потому решили прилечь, отдохнуть, и разошлись по своим комнатам. Виктор Викторович плотно закрыл свою дверь, но вскоре даже через закрытую дверь его супруга услышала прерывистый храп.

Лариса Петровна не решилась принять горизонтальное положение, опасаясь испортить укладку на волосах, но и медитировать перед своим домиком у нее сейчас желания не было. Она погрузилась в удобное кресло у окна и взяла альбом со старыми свадебными фотографиями — она его еле отыскала в дальнем ящике «стенки». Сегодня, когда ожидался выход во Дворец бракосочетания, ей захотелось вспомнить, как оно было в тот день. И пусть это был другой дворец, но к ней возвращалось полузабытое волнующее настроение свадьбы. Даже сердце начало биться учащенно. Лариса Петровна выпила нужную таблетку, чтобы утихомирить сердце, и раскрыла альбом.

Черно-белые фотографии поблекли, но лица различались хорошо. Сама Лариса в белом платье, но не с пышным подолом до пола, как сейчас, а короткое мини, выше колен — писк моды того года! «Какие стройные тогда у меня были ножки!» — Лариса Петровна вздохнула. А рядом подружки-студентки, видом почти школьницы. В сторонке мамочка, здесь ей чуть за сорок! Рядом бодрая бабушка в пестром крепдешиновом платье — еще была жива. Лариса Петровна пошевелила губами, прикидывая возраст бабушки на тот момент: да, она была тогда моложе ее нынешней… В сторонке особняком держатся свекровь со свекром — оба кряжистые и с прямодушным взглядом — специально приехали из своей дали.

Фотографии молодоженов у стола регистрации. И, наконец, общее фото: на нем молодожены и гости выстроены организованной толпой на ступенях мраморной лестницы! В центре группы — новобрачные: Ларочка в белом, в серебристую полоску платье-мини, копна каштановых волос, и рядом, выше ее на голову — Циолковский.

«И Витя на удивление ладно выглядит», — подумалось Ларисе Петровне. Безупречный черный костюм, белая рубашка, темный галстук. Его густые волосы, чуть темнее, чем у Ларисы, уложены модной «канадкой», а лицо — чисто выбритое. Без бороды и усов оно выглядело совсем юным, по-мальчишечьи мечтательным — да они и были оба юны, каждому еще не исполнилось и двадцати лет. Они любили вдвоем напевать популярную песенку того времени: «Есть у нас один секрет — На двоих нам сорок лет, Как говорят — все впереди».

Помнит ли теперь Виктор ту песенку, обещавшую, что самое интересное впереди? И действительно, впереди было многое: сын, инженерные дипломы, интересная работа и дружная семья, и вылазки за город по выходным, и поездки на море в отпуск. И посещение театров, концертов, даже футбольных матчей на стадионе.

Лариса Петровна вздохнула. Да, жизнь оказалась насыщенной, но сколько планов расстроилось, сколько надежд не оправдалось, сколько грез умерло. Она закрыла альбом и снова перевела взгляд на кукольный Дом мечты — развлечение девочки-пенсионерки. Как легко было управлять хозяйством в этом домике: всякой утвари в изобилии, есть и «живность»: керамические кошечки, искусственные цветочки в горшках. Все есть для «жизни» в домике, только не смогла она купить для дома «семью». Во-первых, «семья» стоила недешево, особенно если покупать аутентичную, антикварную, а не современную поделку, а во-вторых, она никак не могла решить, кого же ей заселить в этот Дом мечты, обустраиваемый уже на протяжении трех лет. Можно купить просто семейную пару или родителей и одного-двух детей. Слуги определенно понадобятся. Но симпатичное семейство — мама-папа и двое детей — стоило дороже, чем хорошее авто — такую покупку ей не осилить! Да и надо ли? И так старенькие подружки только посмеиваются над ее увлечением.

«А какую семью мы с мужем создали за пятьдесят лет? Нет у нас, разумеется, такого прекрасного английского дома — даже маленького дачного домика в деревне тоже нет. А есть две смежные комнаты, заселенные надеждами, разочарованиями и отдельными редкими радостями. Именно что отдельными для каждого радостями».

Губы владелицы домика дрогнули в полуулыбке, она посмотрела на часы: пора обедать и собираться. Из комнаты мужа раздавался прерывистый храп.

Лариса Петровна подошла к двери, как всегда запертой, попробовала толкнуть ее — не получилось. Тогда она громко прокричала из-за двери:

— Гол! Гол! — она знала, на это слово муж открывает глаза мгновенно.

Так случилось и на этот раз. Через пять минут Виктор Викторович с заспанным, слегка помятым лицом уже стоял рядом с ее Викторианским домиком и спрашивал, скоро ли им выходить.

Пообедали они плотно: суп, рыба с пюре — требовалось заправиться как следует, поскольку собирались не на банкет, а на официозное мероприятие.

После обеда супруги перешли к активной фазе сборов: освежились в ванной, переоделись во все чистое. Теперь оставалось лишь облачиться в выходные наряды.

— Циолковский, ты поищи в своих залежах рубашку поприличнее, я поглажу ее, — дав наказ мужу, Лариса Петровна вновь вернулась в свою комнату.

Теперь она стояла перед трюмо в новом, ни разу не надеванном платье, сравнивая сама себя с розой кремового цвета, поскольку защипы у талии создавали подобие лепестков. И пусть «роза» в зеркале не отличалась юной свежестью, но, если не вглядываться в лицо, была вполне привлекательна.

Затем Лариса Петровна накинула сверху халат, чтобы закончить с мелочами: подправить потускневший уже макияж, взбить волосы, примерить украшения.

Виктор уже трижды появлялся в комнате жены, поочередно надевая рубашки: вначале мышиного цвета, после голубенькую и наконец белую в легкую полосочку.

— Ну как, Лара? Эта пойдет?

Виктор Викторович стоял перед женой в черных трусах, обнажающих длинные белые ноги с седоватым пушком на голенях и синими прожилками у щиколоток. На нем была рубашка в голубоватую полосочку и бордовый галстук. Выглядел он довольно комично, будто клоун на арене цирка.

Лариса Петровна выбор одобрила, тем более что она знала: обычных белых рубашек у мужа давно не водилось, потому что он не любил их снежную белизну, которая напоминала ему больницы, где он за последние годы побывал уже не раз. Да и некуда их было носить.

— Ладно, сними рубаху-то, я поглажу, а ты иди, надевай брюки. Отпарил их?

— А то! Еще вчера! — Виктор Викторович горделиво откинул голову: для него, повседневно носящего немнущиеся джинсы, отпарить брюки было подвигом.

Лариса Петровна помогла собраться мужу, скинула халат и надела на шею, у горловины платья, немыслимого размера колье с круглыми серебристыми лепестками — подарок сына и невестки, присланный ими из Австралии.

Торжественно и нарядно одетые супруги вышли из дома, повернули к остановке трамвая — и тот не заставил себя ждать, появился тотчас. Лариса Петровна всегда считала это добрым знаком.

Ехать до Дворца бракосочетания предстояло всего две остановки: пара оказалась на месте раньше назначенного времени. Вскоре и другие юбиляры заполнили вестибюль — строгое вытянутое пространство с расставленными вдоль стен уютными банкетками.

Не успели виновники торжества присесть, осмотреться, как их пригласили пройти дальше. Держась под ручку, супружеские пары, как в старинном танце, прошествовали через распахнутые створки белой двери с рельефными позолоченными филенками в зал церемоний. Стены под мрамор цвета желтоватой охры, уходящие ввысь потолки, хрустальные люстры, ярко освещающие зал, а также вишневый ковролин и стулья, обтянутые серебристой парчой — все это создавало праздничный настрой. И монументальной доминантой у дальней стены возвышался солидный стол, поддерживаемый тумбой сложной конфигурации, — стол для регистрации браков. Юбиляров встречали трое молодых людей — чиновников администрации, репортеры с фото- и видеокамерами, а также опытная девушка-распорядитель.

Ведущая и ее помощники, следуя сценарию, рассадили приглашенных супругов — всего шесть пар — на первый ряд, в задних рядах было свободно: почти все юбиляры пришли без родственников и друзей. Наконец звуки марша Мендельсона ознаменовали собой открытие торжественного вечера.

…Муниципальное мероприятие по чествованию золотых, изумрудных и брильянтовых супружеских пар шло к завершению. Пожилые люди заметно устали: чуть больше сгорбились их спины, чуть некрасивее обвисли щеки. Да что там щеки! Ведь некоторые юбиляры пришли сюда, опираясь на трость, и почти у всех в карманах или сумочках лежал набор лекарств на неотложный случай.

Хотя почетные женихи в большинстве своем бодрились, стараясь удерживать голову прямо, а их былые невесты, давно ставшие бабушками, кокетливо поправляли то прическу, то шарфик, молодым представителям муниципалитета и репортерам с фото- и видеокамерами все они казались древними старичками и старушками.

Но Ларисе Петровне и Виктору Викторовичу сейчас не было дела до других — они смотрели только друг на друга. Взволнованной невесте казалось, что она попала в тот волшебный кукольный дом, где игралась свадьба коллекционной «семьи», наконец-то купленной на аукционе. Попала туда, где все блестело позолотой, где белели фарфоровые тарелочки с королевскими гербами по краю, где искусственный свадебный торт башней возвышается до потолка, а новобрачные и гости были молодыми, здоровыми и красивыми. Хотя в реальности все выглядело не так: в углу зала виднелся лишь скромного вида круглый стеклянный столик, и на нем стояло три бутылки шампанского, фужеры и вазы с фруктами, новобрачных это ничуть не смущало. И главным чувством, охватившим сейчас Ларису Петровну, была ничем не замутненная любовь к Вите. Он тоже чувствовал забытое уже волнение. Этот юбилей мог оказаться последним не только в их совместной жизни, но и в жизни вообще. Однако юбиляры не думали о будущем: они жили этим, особенным моментом — жили здесь и сейчас.

Ведущая зачитывала поздравительные адреса и краткие биографии супружеских пар. Все они — люди из одного поколения, а потому и жизни у них схожие: учились, женились, мыкались в поисках жилья, растили детей, работали, выстраивали карьеру, а позже радовались внукам.

Наконец Лариса Петровна и Виктор Викторович услышали свою фамилию. Их пригласили к рельефному столу, расписаться в книге почетных юбиляров.

Лариса снова взглянула на Виктора: «Как он хорош!» Она увидела высокого, почти стройного, почти молодого человека в ладно сидящем темно-синем костюме, в строгой рубашке и насыщенно бордового цвета галстуке. Ему так шли маленькая серебристая бородка и сизый ежик волос на голове. Лариса посмотрела вниз, на его обувь: надо же, начистил! Ботинки сверкали бликами света от яркой люстры зала, как и должно сверкать ботинкам в волшебном дворце.

Виктор взял жену под локоть, предлагая ей поддержку на те пять шагов, что им предстояло сделать до стола, и они уверенно пошли, будто вкладывали в эти пять шагов пять десятков лет совместной жизни. Поочередно, друг за другом поставили свои подписи в Почетной книге Дворца, как когда-то поставили их в журнале ближайшего к дому загса, — и будто заново стали супругами. Фоторепортеры, забегая с разных сторон, вели репортажную съемку.

Представители администрации вручили всем юбилярам грамоты и подарок: большую коробку с мультиваркой. Раскупорили бутылки с шампанским, весело и непрерывно расплескали пенящийся белыми пузырьками напиток по бокалам.

Под сводами нарядного зала зазвучал теперь не бодрый марш, как вначале, а лиричный вальс, наполненный грустью и новыми надеждами. Девушка в обтягивающем красном платье, ведущая мероприятие, пригласила присутствующих к танцу, взмахнув кумачовым рукавом, будто тренер перед спортсменами на старте. Но желающих выйти на свободную площадку не наблюдалось.

Тогда Виктор Викторович, поставив бокал с недопитым шампанским на круглый столик, протянул жене руку.

— Пойдем?

Лариса Петровна встала, привычным движением одернула подол платья. Теперь было видно, что муж выше ее почти на голову, хотя сегодня она надела туфли на каблучке. Виктор коснулся полненького локтя жены, обтянутого нежным трикотажем, и снова предложил:

— Потанцуем?

Она с удивлением посмотрела на мужа:

— Ты ведь не умеешь танцевать вальс!

— Почему ж, — улыбнулся он.

Она, забыв о своем артрите, о давлении, положила руки ему на плечи, и супруги начали кружиться: раз-два-три, раз-два-три! Почти сразу они сбились с такта, ведь они так давно не танцевали вместе, а вальс, пожалуй, ни разу. Но снова поймали ритм, и кружение продолжилось…

От дворца до дома супруги шли пешком, аллеей осеннего сквера. Он нес фирменную торговую сумку с мультиваркой; она вышагивала в удобных ботинках на плоской подошве, обходя лужи: в одной руке у нее покачивался полиэтиленовый мешок с нарядными туфлями, другой рукой она прижимала к груди букет алых роз, врученных администрацией.

На деревьях и кустах дрожали на ветру уцелевшие оранжевые листья, а в небольшом пруду нарезали круги утки, сбиваясь в стаи. Красота поздней осени и радовала глаза, и печалила сердце.

— Помедленней, пожалуйста. — Лариса Петровна остановилась. — У меня ноги болят, я же все торжество продержалась в этих туфельках, как Русалочка из сказки Андерсена. Кстати, где это ты научился танцевать вальс? Почему я ничего об этом не знала?

Виктор Викторович уловил ревнивые нотки в словах жены, произнесенных с напускной строгостью, словно она допрашивала мужа, почему он пришел так поздно. А он давно уже нигде не задерживался, вечером ложился перед телевизором в десять часов, но ему было приятно, что она как будто ревнует.

— Научился вот! — улыбнулся Виктор Викторович. — Еще до того, как с тобой познакомился, я в выпускном классе ходил в школу танцев: готовился вальсировать с одноклассницей.

«И где теперь та одноклассница?» — произнес про себя супруг, удивляясь, сколько лет прошло с той поры.

«Надо же!» — задумалась и Лариса Петровна. Она и сама танцевала вальс последний раз, пожалуй, на своем школьном вечере — ну, может, еще два-три раза где-нибудь в санатории. А может, и нигде. На их с Виктором студенческой свадьбе вальс не танцевали: тогда в ходу уже были шейк и твист. Может, позже, на свадьбе сына или на свадьбах детей своих подруг? Но там тоже вальс игнорировали. Все выходили в общий круг и дергали руками и ногами, кто во что горазд. И даже в ресторанах, где они с Виктором оказывались на каком-нибудь торжестве, если и танцевали парой, под медленную музыку, то нечто похожее на танго, но никак не вальс.

— Мог бы и рассказать, — повторила она, гася такую странную в ее возрасте ревность. — Прикажешь еще полвека с тобой жить, чтобы все узнать о собственном муже?

— Ты жаловалась, что ноги устали, — покладисто проговорил Виктор, — давай присядем, Лар. Я тоже что-то притомился.

Супруги сели на слегка влажную парковую скамью, положив рядом подарки. Лариса Петровна склонила голову на плечо мужу:

— А помнишь, Витя, как почти так же сидели на скамье в больничном парке, когда еще до нашей женитьбы ты пришел меня навещать?

— Пустое это — воспоминаньям предаваться. Я знаешь что сейчас подумал: не купить ли нам тур в Англию? Подкопим деньжат и поедем. И сходим, если захочешь, в какой-нибудь музей, в настоящий дом Викторианской эпохи, — Виктор Викторович, улыбнувшись, повернул голову к жене.

Лариса Петровна удивленно распахнула глаза:

— Медовый месяц? А что ж, хорошая идея! Тогда и английский манеж посетим, посмотришь на любимых лошадок вживую.

— Непременно! — Виктор Викторович встал и протянул руку жене, помогая ей подняться. — Пойдем, прохладно. Простудишься еще на этой лавке.

Остаток пути до дома супруги оживленно обсуждали программу предстоящего путешествия, как будто отправлялись в дорогу уже завтра.

НИКИТА ШАМОРДИН

Яснополянская сюита

Раз

Впервые я увидел ее в темном коридоре редакции. Прямо на меня из прокуренной венецианской тьмы выплыла самая красивая девушка, которую я когда-либо встречал. Высокая и стройная, с правильными точеными чертами лица, темно-рыжими волосами в каре и карими озорными глазами, она будто прошла насквозь. Меня обдало тонким ароматом духов со сладко-горьким оттенком. Мозг пронзила молния внезапного изумления. Кто она, как, откуда? Спросить было не у кого, она уже растворилась в пространстве. Да и как спросить, если у меня просто отнялся язык?

Два

Во второй раз я увидел ее на каком-то журналистском выезде. С ним — с его длинным и худым, как палка, телом, с острым, как кинжал, лицом и резким и грубым, как кирза, голосом. Он был начинающим журналистом, бежавшим в наш город от хаоса перестройки из Закавказья. Полное имя его было Гариб, что значило чужеземец, но все называли его Гарри. Мезальянс их казался чрезмерным. Они подходили друг другу только ростом, оба были высокими, выше меня почти на голову.

Три

В третий раз это случилось на праздновании Нового года в редакции. Все изрядно напились, во время праздничного танца главный попытался схватить за попу свою немолодую и некрасивую секретаршу, она при всех дала ему пощечину, а он послал ее и орал, что уволит. Веселье было в разгаре. Кто-то утешал главного, кто-то секретаршу, а я отправился к себе в кабинет этажом выше покурить в спокойной обстановке.

На подоконнике второго этажа рыдала она. Я подошел и поинтересовался, что случилось. Она не ответила, только уткнулась мне в плечо и зарыдала еще громче. Я стал шептать ей на ухо что-то успокоительное. Тихо, как рысь, из темноты коридора возник ее друг.

— Мэкки, — позвал он.

Странное имя, подумал я.

Она услышала его голос и зарыдала еще громче, крепче вжимаясь в меня.

— Я не хочу тебя видеть! — глухо и твердо произнесла она.

— Мэкки! — еще раз настойчиво позвал он.

— Гарри, — мягко, но твердо сказал я, — мне кажется, она не хочет сейчас с тобой разговаривать.

Он раздраженно постоял рядом какое-то время, потом произнес:

— Никита, проводишь ее домой?

Я кивнул.

История начинается

Там, на подоконнике, она и поведала мне всю историю их кратких отношений. Собственно, дело у них уже шло к свадьбе. Но беда была в том, что она его не любила и замуж за него не хотела. Просто все складывалось так, как складывается в обычной жизни: родители давно уже были готовы отпустить дочь во взрослую жизнь, но она все колебалась и колебалась. Ей делали предложения: директор зоологического парка, пожилой редактор городской газеты, каскадер, студент-строитель, бизнесмен, укротитель змей, но ее все не устраивали. Точнее, те, кто устраивал ее саму (каскадер, студент-строитель, укротитель змей), не устраивали ее родителей. И наоборот. Гарри хоть и был чужеземец, но все-таки журналист, как и отец Мэкки. Да и сама Мэкки пыталась заниматься журналистикой, так что профессия примиряла будущего тестя с потенциальным зятем.

Гарри ушел, и я отвел Мэкки в свой кабинет, усадил в кресло, предложил сигарету и водки. Она не отказалась. Плакать она перестала. Я внимательно разглядывал ее так понравившиеся мне с первого взгляда и слегка смытые слезами черты какой-то особенной нездешней красоты.

Ко мне стали заглядывать коллеги, уставшие от спектакля главного с секретаршей, кто-то приходил с выпивкой и закуской, кто-то — покурить. В итоге остался небольшой кружок дам разного возраста и стиля, сотрудниц моего отдела и их подруг, и я предложил продолжить вечеринку у меня дома. Дамы согласились. Мэкки сперва порывалась ехать к родителям, но было видно, что ей этого не хотелось, и в итоге она присоединилась к компании.

У меня на кухне она взяла управление хозяйством в свои руки, стала варить макароны и нарезать бутерброды, чем совершенно меня сразила. Я взял в руки гитару и запел. Однако праздник продолжался уже так долго, что скоро всех начало клонить в сон.

Соорудив максимальное количество спальных мест — от раскладушки до матраца на полу — я предложил Мэкки спать на моем единственном диване. Сам улегся тут же с краю, не раздеваясь. Когда лёгкое посвистывание разнеслось по уснувшей квартире, Мэкки зашевелилась. Поняв, что она не спит, я развернулся к ней лицом.

— Мэк… — дальше последовало объяснение.

Мэкки не прерывала меня и не отстранилась, когда я начал гладить ее волосы. Осмелев, я запустил руку под кофточку.

— Я не могу так быстро! — горячо зашептала она, не отталкивая мою руку, но сопротивляясь всем своим голосом тому, что могло произойти. — К тому же мы здесь не одни! — укоризненно сказала она, поправляя лифчик и кофточку.

— Ты приедешь ко мне одна? — спросил я.

— Не знаю, — ответила она. — Посмотрим.

И был новый день

Хоть и было размеренное утро субботы, мои гостьи быстро собрались, попили чаю и разъехались по домам. Мэкки, уходя, помыла на кухне посуду и посмотрела на меня внимательно, как будто видела впервые.

— Я хочу тебя снова увидеть, — сказал я.

— Посмотрим, — снова произнесла она.

Когда за ней закрылась дверь, я вошел на кухню, закурил и вдруг понял, что у меня нет номера ее телефона. И в редакции она уже не появится до Нового года.

Несколько часов я ходил из угла в угол, не зная, чем себя занять, лишь бы не думать о ней. Не думать не получалось. Когда кончились сигареты и найденное в холодильнике пиво, меня осенила мысль: отец! ее отец! местный тележурналист! В моей записной книжке вполне мог быть номер его телефона.

Я раскрыл записную книжку. Да вот же он! Фамилия была написана, а имя — нет. Имени я и не помнил. Как же с ним разговаривать? А если подойдет жена, как его позвать? Нет, надо сразу же звать Мэкки! Но она говорила, что это имя родители не знают. Да какая разница! Главное — есть телефон!

Я набрал номер:

— Аллооо, — раздался в трубке вальяжный голос ее отца (как же его все-таки зовут?!!!)

Я колебался секунды три, а потом решительно выпалил:

— Добрый день! Можно услышать вашу дочь?

На том конце провода немного опешили, но все-таки позвали:

— Гииитааа, это тебя!

— Алло, — отрывисто сказала Мэкки.

— Мэкки, это я. Я соскучился. Кажется, я не могу без тебя жить!

— Хорошо, — сказала она. — Сегодня в шесть на площади Челюскинцев, — и повесила трубку.

Она! Назначила! Мне! Свидание!

В шесть часов на площади Челюскинцев она сказала мне:

— Понимаешь, это невозможно.

И закурила. Курила она очень изящно, ее длинные тонкие пальцы грациозно держали сигарету так, что казалось, будто она курит сигарету с мундштуком.

— Но почему? — я был уничтожен, раздавлен, смят.

— Во-первых, Гарри. Он, конечно, совсем не мой тип мужчины. Но он мой жених, родители уже начали готовиться к свадьбе. Правда, когда я думаю о нем, мне становится противно…

И Мэкки рассказала, что для секса Гарри возил ее в бордель, с хозяйкой которого он дружил. И пока они занимались сексом в одной из комнат, справа и слева доносились наигранные стоны профессионалок и пыхтенье изменявших женам мужиков.

— И потом — твоя бывшая. Ты же с ней еще не развелся.

— А развестись я могу хоть завтра! — пообещал я. — Ты ведь, как пушкинская Маша, не бросишь своего Дубровского ради какого-то дурака?

— Ты еще не мой Дубровский, — улыбнулась она.

— Зато ты уже моя Маша, — улыбнулся я в ответ.

— Посмотрим, — сказала она.

Природа ответственно готовилась к добротному Новому году. Снег шел стеной, методично засыпая улицы. Снегоуборочная техника не могла выехать из своих гаражей. Дворники начали отмечать праздник еще неделю назад. Город стал зимней сказкой, по которой можно перемещаться только на оленях. Кое-как ходили еще только трамваи. Мы взялись за руки и пошли пешком в сторону ее дома.

Новый Новый год

Новый год я собирался встречать у сестры. Она жила на другом краю города в однокомнатной квартирке, которая мне очень нравилась. Жила одна, с большой писающейся догиней, приблудившейся на улице, и совой, прилетевшей из леса. Я закупил шампанского и какой-то снеди и с трудом добрался до нее часов за шесть до Нового года. Мне было что рассказать сестре, — о ней, о Мэкки, о новом этапе моей жизни.

Мэкки неожиданно пообещала приехать к нам на Новый год, но мне казалось это почти невозможным. Даже если бы она и захотела это сделать, она не нашла бы ни один вид транспорта, способный прорваться через заснеженный праздничный город с одной его окраины на другую.

Мы с сестрой пили уже вторую бутылку шампанского, когда перевалило за полночь, и уже сказал свою речь президент, и где-то в Кремле пробили куранты, и я уже думал, что Мэкки — это чудесный сон, который приснился мне накануне Нового года, сказка, которой не суждено сбыться. И вдруг в дверь позвонили.

Залаяла и описалась догиня, встрепенулась на шкафу сова, а мы с сестрой удивленно посмотрели друг на друга.

— Ты кого-нибудь ждешь? — спросил я.

— Нет, — сказала сестра.

— Значит, это Мэкки! — закричал я и побежал открывать дверь.

На пороге, все в снегу, стояли Мэкки и огромная черная собака.

— С Новым годом, — сказала Мэкки, протягивая бутылку шампанского. — Знакомься, это Остап.

Собака Остап переступила с ноги на ногу, как бы стесняясь протянуть лапу для приветствия незнакомцу.

— Заходите, — не веря своим глазам и ушам, сказал я. — Как ты сюда добралась?

— Я сама думала, что ничего не выйдет, родителям сказала, что пошла погулять с Остапом, — радостно рассказывала она, — конечно, никто не останавливался, потом неожиданно остановился черный джип, в нем сидел седой, стриженный под ежик мужчина, он спросил «Собака не кусается?», я ответила «Нет», и он сказал «Садись». Телефончик, конечно, взял. Вот так мы тут и оказались!

«Мэкки, милая Мэкки, — думал я. — Неужели все это правда ради меня?»

В ту ночь мы с сестрой много пели — иногда по очереди, иногда вдвоем. Мэкки, и собака Остап, и писающаяся догиня, и лесная сова слушали, наклонив головы или положив их на лапы, собаки изредка подвывали.

Утром я поехал провожать Мэкки с Остапом, и мы неожиданно оказались у меня дома. Нам не хотелось расставаться, хотелось побыть вдвоем, поговорить.

Мы стали близки в первый день Нового года. У нее было удивительно спортивное тело, ничего лишнего, крепкая красивая попа и маленькая грудь с широкими темными сосками.

«Можно в меня», — сказала она. Мужчины всегда шалеют, когда женщина говорит им «можно в меня»... Остап тяжело дышал в прихожей и стыдливо прятал морду в лохматые лапы.

И еще мы дали друг другу новые имена: Мака и Ники. Имена, которые знали только мы.

Встречи и расставания

Мы стали встречаться с Макой в квартире, где я жил один после того, как жена вернулась к своим родителям. Я попросил Маку рассказать о ее жизни до меня. И она рассказывала истории о зоологическом парке, где работала после школы, о своем любовнике, работавшем в этом парке, от которого она сделала неудачный аборт, едва не стоивший ей жизни, о директоре парка, который был старше ее на десять лет (он сделал ей предложение и даже радостно обмывал с ее отцом их будущую свадьбу, которая не состоялась), о съеденном ими еще не остывшем удаве, который внезапно умер в зоопарке. Мака много рассказывала об отце и его коллегах-журналистах. Отец занимал очень много места в ее жизни, был безусловным кумиром и источником бесконечных цитат. Она рассказывала много историй, с юмором, смеялась сама, запивала смех вином и моими поцелуями. Потом мы занимались любовью. Нам было хорошо вдвоем.

Как-то после Нового года мне на работу позвонил Гарри.

— Никита, я убью тебя! — зарычал он в трубку.

— Гарри, ты что? — опешил я.

— Мэкки меня бросила! Это все из-за тебя! Не надо было вас оставлять в тот вечер!!!

— Гарри, девушка сама вправе решать, с кем ей быть. Она не твоя вещь.

— Я убью тебя!!! — проревел он и бросил трубку.

С тех пор в темных переулках мне стал мерещиться Гарри с навахой, поджидающий меня днем и ночью. Особенно часто он мерещился мне у ее подъезда. Однако в те годы на улицах было так много «гарри» с навахами, что этот конкретный был всего лишь частным случаем обыденной жизни. Прошло недели две, и я перестал даже думать о Гарри.

А однажды я позвонил ей домой, чтобы договориться о встрече, и Мака сказала упавшим голосом:

— Ники, мы больше не можем встречаться.

— Мака, но почему?

— Мои родители узнали о нас и устроили скандал. Они поставили условие, чтобы я рассталась с тобой.

— Какой бред! Ты же уже взрослая!

— Я им пообещала.

— Как ты могла, Мака? Нам нужно увидеться!

— Я не могу!

Отношения Маки с родителями были странными. С одной стороны, она очень уважала отца и побаивалась мать. С другой — все ее поступки говорили о том, что она все делала им наперекор. К двадцати пяти годам за ее спиной было уже немало скандалов, побегов, любовников, выяснений отношений, аборты и брошенный универ, попытка жить в Москве и возвращение домой. Мака искала себя и никак не могла найти. Но она была слишком гордой, чтобы это признать. Родители же, вероятно, мечтали уже поскорее пристроить ее замуж и, конечно же, не за провинциального журналиста, а за успешного столичного денди. Вариант с Гарри не вписывался в эту схему лишь потому, что сама Мака настояла на том, что хочет за него замуж. Говоря «хочу замуж», каждая девушка мечтает лишь законно уйти из-под опеки родителей. Однако обязательно иметь в тылу отца, готового в любую минуту кинуться ей на помощь.

Что родителей Маки могло испугать во мне? Вероятно, нелепые слухи о моих любовных похождениях, которые распускали недоброжелатели, тот же Гарри был в их числе.

Я решил сам объясниться с родителями Маки, но они не пожелали со мной разговаривать. Пришлось прибегнуть к помощи моих родителей. Разговор представителей старших поколений закончился благоприятно, нам было разрешено встречаться, а мне даже — оставаться ночевать у Маки дома, в гостиной, если мы засиживались или загуливались в городе слишком поздно — мы жили в разных концах города. Условность ночевки в разных комнатах была очевидна, но так было спокойнее для родителей Маки. В эти чудесные ночи Мака приходила ко мне, как только родители укладывались спать. Это напоминало старинные любовные романы, не хватало только подсвечника с дюжиной свечей. И мы занимались любовью на уютном кожаном диване или на полу, покрытом бухарским ковром. Мне ужасно не хотелось отпускать ее от себя, но после любви и ласк Мака всегда уходила к себе, и встречались мы только утром за завтраком.

Родители также условились, что, если через несколько месяцев мы не поругаемся и не разлюбим друг друга, они начнут готовиться к свадьбе. Так я неожиданно занял место отвергнутого Гариба в должности жениха.

Но для того, чтобы жениться на Маке, мне нужно было развестись с бывшей женой. А она от меня будто специально скрывалась. Застать ее в родительском доме или на работе было невозможно, а уж договориться пойти вместе с загс — тем более. Я раскинул сети и наконец выяснил, у кого она пряталась. Однажды утром я приехал туда на такси и повез ее оформлять развод. Она была пьяна и пыталась заигрывать со мной.

Мое детство прошло рядом с Ясной Поляной. Сюда, в заповедные места, мы ездили с родителями гулять и собирать сочные желтые баранчики на склонах оврагов весной, купаться и ловить рыбу в Воронке или собирать грибы в лесу летом, толкаться среди наряженных артистов и толпы зевак на Калиновом лугу осенью, кататься на лыжах с Лысой горы зимой. Сюда, в яснополянский дом отдыха, я иногда приезжал с родителями по путевкам выходного дня, и мы грелись в домотдыховском ДК после лыжных прогулок, играли с отцом на бильярде, пили душистый чай с травами. Здесь же, в доме отдыха, в зимние школьные каникулы устраивали для пионеров детский лагерь. В местном высоком и просторном двухярусном ДК, располагавшемся между двумя спальными корпусами, была столовая и кинозал. Здесь проводились сеансы гипноза и встречи с известными кинорежиссерами, здесь я без особого энтузиазма играл в художественной самодеятельности и безуспешно влюблялся в старших девочек с редкими тогда именами Виктория или Маргарита, а может быть, даже и не в девочек, а только в их имена.

ДК казался мне живым существом. Его парадный вход украшали высокие ступени и колонны, и, кажется, по бокам были сторожевые каменные львы, впрочем, я в этом не уверен. Внутри пространство неожиданно развертывалось в объеме, вверх взлетали высокие потолки, вширь вправо и влево уходили рукава галерей, в самом сердце был ресторан, он же столовая, с высокими застекленными окнами. Наверх, на второй уровень (да-да, именно уровень, а не этаж!), вела изогнутая каменная лестница со множеством ступеней, заканчивавшаяся нависавшим над танцевальной залой первого этажа полукруглым балконом. Там, наверху, была своя жизнь — зрительный зал. Комнаты сотрудников и еще какие-то короткие коридоры. От нижних галерей к спальным корпусам вели вознесенные над землей стеклянные галереи в духе зимнего сада, где росло множество живых растений. Я увлеченно изучал различные виды разноцветных традесканций, гераней, кактусов, тайно срывая себе отростки для домашних опытов. Вечером, ближе к отбою, в галереях выключали свет, и они казались потайными коридорами в неизвестность. Иногда мы с мальчишками пробирались по этим коридорам в ДК и слушали, как он устало засыпает, прислушивались к его тяжелому дыханию, вздрагивали от непонятных шумов и пускались врассыпную от мерещившихся нам привидений. ДК казался древним рыцарским замком, который хранит какую-то тайну. Много лет я пытался ее разгадать. Никто мне тогда не объяснил, что не каждую тайну нужно разгадывать.

Однажды, ранней весной, мы поехали с Макой гулять в Ясную. Я повел ее хорошо знакомыми мне заповедными тропами от автобусной остановки через дом отдыха и лес на берег реки Воронки. Солнышко пригревало, и в плащах было жарко, пришлось их снять. Проходя мимо дома отдыха, мы неожиданно посмотрели друг на друга и сказали вслух:

— А хорошо бы здесь сыграть свадьбу!

В доме отдыха тогда работала моя дальняя родственница, которая смогла обо всем договориться. У моего отца был в то время небольшой бизнес, из которого он выделил свою часть на свадебные расходы. Родителям Маки пришлось продать бабушкину дачу на Байкале, чтобы оплатить расходы. «Бабушка все равно уже старая, да и на Байкал сейчас летать слишком дорого», — рассудил отец Маки. Звали его, кстати, Капитолий.

Однажды Мака зашла ко мне на работу, светясь счастьем. Отец подарил ей денег на праздник 8 Марта, и она шла выбирать себе духи. Я так соскучился, что решил идти вместе с ней, к тому же мне был небезразличен запах, который она выберет. В парфюмерном магазине мы перенюхали десяток духов — от средних по цене до самых дорогих. Нам обоим понравился аромат из новой коллекции Кензо, но денег даже на небольшой флакончик не хватало. Мака успела огорчиться и направиться к выходу, как я вдруг вспомнил о полученной вчера зарплате и радостно удержал ее:

— Стой! Вот! — с этими словами я выгреб смятые деньги из кармана и положил в ее ладонь.

Минуту она ошарашенно смотрела на них, глаза ее загорелись теплым мягким огнем, а потом спросила:

— Что это?

— Это тебе! На духи! Которые нам понравились! Покупай — а я пока на улице покурю.

И я выскочил на улицу, радуясь тому, что нашел выход из положения, и не понимая, на что буду жить в ближайший месяц.

Через пять минут она вышла из магазина, благоухая свежим Кензо, и, поцеловав меня в щеку, прошептала:

— Спасибо тебе.

Со всеми своими друзьями я познакомил Маку практически сразу. Мака же неохотно знакомила меня со своими. Первой была подруга Лена, что работала с ней в зоологическом парке. Сейчас Лена занималась собственным проектом — выступала с редкими животными перед публикой в офисах, ресторанах, ночных клубах. У нее дома жили удав, пара ядовитых змей, небольшой варан и крокодильчик. Она любила пресмыкающихся. Мака рассказывала, как однажды была у Лены в гостях, когда из клетки сбежала ядовитая змея. Лена приказала ей встать на стул, а сама сачком ловила змею по всей кухне. Змея не хотела жить в клетке, ей хотелось быть свободной. Но Лена была настоящим «гитлером» для своих животных. Змея была поймана и наказана.

Когда Мака привела меня к ней домой, я все время смотрел себе под ноги. Лена была девушкой со странностями и кучей любовников. Любовники тоже были ее увлечением наравне со змеями. Но мужчин ей никак не удавалось посадить в клетку. Единственный окольцованный экземпляр сбежал довольно быстро, будучи укушенным очередным ее питомцем. Лена привела меня в ужас.

Вторым другом Маки, с которым она меня познакомила, был Эд. Эд представлялся юристом, утверждал, что работает с Прокуратурой и Белым домом (так тогда назывались все административные здания в России), но чем именно он занимался, я так и не понял. Мака призналась мне, что у них был роман, но они предпочли остаться друзьями. Эд произвел на меня еще более странное впечатление, чем Лена. Он любил Анчарова, сыпал цитатами из его песен и романов, знал каждый факт его биографии, неизвестный даже биографам. И еще он много пил. Только потом я понял, что пил он, когда видел Маку, теперь недостижимую для него. Он по-прежнему был в нее влюблен, теперь тайно. Однажды он подарил Маке маленький сотовый телефон. Сотовые в то время водились только у крутых бизнесменов. Ему хотелось хоть чего-то эксклюзивного — например, права единственному звонить на ее личный телефон.

Странное исчезновение

О чем они переговаривались по своим сотовым, оставалось для меня загадкой. Мака говорила: «Мы просто друзья. Эд рассказывает, что был в гостях у Лены и его чуть не задушил удав». А однажды Мака исчезла. Ее не было дома, ее не было в редакции, и ее сотовый не отвечал. Я не находил себе места, беспрерывно курил и со всей силы бил костяшками пальцев по клавишам электрической машинки «Ятрань», чтобы сдать какой-то срочный материал. Я перезванивал на сотовый примерно раз в полчаса. Наконец Мака ответила. Голос ее был то ли заспанным, то ли не очень трезвым.

— Мака, где ты? — закричал я в трубку. — Я же волнуюсь!

— У меня все хорошо, я у Эда, — сказала Мака и сбросила звонок.

Я набрал номер снова:

— Ну что?

— Мака, я сейчас приеду! Скажи мне его адрес!

— Не надо.

Телефон умолк. Дозвониться снова не удалось, абонент был недоступен.

Я сдал, наконец, дурацкий материал и вспомнил про своих друзей из пресс-службы областной милиции, с которыми дружил по работе. Фамилию Эда я знал. Теоретически этого должно быть достаточно, чтобы пробить его адрес по милицейской базе.

Друзья из милиции не подвели, и уже через полчаса я мчался по найденному адресу.

Это была обычная неказистая пятиэтажная хрущевка, квартира на первом этаже. На массивной железной двери был замок без домофона. Окна первого этажа вытянулись выше моего роста, заглянуть в них не было никакой возможности. Света внутри не было, движения за шторами тоже. Я обошел дом и вновь оказался у двери подъезда. Закурил, в надежде, что кто-нибудь выйдет и впустит меня. Но как назло, никто не выходил, время было рабочее. Я сел на лавочку и стал ждать. Прошло полчаса. Час. Окурками стала половина пачки сигарет. Когда начало темнеть, в окнах на верхних этажах зажегся свет. На первом этаже свет не загорался. Я еще раз обошел дом. Бездействие убивало меня. И я отправился искать ближайший телефон-автомат. Мака долго не отвечала по своему маленькому сотовому телефону. Наконец я услышал ее голос:

— Алло.

— Мака, это я. Где ты?

— Я уже дома.

— Что это было, Мака, сегодня?

— А что было? — Голос ее был спокоен.

— Ну, ты у Эда…

— Мы просто общались, Ники!

— Скажи, ты еще любишь меня?

— Что за глупый вопрос!

— Мака, ты не ответила!

— Конечно!

— Я сейчас приеду к тебе.

— Не надо, Ники. Увидимся завтра.

— Ты заедешь в редакцию?

— Посмотрим. Пока, Ники.

Опять это ее «посмотрим»!..

Собственно свадьба

На первой своей свадьбе Мака была прекрасна и растерянна.

Она заказала себе наряд по собственному эскизу. Красный брючный костюм с короткими рукавами. Я купил темный костюм и белую шелковую рубашку с бабочкой. Галстуков я не выносил.

Первый этаж ДК напоминал разбуженный улей. На свадьбу собрались многочисленные родственники и друзья с обеих сторон. Приехал главный редактор областной газеты, друг Капитолия. Приехали мои друзья из московских СМИ, друзья детства. Букеты и подарки вносились и торжественно вручались. Московские друзья подарили фотоаппарат, на который потом была отснята вся наша жизнь с Макой — множество нежных ню. Не было на свадьбе только друзей самой Маки. Лена уехала на очередные гастроли, а Эд…

В какой-то момент зазвонил ее маленький сотовый телефон. Мака изменилась в лице.

— Что случилось? — заволновался я.

— Эд. Он подъехал и стоит у ворот.

— Так пусть идет сюда! — радушно сказал я.

— Он не хочет. Он хочет поговорить.

Эд, Эд… Неужели он решил украсть у меня жену в день свадьбы?

— Пойдем вместе, я уговорю его, — сказал я.

Эд мрачно стоял возле машины и сосредоточенно курил. Он не ожидал увидеть меня и вздрогнул, когда я окликнул его.

— Привет! А чего не заходишь?

— Да я на минутку, только поздравить. Дела.

Он пожал мне руку, посмотрел Маке в лицо и чеканно сказал:

— Поздравляю вас.

Мака была сама не своя.

— Ники, нам нужно немного поговорить, — проговорила она. — Ты иди, а я сейчас приду.

— Мака, милая, я покурю в сторонке, разговаривайте на здоровье. Но без тебя я не уйду.

Я и в самом деле полагал, что Эд может посадить ее в машину и увезти в неизвестном направлении.

Они говорили минут десять. Мне было видно, что он убеждал ее в чем-то. Она горячо доказывала ему что-то свое.

Наконец, не попрощавшись, он сел в машину, хлопнул дверью и уехал.

Мака выбрала меня.

Сцена попытки похищения уже даже не невесты, а жены не выходила у меня из головы. Мака была растерянна, она искала кого-то глазами, наконец нашла — отца, главного мужчину ее жизни, и ринулась к нему за поддержкой, за одобрением того, что она не уехала сейчас с Эдом. Я налил и выпил полбокала водки, вышел на улицу и закурил. После водки меня отпустило, и я направился на поиски Маки. Она сидела за столом рядом с отцом, выглядела бледной и пила шампанское бокал за бокалом.

Мне вдруг захотелось увести ее куда-нибудь от этой веселящейся и пьющей толпы. И я повел ее по высокой, как в старых замках, лестнице на второй уровень, туда, где был кинозал и балкон. Я крепко держал ее за руку, будто боясь, что Мака может вырваться и убежать. Мы скользили по пустынным прозрачным пространствам, косые лучи света слабо пробивались сквозь плотные шторы, наверху царил полумрак. Из сотрудников в субботний день здесь никого не было, те же, кто был занят нашей свадьбой, суетились внизу. Я все еще не верил, что самая красивая девушка в городе вышла за меня замуж. Я притянул к себе Маку и поцеловал. Она немного сопротивлялась.

— Надо идти, гости нас потеряют, — сказала она безо всяких эмоций.

Я взял ее за руку, и мы спустились на первый этаж, где стоял шум и гам, танцевали гости, сновали официантки.

— Вот вы где! А мы уже вас искали! — воскликнул ее отец. Его глаза блестели, поскольку он уже поднял не один тост за новобрачных.

Капитолий был на голову выше меня, полный, с длинной седой бородой. Он приобнял Маку и, глядя на меня, пустил слезу:

— Увел! Прямо из стойла увел!

Мака засмеялась, я тоже.

— И какие у вас планы на будущее, молодой человек? — вальяжно спросил меня тесть. — Хотите ли вы завести какого-никакого?

Я не понял его своеобразный юмор и в недоумении посмотрел на него.

— Папа спрашивает, хочешь ли ты ребенка? — пояснила Мака.

— О да, конечно! — радостно воскликнул я.

— Вот и хорошо, молодой человек, — снова прослезился Капитолий, — очень даже хорошо!

И ушел к столу.

Когда гости были уже утомлены праздником, а Мака выпила изрядное количество шампанского, нас посадили в машину, набитую букетами, и отвезли на снятую незадолго до свадьбы квартиру в центре города. Вместе с нами ехали ящик шампанского и корзина еды.

Новую жизнь мы начинали празднично. Поскольку денег на свадебное путешествие уже не было, целую неделю мы пили шампанское, принимали ванну, путаясь в лепестках роз, смеялись, курили и занимались любовью. Даже не выходили на улицу. Еды в холодильнике нам хватало.

Город быстро облетел слух о нашей свадьбе.

Первым мне на работу позвонил Гариб:

— Она бросит тебя через год. Так же, как и меня! — прорычал он в трубку.

Многие же еще не могли поверить, что я расстался со своей первой женой. Наш бурный скандальный роман все еще холодил сердца завистников.

А немолодая незамужняя журналистка, встретив меня на очередной прес-конференции, прошипела в ухо: «Самую красивую невесту в городе увел!» В ее устах это звучало оглушительным, как пощечина, комплиментом.

После бала

Через два года весной на каком-то семейном торжестве я объявил родным, что мы с Макой расходимся.

— Как же так?

— Ведь такая любовь!

— Не знаю, — ответил я, сам толком ничего не понимавший.

Все эти два года я пропадал на работе, увлеченно осваивая радиожурналистику, а вечерами и по выходным пытался развлекать Маку, вывозя ее в «свет», к своим друзьям или на природу. Ее постоянно нужно было развлекать. Но какой-то холод уже сквозил в наших отношениях. Мака не любила эксперименты в постели. В ответ на мои опыты в прозе она читала мне вслух Бунина. На мой отказ учиться водить машину уезжала кататься с отцом на его машине за город. Уходила гулять с Остапом и не отвечала на звонки. Однажды она заявила, что хочет пожить у родителей. Потом попала в больницу, что-то по-женски. Я навещал ее в приемные часы, привозил фрукты, водил гулять. Разговор о любви не клеился. Потом она написала мне письмо, которое начиналось так: «Мы должны расстаться. Это невозможно объяснить словами...» Дальше ее мелким неровным почерком были исписаны три страницы. Никакой очевидной причины для расставания она так и не назвала.

Однажды позвонила моя родственница, та самая, что работала в яснополянском доме отдыха.

— ДК обрушился, — сказала она мертвым голосом.

— Как обрушился?

— Упал. Сложился... Слава богу, в тот момент никого не было внутри... и меня тоже...

На следующий день я поехал в Ясную посмотреть, что же случилось. Меж двух корпусов дома отдыха зияла груда развалин, оставшихся от того, что раньше называлось Домом культуры. Простоявший почти сорок лет, ДК умер тихо, не унеся с собой ни одной жизни. Наверное, он был опечален нашим расставанием с Макой. У меня что-то оборвалось внутри. Мой ДК, мой старинный замок со всеми его привидениями, неразгаданными тайнами, воспоминаниями детства и недавней свадьбой перестал существовать, погребя под собой больше, чем можно было бы выразить словами. Возможно, именно об этом писала Мака...

Я позвонил ей.

— Привет! Ты знаешь, наш ДК умер.

— Какой ДК?

— Яснополянский. Представляешь, просто сложился. Вчера.

— Никто не погиб?

— Слава богу, нет. Я там был сегодня. Нет больше того зала, где мы праздновали свадьбу, нет шикарной лестницы, нет балкона, нет занавесок, за которыми мы занимались любовью, помнишь?

— Ники, перестань!

— Ничего больше нет, Мака, ни-че-го!

— Ничего не изменить, Ники.

— Может, увидимся как-нибудь?

— Посмотрим, Ники. Посмотрим.

Что означало это ее «посмотрим»?

Через полгода она вышла замуж за Эда.

На свадьбу меня не пригласили.

СВЕТЛАНА КОЧЕРИНА

Торт для Вероники

— Антон, ты какой торт хочешь? Ну хотя бы примерно…

— Жених? — ухмыльнувшись, поинтересовался мужчина, до этого полчаса увлеченно рассказывавший про тонкий лимонно-миндальний бисквит по рецепту мсье Ленотра — или для вашего случая лучше подойдет песочное сабле под белым шоколадом? И клубничный мусс — вы любите клубнику? вы должны любить клубнику! или добавим терпкой черной смородины! ах, какой мусс, просто воздушная пена! И, конечно, итальянская меренга, и крем муслин — вкус чистой нежности… А взбитые сливки с ванилью? чуть семян из стручка настоящей бурбонской ванили — и вы в раю. Кусочки пряного апельсинового мармелада. Я сам делаю, а потом смотрю сквозь пластинку на мир в самый серый ноябрьский день. А что же сверху? Зеркальную глазурь с цветами из сахарной помадки? Шоколадные кружева?

Мужчина — как же его зовут? он ведь сказал при встрече — был похож на былинного русского богатыря — Никифор? Николай? — и его проще было бы представить размахивающим мечом или идущим за плугом, нежели с кондитерским шприцем. Он говорил громко и сочно, заполняя воображаемыми ингредиентами все кафе. Дребезжали чашки и блюдца, звякали ложки, желейно дрожали пирожные, выставленные в витрине.

Вера ждала ответа, представляя, что Антон сейчас сидит за столом в своем кабинете, плечом прижимая к уху трубку. Справа от него стоит Валя и выкладывает перед ним один за другим листы, требующие его визирования. Он не любит сладкого, пьет кофе без сахара, для поддержания правильной работы сердца каждый день съедает горсть орехов и несколько кусочков кураги. И квадратик черного-черного шоколада, после которого во рту становилось сухо. Каким должен быть их свадебный торт?

— Вера, обычный. Какой-нибудь. Не важно. Неужели сложно самой решить? Главное — без финтифлюшек.

Ответил раздраженно, еле пропуская слова сквозь сжатые губы. И нажал на отбой.

— Что решили?

Вера пожала плечами.

— А вы сами что любите?

— Не знаю.

Раз в неделю мама покупала сникерс, и они резали его на тонкие ломтики и ели долго-долго, запивая чаем. Потом, когда Вера стала хорошо зарабатывать, она баловала маму дорогим бельгийским шоколадом, которому мама радовалась так же, как и соевым батончикам в бумажной красно-желтой обертке.

Мужчина — как-то на Н начинается? и почему она не запомнила? наверное, потому что растерялась, когда он вышел из кухни в зал, сразу ставший тесным, — рассматривал Веру. И она смутилась, одернула блузку, по-ученически заложила за ухо прядь волос. Перешла на официально-деловой тон:

— Я хочу посмотреть ваш каталог.

— У меня нет каталога, — мужчина явно забавлялся. — Я люблю импровизировать.

— А я — нет. Нам нужен стандартный свадебный торт…

— Это не ко мне.

— Мне вас посоветовала подруга.

— Тогда рассказывайте!

Вера замолчала.

С Антоном Сергеевичем Вера встречалась уже год, за один вечер победив трех конкурентов — стильную племянницу главбуха Лолу, нежную Олесю Ивановну из планового отдела и, наконец, веселую секретаршу Валечку. Это не считая тех девчонок и теток, вздыхавших об Антоне Сергеевиче тихо и неявно. Антону Сергеевичу исполнилось недавно сорок один, был он худощав, подтянут, аккуратен, всегда упакован в темный костюм, маскирующий то, что его правое плечо, обремененное тяжестью неизменного черного портфеля с документами, было чуть ниже левого. Цвет волос и глаз у него был немаркого серо-коричневого цвета, черты лица — правильные. А еще Антон Сергеевич Юраев занимал должность заместителя генерального директора и практически единолично вершил все дела учреждения, лишь изредка сверяясь с мнением шефа, большую часть рабочего времени проводившего в командировках, на важных встречах и в департаменте.

Если генерального любили, уважали и боялись за неукротимое жизнелюбие, бурную гневливость и быструю отходчивость, то зама не понимали, подозревая его в некоторой механистичности, — Антон Сергеевич требовал от подчиненных пунктуальности, четкости и последовательности. Когда Вера впервые принесла ему свой проект, Юраев идеально заточенным карандашом отметил все изъяны в оформлении — слишком большой межстрочный интервал, недостаточный отступ, поля, не соответствующие требованиям делопроизводства. Нашел досадную опечатку. Пригвоздил, распял. Отправил переделывать, и Вера вернулась в отдел, негодуя и проговаривая про себя возмущенный монолог. Вечером начальник все же соизволил принять текст к изучению.

— Положите туда, — и указал на угол стола, где уже лежала стопа документов. Непослушный Верин проект соскользнул с раздутой квартальным отчетом красной папки, поехал вбок, цепляя служебные записки с просьбами решить и выплатить, и рухнул вниз, прикрывшись заявлением по собственному желанию от главного инженера, который каждую осень впадал в отчаяние и решал начать жизнь заново, но неделю спустя смиренно возвращался к своим обязанностям. Антон Сергеевич тяжело смотрел, как падают на пол листы, теряя скрепки, разлетаясь и перемешиваясь. Ослабил галстук, потянул ворот светло-голубой рубашки. И вдруг Вере стало его невыносимо жалко. Готовая заплакать, она собирала все эти слова и цифры в формате А4, совала ему в руки, а он почему-то повторял «Спасибо, спасибо, спасибо». И держал этот ворох как будто подарок. А потом они долго сумерничали, пили кофе, и Антон рассказывал о своей маме, работавшей в районной поликлинике Твери. Как она всегда заставляла его мыть руки перед едой и чистить зубы ровно две с половиной минуты — даже ставила перед ним песочные часы, взятые из кабинета физиотерапии. А потом она слегла. И он нанял сиделку, а сам приезжал на выходные. Купал ее, причесывал, кормил, рассказывал новости, но она все равно ушла. И Вера слушала его и понимала, что завтра, через год и через десять лет будет теперь слушать Юраева. Слушать — и слушаться, принимая его распорядок дня, предписывающий вставать ровно в шесть тридцать и ложиться не позднее одиннадцати. Его вкусы — правильное сбалансированное питание, учитывающее каждую калорию. Его требования — ни пылинки, ни пятнышка, ни блика. Его привычки — все, как было у мамы.

Антон Сергеевич, по-видимому, тоже что-то понял. Он забрал у плановички Олеси Ивановны ключи от своей квартиры, куда она наведывалась еженедельно по пятницам, никогда не оставаясь на все выходные — Юраев воскресный вечер проводил в уединении, готовясь к следующей неделе. Он сообщил студентке Лоле, что осенняя поездка в горы отменяется, и скорее всего путешествие в рождественский Мюнхен — тоже, но намекнул, что весенний Прованс еще вполне возможен. Наконец, он подарил секретарше Валечке настоящего британского котенка, кругломордого, с янтарными глазами, чтобы ей не было слишком грустно, и обещал навещать обоих. Затем он осуществил знакомство с Вериной мамой, осмотрел их квартиру и не одобрил весь их уклад. Потенциальная теща, доктор филологических наук, оказалась чудачкой, полноценно жившей исключительно в начале двадцатого века и лишь изредка наведывавшейся в наше время, чтобы только выпить очередную чашку кофе, съесть бутерброд с затвердевшим сыром и выступить на научной конференции. Их квартирка на Ленинском проспекте заросла старой мебелью, немытой посудой и пыльными картонными папками с неопрятными тесемками, еле сдерживающими напор свидетельств другой эпохи. На следующий день Вера переехала к Антону, в его квартиру-студию в стиле хай-тэк. И долго привыкала к своим отражениям в металлических и стеклянных гранях современного интерьера, казавшегося холодным и неуютным. На красном кожаном диване, призванном, по задумке дизайнера, стать выразительным акцентом в серо-стальной гамме, совсем не хотелось лежать с книжкой. Сверкающие поверхности кухни не располагали к попытке жарить котлеты с картошкой и печь пироги. И, установленный на возвышении, не отгороженный никакой пошлой ширмой от единого гулкого пространства, белоснежный квадрат кровати с узкими черными подушками навевал мысли об операционной...

— А хотите, я сам?

— Что? — не поняла Вера.

— Ну, на свой вкус сделаю торт. Вам понравится.

Как же его зовут? На визитке же было написано. Николай? Никита? Пусть сам, пусть кто угодно. И перестать тонуть во всех этих обольстительных и непонятных названиях, в которых для тебя нет смысла, но почему-то словесная оболочка, ложась на язык, сулит неизведанные вкусовые наслаждения. Наваждения. Но ведь торт — это просто торт из витрины твоего детства: пышный бисквит, до отказа пропитанный сиропом и посыпанный по краю арахисом. И масляные розочки в зеленых округлых листьях... Вера ела такой один раз, когда ей было лет семь, на дне рождения у подружки, ела жадно, огромными кусками, давясь этой красивой и жирной сладостью. И потом рыдала, когда организм, не привыкший к такому изобилию, сгибался, скрючивался от острой боли.

— Эк тебя, матушка!.. ты пей давай, ну! — то ли Николай, то ли Никита обнимал ее за плечи, подсовывая ей ко рту огромную чашку с водой. Вера глотнула, захлебнулась.

— Беременная, что ли?

Вера отрицательно замотала головой.

— Бывает! Невесты всегда так нервничают. Ничего! Пройдет. Ладно, мне работать пора.

— А торт?

— Сделаю, доставлю, все как полагается. Иди давай.

Он подтолкнул ее к выходу. Ладонь у него была широкая и жесткая. Вера послушно пошла, сутулясь.

— Как тебя зовут?

— Вероника, — не обернувшись, сказала она, торопясь выйти из крошечного полутемного кафе, где на кухне большой мужчина, то ли Николай, то ли Никита, лепил из марципана розовых кроликов для именинного торта пятилетней Маши.

Вера шла, ускоряя шаг. Подальше отсюда, не задумываясь. В ателье — на заключительную примерку платья, выбранного Антоном Сергеевичем. Элегантная классика, утонченный силуэт, простота линий, кружево цвета топленого молока — все, чтобы в день свадьбы ощутить себя по меньшей мере Грейс Келли. И букет будет под стать — мелкие розы, лишенные шипов и аромата. И тонкое кольцо из платины. Антон уже обо всем давно позаботился, не обращая внимания на Верины сомнения, нужна ли вообще такая свадьба. Ведь взрослые уже люди. Просто бы расписались и поехали куда-нибудь. На море, которое Вера помнила смутно — что-то огромное и сверкающее. Они с мамой и папой только один раз ездили, Вера еше совсем маленькая была. А потом папа ушел в другую семью, деньги закончились, а потом закончилось и время, и Вера с трудом выкраивала недельный отпуск в ноябре, чтобы часами бродить по залам Лувра, Ватикана, Прадо, Уффици. Но Юраев был непреклонен. Свадьба нужна, и чтобы все как положено, чтобы не стыдно было позвать нужных людей. Поэтому к вопросу регистрации брака он подошел серьезно и заблаговременно, для начала выбрав недавно отремонтированный Дворец бракосочетания на севере Москвы. Ни-ни, не Грибоедовский, куда очередь и прочий ажиотаж. Собрал и дважды перепроверил все документы. И тут только обнаружил, что будущую супругу зовут не Вера, а вовсе даже Вероника. Он поморщился от этой излишней легкомысленности и изощренности. Ну что за Вероника? Хорошо хоть не Элеонора. От тещи, любительницы изящной словесности, всего можно было ожидать. Он даже испытал это имя. Окликнул:

— Вероника!

Вера вздрогнула, оглянулась, как будто искала в комнате еще какую-то Веронику. Потом объяснила, что отвыкла совсем. Что это что-то старое, детское, школьное, совсем забытое. Даже мама уже давно так ее не называет. Какая из нее Вероника? Вера! А через несколько лет и отчество пригодится. Вера Николаевна — достойно, степенно, как раз для руководителя отдела. Антон Сергеевич одобрил, но все-таки стал исподтишка приглядываться — не мелькнет ли в суженой какая-нибудь незнакомая и, как ему казалось, даже непристойная Вероника. Чтобы пресечь это, Юраев решил вести себя строже и в разговорах с Верой решительно осудил разные женские вольности и ухищрения вроде красной помады, туфель на шпильках и приторного парфюма. Вера не возражала.

Вторым открытием Антона Сергеевича стало то, что Вероника (конечно, она!) однажды уже выходила замуж — за Дорошенко Дениса Станиславовича. Вера и этот факт признала, не выразив даже сожаления, хотя Юраев ждал слов об ошибках молодости. Но Вера даже не стала ему рассказывать, что было это быстро и весело, в те времена, когда она особенно не загадывала, что будет через год, а тем более через десять лет. Мысли о деньгах, постоянной работе, карьерном росте, ипотеке и детях казались ей тогда странными и почти неприличными, зато можно было бесконечно говорить о свободе, счастье и творчестве, читать друг другу стихи, ощущая себя необыкновенной и легкой. Выбравшись из школьных формальностей, Вероника распустила косу, надоевшую за одиннадцать лет вместе с прилежанием и статусом отличницы, сократила свое имя до звучного и победоносного «Ника», сослала в мамин шкаф строгие бледные блузки, притащив с рынка ворох дешевых ярких балахонов и сарафанов, украшенных бусинами и бубенцами. Теперь она не ходила, а летела, кружила по московским бульварам и улицам, гремела и звенела серьгами и браслетами, взвивая подолом длинной юбки листопады и вьюги. Ее однокурсник Денис, который предпочитал называться Дэном, вдруг позвал ее замуж, и это было так смешно, что нельзя было не согласиться. Хохоча, они заполнили заявления в загсе и через месяц, сразу после майских праздников, пришли жениться, пригласив половину института. Дэн вручил Нике охапку только что наломанного в соседнем дворе жасмина. Под неодобрительным взглядом белокурой тетеньки, выяснявшей их согласие на вступление в брак в соответствии с Семейным кодексом Российской Федерации, жених и невеста обменялись сплетенными из разноцветных ниток фенечками. Потом всей толпой они ехали на троллейбусе в общагу, пели, смеялись, пили розовый вермут из пластиковых стаканчиков, Дэн играл на гитаре, а Ника молча смотрела в окно, опьянев от запаха белых цветов.

Через семь месяцев они развелись. Дэн куда-то исчез, говорят, ушел на Алтай. Ника перевелась в другой институт. Стянула волосы в узел, заменила цветные размахайки на приталенный пиджак и юбку-карандаш, из своего имени, словно из сундука, вынула для общего пользования лаконичное — «Вера». И стала выстраивать свою жизнь по принципу идеального резюме. Строчка к строчке, новое место работы лучше прежнего.

Постоянный личностный рост, подтвержденный дипломами и сертификатами о полученных знаниях и навыках. И вот она возглавила отдел в солидном учреждении. И теперь самое время устроить личную жизнь. И когда Вера уяснила, что от полномасштабного бракосочетания ей не уйти, то стала рассматривать свадебную церемонию как один из собственных хорошо разработанных проектов, требующих спокойствия, собранности, координированности. И рано утром, предоставив свои волосы в распоряжение стилиста, под его воркующие рассуждения о шампунчиках, масочках и бальзамчиках, Вера повторяла план на день. Макияж, платье, приедут мама и секретарша Валя, выбранная на роль свидетельницы, лимузин в девять ноль-ноль, регистрация, прогулка, фотосессия, не забыть повесить замок с выгравированной надписью «Антон + Вера» на ограду моста, ключ в воду, выпускаем голубей — и в ресторан, как раз подъедет генеральный и замглавы департамента, жаль, что сам лично не смог, но что поделаешь. Да, еще торт — проконтролировать, позвонить. Вот прямо сейчас. Она высвободила руку из-под шуршащего парикмахерского пеньюара, дотянулась до телефона.

— Это… Вероника!

— Привет, моя хорошая. Трепещешь? — этот Никита-Никифор-Никодим радостно грянул ей в ухо, как будто стоял возле нее.

— Как торт?

— Прихорашивается! Можно сказать, последние штрихи. Все будет в лучшем виде, не сумлевайтесь, барыня. Лично доставлю. Все! Целую крепко.

И длинные гудки. Невозможный человек. Сбил

весь деловой настрой. Вот теперь гадай, что же он привезет. Вдруг — невкусно, некрасиво, неправильно? И может ли быть неправильным торт?..

День оказался тяжелым: как раз, когда надо было выходить, пошел дождь, унылый и серый. Мама учила когда-то Веру смотреть на лужи: если от капель на лужах вспухают пузыри, то лить будет долго… И добавляла: «Разверзлись хляби небесные». Что такое «хляби», Вера не знала и представляла себе, как небо превращается во что-то слякотное и хлюпающее. Сегодня хлябь была и в вышине, и под ногами, затопив весь двор. За три шага от подъезда до машины Верины туфли промокли, прическа поникла, платье отсырело и потяжелело. Белый лимузин медленно поплыл, как крупногабаритный бегемот, и грязные волны плеснулись из-под колес. Ехали долго. И гости, и жених с невестой предсказумо застряли в пробках и переругались в поисках виноватого, вызвав негодование у сотрудниц загса и самого Антона Сергеевича, привыкшего воспринимать опоздание на любое собрание как личное оскорбление. Наконец церемония бракосочетания началась. Нарядная ненатуральная блондинка, глядя в папку, еле разлепляла пухлый перламутровый рот. Мы собрались здесь в этот торжественный день… Семья — это большое сокровище, которое… Дождь за окном полил сильнее, забарабанил по карнизу. Любовь в ваших сердцах… На всю последуюшую жизнь… Взвыла крошечная ушастая собачка, зачем-то принесенная с собой плановичкой Олесей Ивановной. Прошу ответить вас, жених… Антон Сергеевич умел говорить «да» очень весомо. Прошу ответить вас, невеста… Интересно, какой будет торт? Да, конечно, да. В знак верности и непрерывности брачного союза... У кого-то звонит телефон... В знак любви и преданности друг другу прошу вас... Только бы не уронить кольцо. Объявляю вас... Генеральный директор громким шепотом говорит в трубку: «Ну, что там еще?..» Антон Сергеевич хмурится и как будто не целует, а придавливает Верины губы своими. Кто-то скулит — то ли собачка, то ли сама нежная Олеся Ивановна, уже много лет любящая Юраева. Щелкают фотоаппараты. Теперь поставить подпись. Размашистый росчерк Антона, такой же, как на всех официальных документах учреждения. Вера начинает писать свою фамилию, но спохватывается. Юраева. Пора привыкать. Буковка к буковке, нижнее соединение, небольшой наклон — как учили в первом классе. Крутится в голове дурацкая строчка, которую Вера говорила на школьном утреннике: «Что за зверь на букву Ю? — Юлькой кошку звать мою...» Что за зверь на букву Ю?.. Первым подходит поздравлять генеральный, лобызает мокро и шумно, хлопает Антона по плечу, шутит и сам смеется. Сотрудники выстраиваются в очередь, цокают невесомые поцелуйчики — у правого уха, у левого. Поздравляю. Спасибо. Поздравляю. Поздравляю. Ажурная диадема кажется терновым венцом, а туфли — пыточными колодками.

А ливень все не кончается. На зонты обрушиваются потоки воды, смывающие в стоки лепестки роз и монеты, которыми положено осыпать новобрачных. Молния — и прямо над головой раскат грома. Словно кто-то в небе фотографирует Веру, лишая ее зрения и слуха. Но темнота через мгновение отступает, и сквозь серое марево, похожее на вязкий сон, Вера слышит расплывчатые голоса: гости говорят, что свадьба в грозу — к счастью. Мама рассказывает генеральному, что так катается на огненной колеснице Илья Пророк. Антон Сергеевич распределяет всех по машинам, отменив гуляния по причине непогоды и распорядившись ехать сразу в ресторан. И всю дорогу он отвечает на поздравления в мессенджерах и социальных сетях, а Вера думает о том, что заканчивается лето, и год клонится к зиме, а она так не поехала к морю и, наверное, уже не поедет, потому что Антон ненавидит жару и покрывается сыпью от морской соли. И дождь никогда не кончится, потому что какой-нибудь очередной библейский пророк, проверяя силу своей молитвы, сказал ему лить три года и шесть месяцев...

Вера жила в день своей свадьбы медленно-медленно. Она танцевала, отвечала на вопросы, сонно улыбалась, выслушивала тосты, пила шампанское, что-то ела, не чувствуя вкуса. Потом вдруг поняла, что уже давно сидит за столом одна: Юраев обсуждает в стороне насущные проблемы с генеральным и каким-то чиновником из департамента, мама устала и уехала домой, кто-то из гостей, попарно обнявшись, покачивается под медленную музыку, остальные ушли курить, а ушастая собачка Олеси Ивановны ходит между тарелками и трясется от страха. Душно пахнет переспелыми дынями. Задыхаясь, Вера вышла на крыльцо и сразу увидела этого мужчину, то ли Никодима, то ли Никиту, который возился с огромной белой коробкой, перевязанной малиновой ленточкой и стоящей на заднем сиденье машины.

Он старательно развязал бант, снял крышку и теперь держал торт перед собой, как каравай. В руках его были морские волны с белой кружевной пеной, чешуйчатые спины рыб, золотистые раковины-спирали, россыпи перламутровых сахарных жемчужин…

— Вероника!..

Взять торт? Сказать «спасибо, прекрасно, чудесно», а потом вызвать такси и уехать домой, к маме? А из ресторана уже шел официант принимать товар.

— Осторожненько! — Кондитер — а может, он вообще Никанор? — передал торт, как младенца, и напутствовал: — Не спеши и вообще не дыши.

Официант, черноволосый вертлявый юноша, выпрямился, весь подобрался и пошел, чеканя шаг. Вероника смотрела, как мимо нее уплывает в шумную темноту ресторана ее торт. Снова начинался дождь — мелкая мокрая пыль летела сверху, растворяя в тумане верхние этажи многоэтажного дома. Надо было возвращаться — к Антону, к гостям.

— Ты едешь? — былинный богатырь уже уместился в свою машинку цвета крем-брюле.

Через пять минут, когда они выбрались на движущееся короткими рывками Третье транспортное кольцо, Вероника все-таки спросила, как его зовут. Потому что она — Вероника. Именно Вероника.

— Леонид.

Она кивнула. Не Николай, не Никита, не Никодим и даже не Никифор. Леонид — и «н» протяжно уходит в хрипящее «и».

— О торте жалеешь?

Она снова кивнула.

— Торт — дело наживное. Я тебе новый сотворю.

Они остановились возле серого блочного дома. Не разговаривая, поднялись на третий этаж, дверь распахнулась, и на лестничную площадку с визгом вылетели дети.

— Торт! Торт приехал! Мама, торт!

Отдав коробку кому-то из родителей, через коридор, через заросли курток и плащей, перешагивая через игрушки, зонтики и тапки, они вошли в комнату.

— А где у нас именнница? Здравствуй, Катюха, — грохотал Леонид, распаковывая торт. — А смотри, кого я привел! Настоящую принцессу!

Дети обступили Веронику и смотрели на нее, как на новогоднюю елку, ожидая чуда.

— Где ты ее взял? — строго спросила пятилетняя Катюха.

— Во дворце, конечно.

— А почему она молчит? А почему она в белом платье? А где у нее корона? — посыпались вопросы.

Катюха подбоченилась:

— Дураки вы все. Никакая она не принцесса. Она невеста! Правильно, дядя?

— Все, разоблачила! — Леонид сокрушенно развел руками.

— Ты что, не знаешь, что с ней делать?

— Научишь?

— Ты — дурак? — уточнила девочка. — Это же все знают. Мы будем кричать «горько», а вы целуйтесь. Только понарошку, а то при детях — нельзя. Ну!

И дети заорали со всех сторон, Леонид притянул к себе Веронику, суетливо поцеловал ее наугад, в уголок рта. Шепнул:

— Потом!..

А в комнату уже вносили торт с горящими свечами. И Катюха нетерпеливо прыгала и кричала, путая буквы:

— А у нас сбадьва, сбадьва! Настоящая!

ЮЛИЯ КЛИМОВА

Дышите глубже, я рядом

— Брускетты с телятиной и перцем!

— Забрал!

— Брускетты с семгой и грейпфрутом!

— Есть!

— Семь сырных коллекций?!

— В процессе, шеф!

Не особо люблю слоняться по кухне, но иногда невидимое течение реки под названием «Мой Прекрасный Рабочий День» приносит туда, где призывно шипят сковороды, настойчиво стучат по доскам ножи и микроскопические частицы всевозможных специй плывут от плиты к плите, кружа голову, дразня аппетит. Ароматный пар шерстяными клубами устремляется к потолку и, прежде чем исчезнуть, рисует короткие фрагменты историй, загадочные образы и таинственные знаки. О, если бы стены кафе могли говорить…

— Баклажаны с чукой уже пошли!

— Ореховый соус!

— Да, шеф!

— Гуся копченого сюда!

— Пироги с бараниной готовы.

— Нужны еще доски и вот такие тарелки. Паша, дуй на мойку!

Кухня — могущественное, суверенное, многонациональное государство шеф-повара. Здесь, несмотря на директорскую должность, я всегда чувствую себя в гостях: превращаюсь в путешественника, сошедшего с корабля на чужой, малоизведанный берег. Дышите глубже, иначе какая-нибудь редчайшая пряность проскочит мимо, и потом в душе останется легкая, но продолжительная тоска, с которой обязательно придется бороться многократными дегустациями. Только так и получится вылечиться. Задачка не из легких, но настойчивые любители вкусной жизни непременно справятся.

— Мята, лайм, кувшины!

— Почти готово!

— Телятину убирайте, рано достали. Где щучья икра?!

Щучья икра сейчас довольно модный продукт, особенно она хороша на завтрак с блинами и омлетами, но и про холодные закуски не стоит забывать. Частенько именно они играют главную роль: осторожно, ненавязчиво, почти тайно разжигают аппетит и тем самым одерживают, казалось бы, небольшую, но решающую победу. За разговорами мы этого не замечаем. И правильно, и хорошо, и даже волшебно. Иногда полезно проиграть, особенно если за поражением потянется пропитанное различными соусами, томленое или жареное удовольствие.

Официальные банкеты всегда навевают скуку, поэтому в такие дни я редко бываю в кафе. Здесь ничего не выйдет из-под контроля. Что интересного может произойти там, где царит черно-белое уныние и лишь изредка раздается короткий звон бокалов? Я бы запретила разговаривать о работе, когда на столах гурманские блюда и вино. Да я бы лично брала за руку этих замороженных бизнес-акул, выводила на улицу и говорила: «Посмотрите вокруг, жизнь прекрасна! И ничего не случится, если вы хотя бы на час забудете о цифрах и бумагах. Быть может, мир даже станет лучше, напряжение в воздухе спадет, и над Питером, например, не пройдут дожди и грозы. Расслабьтесь, оглядитесь, насладитесь ускользающими минутами. Хорошо же, правда? А теперь, когда, я надеюсь, вы многое поняли, давайте съедим салат из камчатского краба и вспомним хотя бы о шардоне. Где-то далеко, в долине Робертсон, люди собирают по утрам виноград, чтобы вы могли сделать глоток и почувствовать не только ароматы полевых цветов, цитрусовые ноты, айву и грушу, но и саму жизнь». Но, увы, к моему сожалению и к несчастью бизнес-акул, я не могу вмешиваться в спектакли официальных банкетов. С высушенными сердцами необходимо обращаться осторожно, неуемный оптимизм в больших дозах может оказаться губительным… Да, в таких тяжелых случаях требуется длительная подготовка.

Другое дело — обычные вечера. За столиками — веселые компании, влюбленные пары, мечтательные или задумчивые одиночки. И всегда большую часть составляют постоянные гости. О, как я их люблю! Мне нравится предугадывать жесты и пожелания, я практически ощущаю, что испытывают завсегдатаи, когда заказывают свои блюда-фавориты. И я радуюсь, если гость решается на что-то новое, пока неизученное до каждой веточки микрозелени и непривычное от первого вкуса до послевкусия. Пробуют, улыбаются и произносят: «Феноменально, в следующий раз только этого цыпленка».

«Давай же, макни в соус, прошу тебя», — мысленно обращаюсь я к нерешительным, волнуясь, что весомая доля очарования останется незамеченной и гастрономическая картина получится неполной.

Есть у меня и любимые гости. Например, известный актер. Он часто приходит в кафе, садится далеко не за лучшие столики, никогда — к окну. Всегда одет в темное. Одежда будто прячет его от посторонних глаз, служит защитой… Но, конечно, узнают. Я стараюсь не смотреть на него, мне кажется это почти преступным, все равно что резко распахнуть дверь и впустить в чужую жизнь неразборчивый ветер, который немедленно сорвет пух со всех одуванчиков. Нельзя. Все что я себе позволяю — быстрый профессиональный взгляд на заказанные блюда. Так, сегодня суп-гуляш… очень сытно… он был голоден… Вдох, выдох. У нас бывают известные личности, но тут совсем другое. Он бесконечно скромен, и такое ощущение, что бесконечно одинок. И гости кафе никогда не улыбаются и не тычут пальцем, узнав его. Они тоже не смеют. Потому что ветер… одуванчики… И, честно говоря, ему хочется протянуть не взгляд, а руку.

— Маслины, камамбер, груша!

— Есть!

— Осьминог для салата готов, забирайте.

— Паша, на тебе креветки, маринуй!

На кухне кипит все, включая вдохновение шефа. Надышавшись умопомрачительными ароматами, напитавшись атмосферой отточенного мастерства, я отправилась в первый зал, где менеджеры и официанты осуществляли последнюю проверку перед тем, как распахнуть двери и впустить в кафе… свадьбу.

Да, бывают скучные официальные банкеты, торжественные юбилеи, бодрые дни рождения, суматошные презентации, самые обыкновенные вечера, а бывают непредсказуемые свадьбы. Начинающиеся с безобидных брускетт и мини-пирожков со шпинатом, а заканчивающиеся побегом невесты, не готовой к совместной жизни, или грандиозным семейным скандалом, основанном на раскрытии какого-либо секрета. Иногда мне кажется, что друзья и родственники приносят молодоженам не только красиво упакованные подарки, в их сумках также лежат пыльные скелеты, прожившие долгую молчаливую жизнь в больших и маленьких шкафах. Каждая косточка — роковая тайна, способная изменить ход свадьбы, судьбу, историю, да что угодно. Двух менеджеров на такое мероприятие точно мало, поэтому я, забросив прочие директорские дела, приезжаю в кафе и превращаюсь в тень, скользящую по залу, внимательную и цепкую, всегда оказывающуюся в нужном месте в нужное время.

Влюбленные заслуживают идеального вечера, и я несу ответственность за те воспоминания, которые останутся у них на десятилетия. Даже если все скелеты выстроятся в ряд и пойдут на главных героев, чеканя костлявый шаг, я должна буду рвануть вперед и закрыть собой сияющее волшебство свадьбы.

«Что-то случилось?»

«О нет, ничего страшного, обычная рутинная работа: черепа отдельно, ребра отдельно и куда-то еще нужно пристроить малые берцовые кости».

* * *

Они приехали, когда зал был уже полон, длинные столы и отдельно стоящие столики с напряженными паузами выразительно вопрошали:

— Когда же? Сколько можно ждать?

— Опять центр забит, наверняка застряли в пробке.

— Интересно, какое у нее платье? Лучше бы с вышивкой и лентами. Люблю цветы из ткани, они отлично смотрятся на декольте.

В воздухе летало, кружилось, звенело нетерпение, вызывающее у меня вполне объяснимую улыбку. А как вы хотели? Представьте, сколько дней, часов и минут влюбленные рисовали это мгновение, используя все краски воображения. Теперь ваша очередь — ждите!

Я бы еще немного понаблюдала за присутствующими, но дверь распахнулась, и прекрасное белоснежное создание с большими глазами, мелкими рыжими кудряшками на лбу и порозовевшими от волнения щеками переступило порог кафе.

Я обожаю таких невест.

Юных.

Необыкновенных.

Бесконечно счастливых, без каких-либо заковыристых «если». Она любит искренне и самозабвенно, чуть стесняясь своих еле помещающихся в восторженной душе чувств. И гордится ими, потому что раньше никогда не испытывала подобного, и вот теперь… И вот теперь каждая секунда — особенная радость, каждый вдох и выдох о нем. И не существует преград. Да пусть бы и были! Она пройдет сквозь них, не заметив. Какие стены, горы, насыпи, барьеры, когда рядом судьба?

А потом появился он, и я замерла, пытаясь не спугнуть нарастающее удовольствие от происходящего. О нет, передо мной не возвышался двухметровый красавец, знающий себе цену, удовлетворенно осматривающий присутствующих на предмет, а все ли заметили, как он хорош. Главный герой свадьбы тоже был юн, чуть растерян и смущен, на аккуратном носу устроились очки в тонкой золотистой оправе, забавная лопоухость настойчиво уменьшала возраст, черный костюм сидел мешковато (тощий парнишка, не закормленный пирогами, но это мы сейчас исправим), новые начищенные до блеска ботинки сияли так, будто их лакировали три раза подряд. Невысокий. Постоянно смотрит на нее. И как смотрит! Как на прекрасный цветок, выросший в пустыне: вдруг она всего лишь вспыхнувший на горизонте мираж, вдруг исчезнет, растворится… Или как на чудо, посланное свыше. Для него. Навсегда.

— Шампанское открываем? — спросила Катя, чутко выполняя менеджерские обязанности.

— Да, — я кивнула и добавила уже вслед: — Ровно через три минуты.

Первую часть всегда можно назвать организационной: вручение подарков, тосты, поздравления, заготовленные шутки, от которых хорошо приглашенным, но плохо новобрачным. Им бы свободы, чтоб белое платье и рубашка превратились в пух и перья, вытянулись шеи, а затем синхронно взмахнуть крыльями и полететь к солнцу белоснежными птицами: пусть не мешают и не отвлекают от долгожданного счастья.

Всегда есть особенно нетерпеливые: некоторые гости засуетились, зашуршали пакетами, обступили молодых и…

— Я вас не знаю, — раздался за спиной резкий мужской голос. — А, значит, вы со стороны жениха. Пойдемте, у меня есть к вам пара нескромных вопросов.

«Нескромные вопросы — моя слабость», — автоматически пронеслось в голове, и, желая справиться с проблемой поскорее, я развернулась. О, как меня решительно казнили (в ту же секунду), как сожгли, развеяли по ветру, стерли с лица земли! Я и не думала, что за столь короткое время можно переделать такое количество губительных дел, во всяком случае раньше меня лишали жизни гораздо медленнее. Ненависть, по логике, должна хорошенько напитаться, надышаться, распухнуть, она обязана пройти определенный путь, прежде чем стать скрипучей: «У меня есть к вам пара вопросов». Но видимо, не в этом случае.

Передо мной стоял мрачный мужчина лет тридцати трех (я бы дала больше, но для объективности пришлось стереть с его лица пока еще невысказанные восклицательные знаки). Чуть выше меня, но, конечно, значительно шире в плечах. Взгляд, сравнимый с бетонной плитой, уже давил все движимое и недвижимое к полу, но преимущество все же было на моей стороне. Женщина, мысленно раскладывающая брускетты на тарелки и доски, добавляющая виноград к камамберу, чуку к баклажанам, стружку копченого гуся в суп, практически недосягаема, она существует в параллельной вселенной, где необходимо сделать слишком много, где нет минуты на погибель. А я раскладывала, отдавала официантам, шла за ними следом, провожала блюда до столов, предугадывала, кто к чему потянется в первую очередь и контролировала каждое «ах» и «ох». Даже если я за тридевять земель от кафе, подобные картинки наполняют мой мозг постоянно. Другая реальность, и ничего с этим не поделаешь.

— Вы…

Но я не успела ничего сказать, мужчина сжал пальцы на запястье моей правой руки и потянул за собой к окну, где стоял небольшой круглый столик. «Лимонады еще не принесли, — машинально отметила я и сразу увидела нового официанта с двумя кувшинами, в которых сияли кубики льда, зеленела мята и искрился освежающий напиток. — Отлично, молодец, вовремя».

— Прошу, — сухо произнес мужчина, усадил меня в кресло и устроился напротив, вцепившись в вилку, сдвинув брови. Луч солнца скользнул по его лицу, выделяя усталость глаз и резкость сжатых губ. Плохо спал? Перед свадьбой подобное случается, ничего страшного. А впрочем, вид у этого шоколадного фондана был такой, будто прекрасная невеста, похожая на воздушный десерт «Анна Павлова», сбежала от него к худому, неуверенному юноше в очках, который сегодня и стал ее мужем. Да, точно, мой мрачный незнакомец похож на фондан — тяжелый, горьковатый, слишком сытный для первых летних дней. — Здесь душно, — раздраженно произнес он, оглядываясь по сторонам. — Управляющего нет, вернее, шеф-повар и является управляющим, и он занят на кухне. Директор, как мне сказали, женщина, и пока я ее не нашел. Неудивительно… Где женщины, там вечный бардак! Как видите, я навел справки, должен же кто-то отвечать за этот балаган… — Он осекся и обжег взглядом мой лоб, пока еще не обремененный морщинами. Впрочем, возможно теперь-то они и появятся.

«Не нравится, когда директором является женщина? А вот таких слов говорить не следовало… Боюсь, я не смогу теперь оставаться официально-нейтральной, моя вредность порой не знает границ. Вы явно приняли меня за гостя, что ж, у меня есть минимум десять минут, чтобы, балансируя на грани добра и зла, насладиться маленькой местью. Дышите глубже, я рядом…»

— Вовсе не душно, отличная свадьба и приятная атмосфера, — я посмотрела на вилку, тактично намекая на то, что столовые приборы существуют вовсе не для того, чтобы их мучили в пылу гнева.

— Что вы знаете о женихе? То есть о новоиспеченном муже моей сестры? Мне нужны подробности, собственно, я приехал на свадьбу именно за ними. Кем вы ему приходитесь?

Ну вот, ситуация постепенно проясняется: два влюбленных сердца, достигнув совершеннолетия, связали себя узами брака, не получив весомого благословения… «Шоколадный фондан» его попросту не дал, какое там! Его величество против.

— Ирочка и Митя, от души поздравляю вас! Будьте счастливы, мои дорогие, обязательно берегите и любите друг друга! — донесся восторженный женский голос, и зал дружно загудел.

Теперь я знала имена молодоженов, довольная улыбка рвалась на свободу, но я не стала раздражать собеседника еще больше. Не сейчас. Немного позже.

— Для начала предлагаю познакомиться, — ответила я, игнорируя все полученные вопросы. — Мне кажется, это упростит наше общение, а оно, похоже, будет не из легких. Наталья Андреевна. — Я чуть кивнула, замолчала и, ставя первую отточенную запятую, обещающую обязательное продолжение, улыбнулась. Вот теперь можно и даже нужно.

Небрежно отправив вилку на стол, подавшись вперед, он прочеканил свое имя и прищурился, будто пытался пробраться в мой мозг и прочитать все личные тайны:

— Сергей Викторович.

— Похоже, вы не слишком довольны этим браком.

— Я? — Он криво усмехнулся и устремил взгляд на молодоженов, получавших подарки и поздравления. На специальном столике уже высилась гора ярких коробок, а вазы, перегруженные цветами, выстроились в ряд, соревнуясь, какая из них толще и ярче.

— Ира и Дима прекрасная пара, посмотрите, как они смотрят друг на друга, — нарочно с легкостью произнесла я, не сомневаясь, что слова упадут на раскаленную душу-сковородку, точно очищенные тигровые креветки в кипяточное масло. И зафырчат, зашипят, зарумянятся почти мгновенно. — Давно я не видела такую счастливую пару.

Серые глаза Сергея Викторовича вспыхнули металлическим огнем (да как она посмела!), губы сжались. Откинувшись на спинку кресла, он скрестил руки на груди и, подчеркивая каждую фразу, произнес:

— Наш отец умер давно, а вот мама — пять лет назад. И я Ирку растил один все эти годы. Не надо мне рассказывать, какой замечательной будет ее жизнь с этим прыщавым студентом, мечтающим стать великим ветеринаром. Я сразу понял, что ничего толкового из него не выйдет. Одного взгляда достаточно. Чудо лопоухое… Ира достойна большего, и это мое нерушимое мнение.

— Она достойна любви, Сергей Викторович, — быстро ответила я без примеси темных крупиц мести и добавила: — И сейчас ее глаза светятся. И его, кстати, тоже. А еще предлагаю включить объективность и честность. Дима немного лопоух, да. Но прыщей у него нет. Ни одного.

Можно ли сомневаться в искренности чувств взволнованных и смущенных молодоженов? Конечно нет. Хрупкая рыженькая Ирочка смотрела на брата и будто умоляла: «Ну прости, прости, прости, я так его люблю… Разве ты не видишь, какой он замечательный? Самый лучший! И не нужен никто другой. Я просто умру, если ты заберешь у меня это счастье».

— Кажется, я в этой суматохе наткнулся на истинную защитницу. — Я схлопотала вторую усмешку. — Вы не сказали, кем ему приходитесь.

— Вы просто не дали мне такой возможности. И какая разница? Что это изменит? — Превратившись в скользкую бледную устрицу, не желая откровенно врать, я умело ушла от ответа. — Вы ревнуете, вот и все. Раньше вы занимали слишком много места в жизни сестры, а теперь она пойдет своей дорогой, и другой человек станет поддерживать ее в горе и в радости. Впрочем, в вашей поддержке она тоже всегда будет нуждаться.

— Мне не требуется психоаналитик.

Наши взгляды скрестились, и я сделала попытку растопить глыбы льда в глазах Сергея Викторовича, но айсберги лишь повернулись другой стороной и засверкали, продолжая источать возрастающий холод.

— Я права.

— Нет! Чего ваш Дима добился в жизни? Он хотя бы встал на ноги?

— Вы торопите события, он слишком молод.

— Да, но не для того, чтобы запудрить голову моей сестре и жениться. Кто его родители?

— Хорошие люди.

— Мне нужны подробности.

— Разве Ира вам не рассказывала?

— Представьте себе — нет. Я только вчера вечером узнал, что сестра выходит замуж. Она это скрывала от меня. Вы хотя бы понимаете, что я сейчас чувствую?

Ах, как красиво он был раздражен! Есть люди, которым гнев определенно к лицу, и, похоже, Сергей Викторович — именно тот случай. Без сомнения, его мышцы напряжены и уже настойчиво болят, он два раза скрещивал руки на груди и опускал их, не в силах оставаться без движения. Мне хотелось дать осторожный совет: «Снимите галстук, расстегните тугой ворот рубашки, возможно, это хоть как-то облегчит ваше взрывоопасное состояние…» Но боюсь, минуты моей жизни тогда бы уж точно были сочтены.

— А что бы вы сделали, если бы узнали о свадьбе раньше?

— Я бы ее отменил.

— Вот и объяснение, почему Ира поступила так, а не иначе. Вы бы испортили ей волшебный день. А может, даже жизнь.

— По вашему мнению, я тиран и деспот? — Сергей Викторович хлопнул ладонью по подлокотнику кресла и вновь заглянул мне в глаза.

— Определенно, да, — легко согласилась я. — От и до.

— А на кого я еще похож?

— На шоколадный фондан.

— Что?

— На горячий шоколадный фондан, которому просто необходим шарик ванильного мороженого. Для меня это невероятная гармония вкуса, когда встречается тайное и явное, когда горячее отдает холодному тепло и наоборот. И в итоге получается истина. — Неторопливо поднявшись, насладившись короткой местью, я посчитала, что пришло время раскрыть карты и покинуть поле боя. — Вы искали директора, он перед вами, — ровно произнесла я, сохраняя спокойствия, не выдавая помыслов и чувств. — Да, я женщина, которая контролирует «весь этот балаган», как вы сказали. Увы, я не знакома ни с Ириной, ни с Дмитрием, но что с того? Сергей Викторович, посидите здесь какое-то время, чуть вдалеке от молодых, и понаблюдайте за ними. Быть может, уже через два часа, на меньший срок я в данном случае не надеюсь, вы наконец-то увидите любовь и счастье на лице своей сестры. А если что-нибудь понадобится, — многозначительная улыбка озарила мое лицо, — помните, я рядом. И готова в любую минуту прийти и ответить на ваши неспокойные вопросы.

Брови Сергея Викторовича удивленно приподнялись, он не привык ошибаться (раздражение и гнев подвели) и теперь знакомился с давно позабытыми чувствами. Претензии ко мне? Какие?

«Это же не я хватала вас за руку и тащила к окну, требуя ответы на все пункты и планы красавицы судьбы».

Время уходить, я не стала растягивать наше прощание — развернулась и направилась в сторону бара. А кругом сверкала и пела свадьба: музыка кружилась по залу, задевая спинку стульев и кресел, фотографии, светильники, бокалы… Ирочка сидела ровно, улыбалась и кидала взгляды то в сторону Сергея Викторовича, то на гостей, а то с особым трепетом смотрела на Диму. Как ей хотелось, чтобы ее выбор сегодня был принят, чтобы можно было подскочить к брату, обнять его и сказать: «Я так счастлива!».

«Остается только надеяться, что вы все же подойдете к ней и поздравите. Она ждет, надеется и верит».

* * *

Около часа я просидела за ноутбуком в офисной комнате, удобно расположенной этажом ниже. Справа — небольшой кондитерский цех, где рождаются нежные десерты, слева — склад для сыпучих продуктов, похожий на пенал с многочисленными отсеками. Разгребая завалы в почте, я мысленно поднималась по ступенькам, ловила ароматы специй, заглядывала в первый зал, во второй… Ведущий свадьбы наверняка уже активно развлекает приглашенных, раздаются крики «Горько!», раскачиваются люстры, звучат короткие стихи, сдобренные стандартными пожеланиями, и… Сергей Викторович сидит голодный, так как аппетит, в силу обстоятельств, покинул его давно и надолго.

— Съешьте хотя бы тальяту из тунца, — шепотом рекомендую я, отправляя очередное письмо. — Между прочим, это фаворит нынешнего сезона.

— Если вы хорошенько зажарите мужа моей сестры, то я с удовольствием поужинаю. — Ответ пришел в голову сразу, я с удовольствием произнесла его грубым, раздраженным голосом и посмотрела на часы.

Острое желание вернуться кольнуло в бок, ручейками побежало к сердцу, потопталось немного между ребер и рвануло вверх, да так, что я стремительно встала со стула. Отдохнула и хватит, пора на разведку, необходимо убедиться в том, что все идет правильно, нет минусов со стороны кухни и официантов, любовь разрушает преграды, добро побеждает зло, и на всей планете устанавливается священный мир. Обычный рабочий день, не более того.

«Как вы там без меня?»

Ведущий свадьбы — высокий молодой человек в светлом костюме, включив профессиональное обаяние, уже старательно кидал гостей в пучину веселья. Громко и жизнерадостно он рассказывал о том лучезарном будущем, которое обязательно ждет молодых, дополняя обещания цитатами из классики. Взмахнув руками в такт музыке, он загадочно улыбнулся, а затем торжественно сообщил, что наконец-то наступил исторический момент, когда «замечательная Ирина и не менее замечательный Дмитрий встретятся в центре зала и подарят нам незабываемый медленный танец».

«Что-то запоздали с танцем, — мысленно прокомментировала я, выбирая удобный пункт наблюдения в тени винного шкафа. Обычно не откладывают: подарки вручены, первые тосты сказаны и — вперед».

Я нарочно не смотрела в сторону Сергея Викторовича. Зачем? Спектакль окончен, занавес опущен, у актрисы теперь должна начаться обыкновенная жизнь: без маски, многоходовых фраз и живописных декораций. Затянувшаяся игра никогда не сулила ничего хорошего, вовремя остановиться — искусство, но мне легко, в моей голове по-прежнему ищут тарелку брускетты и камамбер.

Во время танца Ирочка особенно походила на лебедя, плавные движения и белые кружева находились в удивительной гармонии. Танец явно готовился заранее, и пусть Дима сбивался, забывал держать спину ровно, постоянно покусывал нижнюю губу, но вместе они были парой. Про них можно было смело сказать: они такие разные, но при этом удивительно похожи.

— Аплодисменты, аплодисменты! — подбодрил ведущий, когда музыка стала стихать.

— Мо-лод-цы! Мо-лод-цы! — вразнобой поддержала молодежь и затопила зал продолжительными криками: «Горько!»

Они целовались, тихо смеялись, обнимали друг друга и не желали разлучаться даже на миг: шли к столу, взявшись за руки, точно пальцы сплелись раз и навсегда. Правда открытых чувств вызывала ответную симпатию, хотелось сказать: «Сергей Викторович, да простите вы их, они мечтали и боялись, у них не было другого выхода». Ира вновь умоляюще посмотрела в сторону брата, но, похоже, ничего нового не увидела.

— А давайте теперь попросим дорогих гостей тоже подарить нам танец, но не обычный медленный, а легендарное танго, наполненное ритмом и страстью! — радостно предложил ведущий и огляделся по сторонам, явно подыскивая первую «жертву». Сбежать у приглашенных не получилось бы, свадьба — большое быстроходное судно, плывущее по бескрайнему океану (кто хочет прыгнуть за борт?). — Та-а-а-к… мне кажется, я нашел желающего… — нараспев добавил ведущий и потер в предвкушении руки.

Еще до того, как он устремился вправо, я поняла, на кого пал выбор. И, хотя происходящее практически не имело ко мне отношения, я почувствовала легкую дрожь в груди, показалось, будто свет в зале стал ярче и гуще, а за окном, наоборот, потемнело от нежданно-негаданно налетевшей грозы.

«Дорогой ведущий, к сожалению, не знаю вашего имени, умоляю, не делайте этого, у вас наверняка есть семья, никто не должен сегодня потерять сына или мужа».

На лице Ирочки застыло вполне объяснимое волнение, находясь в пучине гнева, Сергей Викторович вполне мог сотрясти вселенную. Сделав пару шагов вперед, я остановилась возле барной стойки и приготовилась к худшему, интересно, есть ли у ведущего медицинская страховка и оформил ли он завещание? А еще интереснее, сможет ли брат Ирочки сдержанно отказать или дело дойдет до скандала? Часто нужен лишь повод, чтобы вспыхнуло пламя.

— Прошу, прошу, мы уже готовы включить музыку!

— Я… — начал Сергей Викторович и замолчал, видимо, усмиряя бурю, собравшую в душе серо-фиолетовые тучи. Не делая попытки подняться, он сжал подлокотник кресла и дернул головой.

— Скажу сразу, что право выбрать партнершу целиком и полностью принадлежит вам. Но есть одно условие: вы должны пригласить на танец незнакомую женщину, ту, с которой ранее никогда не встречались.

Сколько раз я убеждалась в том, что месть сладкой не бывает, возвращаясь бумерангом, она с удовольствием задевает и фиалки на подоконнике, и бокалы из тонкого стекла, и мысли, и даже судьбу, если потребуется. Все как положено.

Взгляд Сергея Викторовича заметно изменился и теперь был сфокусирован на мне. Когда человек чертит на чьей-либо груди черные круги мишени, он немного щурится и не замечает ничего вокруг (процесс, безусловно, захватывает, это вам не натюрморт с яблоками и виноградом рисовать). Приблизительно такую славную картину я и наблюдала, безошибочно угадывая, что будет дальше. Сергей Викторович, вопреки ожиданиям Ирочки, резко поднялся, застегнул пуговицу пиджака, сдвинул брови и, нарушая определенные правила (я все же на работе), пошел на меня, как танк на тонкую березу. Я, конечно, имела право развернуться и уйти (завалы в почте, три непрочитанных договора, «как поживает торт в холодильной камере?», да что угодно), но — не отступать и не сдаваться, к тому же не каждый день приходится танцевать с минотавром.

— Разрешите? — спросил Сергей Викторович и, не дожидаясь ответа, опять взял меня за руку и потянул за собой.

Похоже, он никогда не нуждался в согласии

другой стороны: собеседника безусловно видит, но слышит ли?

— Благодарю за приглашение, — небрежно произнесла я, принимая вызов. Ладонь легла на крепкое плечо, удобно устроился локоть, тело совершенно самостоятельно подалось вперед, пытаясь получше пристроиться к партнеру.

— Не за что, — коротко ответил Сергей Викторович.

— Вы умеете танцевать танго?

— Нет. А вы?

— Я тоже.

Но Сергей Викторович лукавил, стоило грянуть музыке, как он довольно уверенно повел нашу пару вперед по невидимой на полу линии. Мне ничего не оставалось, как только поймать ритм и превратиться в звезду аргентинского танго: уверенную, обольстительную и безупречную. Уже через пять метров стало ясно, что нам не стоит претендовать на какой-либо определенный стиль (кажется, их довольно много), но поразить публику мы непременно сможем. Да, мы безжалостно похитим сердца присутствующих, и завтра все газеты будут пестреть нашими фотографиями. Танго необходимо танцевать именно с таким воодушевлением, иначе вас ждет провал.

— Он ее ровесник, понимаете?

— Ну и что?

— Да где они жить собираются?!

— Кстати, а где?

— В маленькой комнате в коммуналке…

— Вполне, — ответила я на развороте.

Сергей Викторович притянул меня, отдалил, притянул вновь и заглянул в глаза:

— Я категорически против их брака.

— Поздно. Ваша сестра выросла и влюбилась.

— Подобных влюбленностей будет миллион.

— Это у вас так, а ей повезло гораздо больше.

— Что?

Мы могли обмениваться лишь короткими фразами, приходилось быстро выбирать главное, а затем молниеносно произносить. Не сомневаюсь, наше танго победило бы в конкурсе на самое страстное: слишком много слов мы не успевали сказать друг другу, они бежали по телу электрическим током, заставляя сближаться и отдаляться.

— Вы наступили мне на ногу.

— Дурацкий танец…

— И до перелома костей сжали руку, надеюсь, случайно, — я мило улыбнулась, не сомневаясь, что задену один из оголенных нервов.

— Можете не сомневаться!

— Сергей Викторович, помиритесь с сестрой, она ждет.

Музыка оборвалась так же быстро, как и началась. Мы тяжело дышали, хотя во время танго особых физических нагрузок не испытывали, а может, попросту не замечали их. Зал взорвался щедрыми аплодисментами, и несколько секунд мы стояли неподвижно на расстоянии полуметра, договаривая и споря глазами. Наверное, нам бы и десяти танцев не хватило, чтобы закончить спор.

— Хотел бы я знать, о чем вы сейчас думаете, — ворчливо произнес Сергей Викторович.

— Мне пора уходить, — ответила я и, выдержав изучающий взгляд серых глаз, направилась в кухню, где шеф продолжал творить чудеса, а повара привычно и четко укладывали на тарелки телятину, спаржу, шпинат, креветки, авокадо, короткие стебельки зелени…

Сердце колотилось — да. Вполне объяснимо. Танго не прощает слабости, мне пришлось оставаться стойкой до самого последнего па, и это приятно. Что может быть бездарнее вялой, безликой битвы, не знающей звона шпаг? Сонная перебранка не оставит в душе огня, толкающего на новые подвиги, а у меня теперь огня предостаточно, до конца лета точно хватит.

— Наталья Андреевна, это вам, — менеджер Катя подошла и протянула сложенную бумажную салфетку, уголки помялись и чуть вздрагивали, будто им не терпелось рассказать, какие испытания выпали на их долю, и чем все закончилось. — Мужчина, с которым вы танцевали, просил передать.

Чуть помедлив, дав себе возможность угадать, к какому решению пришел Сергей Викторович, перебрав несколько кардинально разных вариантов, я развернула салфетку и прочитала:

«Возможно, вы в чем-то правы.

Но если бы вы только знали, как трудно это признать...»

— Он все еще сидит у окна один? — спросила я.

— Да. И ничего не ест.

— Два эспрессо и два шоколадных фондана с ванильным мороженым для нас, пожалуйста.

СОДЕРЖАНИЕ

Литературно-художественное издание

РАДОСТЬ СЕРДЦА
Рассказы современных писателей

СВАДЬБУ ДЕЛАТЬ БУДЕМ?

Ответственный редактор *Е. Курочкина*
Младший редактор *М. Мамонтова*
Художественный редактор *Г. Булгакова*
Технический редактор *Г. Романова*
Компьютерная верстка *М. Лазуткина*
Корректор *О. Степанова*

В коллаже на обложке использованы иллюстрации:
Woodhouse, Ivan Baranov, NadzeyaShanchuk, Maks Lange, LORA MARCHENKO, Aboard, paprika, lukpedclub / Shutterstock.com
Используется по лицензии от Shutterstock.com

ООО «Издательство «Э»
123308, Москва, ул. Зорге, д. 1. Тел. 8 (495) 411-68-86.

Өндіруші: «Э» АҚБ Баспасы, 123308, Мәскеу, Ресей, Зорге көшесі, 1 үй.
Тел. 8 (495) 411-68-86.
Тауар белгісі: «Э»
Қазақстан Республикасында дистрибьютор және өнім бойынша арыз-талаптарды қабылдаушының өкілі «РДЦ-Алматы» ЖШС, Алматы қ., Домбровский көш., 3«а», литер Б, офис 1.
Тел.: 8 (727) 251-59-89/90/91/92, факс: 8 (727) 251 58 12 вн. 107.
Өнімнің жарамдылық мерзімі шектелмеген.
Сертификация туралы ақпарат сайтта Өндіруші «Э»

Сведения о подтверждении соответствия издания согласно законодательству РФ о техническом регулировании можно получить на сайте Издательства «Э»

Өндірген мемлекет: Ресей. Сертификация қарастырылмаған

Подписано в печать 21.07.2017. Формат 80x100 $^{1}/_{32}$.
Гарнитура «Minion». Печать офсетная. Усл. печ. л. 20,74.
Тираж 2000 экз. Заказ 6652.

Отпечатано с готовых файлов заказчика
в АО «Первая Образцовая типография»,
филиал «УЛЬЯНОВСКИЙ ДОМ ПЕЧАТИ»
432980, г. Ульяновск, ул. Гончарова, 14

Оптовая торговля книгами Издательства «Э»:
142700, Московская обл., Ленинский р-н, г. Видное,
Белокаменное ш., д. 1, многоканальный тел.: 411-50-74.

По вопросам приобретения книг Издательства «Э» зарубежными оптовыми покупателями обращаться в отдел зарубежных продаж
International Sales: International wholesale customers should contact Foreign Sales Department for their orders.

По вопросам заказа книг корпоративным клиентам, в том числе в специальном оформлении, *обращаться по тел.: +7 (495) 411-68-59, доб. 2261.*

Оптовая торговля бумажно-беловыми и канцелярскими товарами для школы и офиса:
142702, Московская обл., Ленинский р-н, г. Видное-2,
Белокаменное ш., д. 1, а/я 5. Тел./факс: +7 (495) 745-28-87 (многоканальный).

Полный ассортимент книг издательства для оптовых покупателей:
Москва. Адрес: 142701, Московская область, Ленинский р-н, г. Видное, Белокаменное шоссе, д. 1. Телефон: +7 (495) 411-50-74.
Нижний Новгород. Филиал в Нижнем Новгороде. Адрес: 603094, г. Нижний Новгород, улица Карпинского, дом 29, бизнес-парк «Грин Плаза». Телефон: +7 (831) 216-15-91 (92, 93, 94).
Санкт-Петербург. ООО «СЗКО». Адрес: 192029, г. Санкт-Петербург, пр. Обуховской Обороны, д. 84, лит. «Е». Телефон: +7 (812) 365-46-03 / 04. **E-mail:** server@szko.ru
Екатеринбург. Филиал в г. Екатеринбурге. Адрес: 620024, г. Екатеринбург, ул. Новинская, д. 2щ. Телефон: +7 (343) 272-72-01 (02/03/04/05/06/08).
Самара. Филиал в г. Самаре. Адрес: 443052, г. Самара, пр-т Кирова, д. 75/1, лит. «Е». Телефон: +7 (846) 269-66-70 (71...73). **E-mail:** RDC-samara@mail.ru
Ростов-на-Дону. Филиал в г. Ростове-на-Дону. Адрес: 344023, г. Ростов-на-Дону, ул. Страны Советов, 44 А. Телефон: +7(863) 303-62-10.
Центр оптово-розничных продаж Cash&Carry в г. Ростове-на-Дону. Адрес: 344023, г. Ростов-на-Дону, ул. Страны Советов, д.44 В. Телефон: (863) 303-62-10. Режим работы: с 9-00 до 19-00.
Новосибирск. Филиал в г. Новосибирске. Адрес: 630015, г. Новосибирск, Комбинатский пер., д. 3. Телефон: +7(383) 289-91-42.
Хабаровск. Филиал РДЦ Новосибирск в Хабаровске. Адрес: 680000, г. Хабаровск, пер.Дзержинского, д.24, литера Б, офис 1. Телефон: +7(4212) 910-120.
Тюмень. Филиал в г. Тюмени. Центр оптово-розничных продаж Cash&Carry в г. Тюмени. Адрес: 625022, г. Тюмень, ул. Алебашевская, 9А (ТЦ Перестройка+). Телефон: +7 (3452) 21-53-96/ 97/ 98.
Краснодар. Обособленное подразделение в г. Краснодаре
Центр оптово-розничных продаж Cash&Carry в г. Краснодаре
Адрес: 350018, г. Краснодар, ул. Сормовская, д. 7, лит. «Г». Телефон: (861) 234-43-01(02).
Республика Беларусь. Центр оптово-розничных продаж Cash&Carry в г.Минске. Адрес: 220014, Республика Беларусь, г. Минск, проспект Жукова, 44, пом. 1-17, ТЦ «Outleto». Телефон: +375 17 251-40-23; +375 44 581-81-92. Режим работы: с 10-00 до 22-00.
Казахстан. РДЦ Алматы. Адрес: 050039, г. Алматы, ул.Домбровского, 3 «А». Телефон: +7 (727) 251-58-12, 251-59-90 (91,92,99).
Украина. ООО «Форс Украина». Адрес: 04073, г.Киев, Московский пр-т, д.9. Телефон: +38 (044) 290-99-44. **E-mail:** sales@forsukraine.com

Полный ассортимент продукции Издательства «Э» можно приобрести в магазинах «Новый книжный» и «Читай-город».
Телефон единой справочной: 8 (800) 444-8-444. Звонок по России бесплатный.

В Санкт-Петербурге: в магазине «Парк Культуры и Чтения БУКВОЕД», Невский пр-т, д.46.
Тел.: +7(812)601-0-601, www.bookvoed.ru

Розничная продажа книг с доставкой по всему миру. Тел.: +7 (495) 745-89-14.

BOOK24.RU
ИНТЕРНЕТ-МАГАЗИН

16+
Знак информационной продукции согласно Федеральному закону от 29.12.2010 г. N 436-ФЗ

ISBN 978-5-699-99236-2
9 785699 992362 >

ЕЛЕНА ВЕРНЕР
Купальская ночь,
или
Куда приводят желания
Помните:
мечты имеют
свойство
сбываться...
Таких страстных и поэтичных романов
давно не было в русской литературе.
ЕЛЕНА ВЕРНЕР
• САМОЕ ЯРКОЕ ОТКРЫТИЕ 2015 ГОДА •
Купальская ночь,
или
Куда приводят желания